Parte do seu mundo

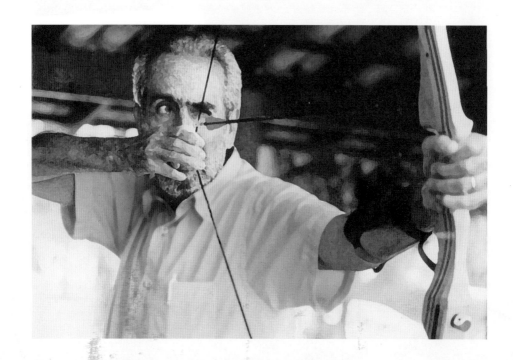

O Arqueiro

GERALDO JORDÃO PEREIRA (1938-2008) começou sua carreira aos 17 anos, quando foi trabalhar com seu pai, o célebre editor José Olympio, publicando obras marcantes como *O menino do dedo verde*, de Maurice Druon, e *Minha vida*, de Charles Chaplin.

Em 1976, fundou a Editora Salamandra com o propósito de formar uma nova geração de leitores e acabou criando um dos catálogos infantis mais premiados do Brasil. Em 1992, fugindo de sua linha editorial, lançou *Muitas vidas, muitos mestres*, de Brian Weiss, livro que deu origem à Editora Sextante.

Fã de histórias de suspense, Geraldo descobriu *O Código Da Vinci* antes mesmo de ele ser lançado nos Estados Unidos. A aposta em ficção, que não era o foco da Sextante, foi certeira: o título se transformou em um dos maiores fenômenos editoriais de todos os tempos.

Mas não foi só aos livros que se dedicou. Com seu desejo de ajudar o próximo, Geraldo desenvolveu diversos projetos sociais que se tornaram sua grande paixão.

Com a missão de publicar histórias empolgantes, tornar os livros cada vez mais acessíveis e despertar o amor pela leitura, a Editora Arqueiro é uma homenagem a esta figura extraordinária, capaz de enxergar mais além, mirar nas coisas verdadeiramente importantes e não perder o idealismo e a esperança diante dos desafios e contratempos da vida.

ABBY JIMENEZ

Parte do seu mundo

Título original: *Part of Your World*
Copyright © 2022 por Abby Jimenez
Copyright da tradução © 2023 por Editora Arqueiro Ltda.

Publicado mediante acordo com a Grand Central Publishing, Nova York, NY, Estados Unidos.
Todos os direitos reservados. Nenhuma parte deste livro pode ser utilizada ou reproduzida sob quaisquer meios existentes sem autorização por escrito dos editores.

tradução: Alessandra Esteche
preparo de originais: Midori Hatai
revisão: Pedro Staite e Rayana Faria
diagramação: Gustavo Cardozo
capa: Sarah Congdon
adaptação de capa: Gustavo Cardozo
impressão e acabamento: Bartira Gráfica

CIP-BRASIL. CATALOGAÇÃO NA PUBLICAÇÃO
SINDICATO NACIONAL DOS EDITORES DE LIVROS, RJ

J57p

    Jimenez, Abby
        Parte do seu mundo / Abby Jimenez ; tradução Alessandra Esteche. - 1. ed. - São Paulo : Arqueiro, 2023.
        352 p. ; 23 cm.

        Tradução de: Part of your world
        ISBN 978-65-5565-488-2

        1. Romance americano. I. Esteche, Alessandra. II. Título.

23-83027   CDD: 813
                          CDU: 82-31(73)

Meri Gleice Rodrigues de Souza - Bibliotecária - CRB-7/6439

Todos os direitos reservados, no Brasil, por
Editora Arqueiro Ltda.
Rua Funchal, 538 – conjuntos 52 e 54 – Vila Olímpia
04551-060 – São Paulo – SP
Tel.: (11) 3868-4492 – Fax: (11) 3862-5818
E-mail: atendimento@editoraarqueiro.com.br
www.editoraarqueiro.com.br

Para Jeanette, Terri, Dawn e Lindsay.
Não me imagino fazendo nem metade das
coisas que faço sem seu apoio incansável.
Este livro é para vocês.

Alexis

Mariposas voavam à luz dos faróis sobre a grama alta da valeta. Eu ainda estava agarrada ao volante, o coração batendo acelerado.

Ao tentar desviar de um guaxinim em meio à neblina, caí em um barranco raso no acostamento. Eu estava bem. Assustada, mas bem.

Tentei dar ré, mas os pneus giraram sem sair do lugar. Provavelmente tinha atolado na lama. *Argh*. Eu deveria ter comprado o SUV em vez do sedã.

Desliguei o motor, liguei o alerta e chamei o guincho. Eles disseram que eu precisaria esperar uma hora.

Perfeito. *Perfeito.*

Eu ainda estava a duas horas de casa, empacada entre a funerária de onde tinha acabado de sair, em Cedar Rapids, Iowa, e Mineápolis, onde morava. Estava morrendo de fome, com vontade de ir ao banheiro, e usava uma cinta modeladora. Basicamente o grand finale da pior semana da minha vida.

Liguei para minha melhor amiga, Bri. Ela atendeu ao primeiro toque.

– E aí? Como foi a semana infernal?

– Bom, posso contar como acabou – respondi, reclinando o banco. – Acabei de enfiar o carro em uma valeta.

– Eita. Você está bem?

– Estou.

– Chamou o guincho?

– Chamei. Uma hora de espera. E ainda estou com a cinta modeladora.

Ela sugou o ar por entre os dentes.

– A cinta do demônio? Você não se trocou antes de ir embora? Deve ter saído correndo de lá como o diabo foge da cruz. Onde você está? – perguntou ela.

Olhei pelo para-brisa.

– Não faço a menor ideia. Literalmente no meio do nada. Não estou vendo nem um poste.

– O carro quebrou?

– Não sei – respondi. – Não saí para olhar. Acho que não. – Eu me remexi no banco, estava desconfortável. – Quer saber? Espera aí. Vou tirar esse negócio.

Soltei o cinto e reclinei o banco até o máximo. Tirei os sapatos de salto e os joguei para o lado do passageiro, então estendi o braço para abrir o zíper do vestido. Sacudi os ombros para que as alças caíssem e me deitei, erguendo o vestido preto até o quadril e enganchando os polegares na parte de cima da cinta.

Não havia ninguém ali. Fazia meia hora que eu não via outro carro passar. Mas é claro que, assim que comecei a tirar a meia-calça, faróis iluminaram meu para-brisa traseiro.

– Droga – respirei fundo e me apressei para terminar o que estava fazendo.

Eu meio que estava tentando tirar a meia de compressão em tempo recorde. Ouvi uma porta bater e passei a me movimentar freneticamente. Lutei contra a peça, tentando tirá-la por baixo do volante, e por fim chutei-a para longe no instante em que alguém surgiu à minha janela.

Um cachorro grande e desgrenhado apareceu do nada e pulou na porta para olhar para mim. Em seguida, um cara branco de barba e jaqueta jeans com colarinho de lã veio atrás dele.

– Hunter, desce. – Ele afastou o cachorro da porta do carro e bateu no vidro com os nós dos dedos. – Ei, tudo bem por aí?

Eu ainda estava com o zíper meio aberto e o vestido levantado até quase a calcinha.

– Tudo bem – respondi, puxando o vestido para cobrir as pernas e virando as costas nuas para o lado do passageiro. – Guaxinim.

Ele levou a mão à orelha.

– Desculpe, não consegui ouvir direito.

Abri um pouco o vidro.

– Desviei de um guaxinim. Estou bem – repeti, mais alto.

Ele pareceu achar aquilo divertido.

– Ah, sim. Temos muitos por aqui. Quer que eu reboque seu carro?

– Já chamei o guincho. Obrigada.

– Se chamou o guincho, é o Carl que deve vir. Vai ficar um tempo esperando. – Ele sinalizou com a cabeça em direção à estrada. – Ele já mandou umas seis cervejas para dentro no Bar dos Veteranos.

Fechei os olhos e suspirei, cansada. Quando os abri, o homem sorria.

– Espere um pouco, vou rebocar seu carro.

Sem esperar por resposta, ele saiu andando até a traseira do veículo.

Fechei o zíper, apressada. Então, peguei o celular.

– Um cara vai rebocar meu carro – sussurrei para Bri.

Virei o retrovisor para tentar ver a placa dele, mas os faróis acesos ofuscaram meus olhos. Ouvi um barulho metálico do lado de fora. O cachorro voltou a pular na janela para me encarar. Seu rabo começou a balançar, e ele latiu.

– Isso foi um cachorro? – perguntou Bri.

– Foi. É do cara – respondi, balançando a cabeça para o cachorro. Ele estava lambendo o vidro.

– Por que você está tão ofegante?

– Eu estava tentando tirar a cinta quando ele chegou – falei, pegando a cinta no chão e enfiando-a na bolsa. – Estava quase pelada quando ele apareceu na minha janela.

Ela riu tão alto que tive que afastar o celular da orelha.

– Não tem graça nenhuma – sussurrei.

– Não tem graça para *você* – retrucou ela, ainda rindo. – E como é o cara? Um velho assustador?

– Não. Na verdade até que é bonitinho – comentei, tentando enxergar pelo retrovisor o que estava acontecendo atrás do carro.

– Ahhhhh. E como *você* está? Apresentável?

– Cabelo e maquiagem, vestido preto do velório… – descrevi, olhando para o meu reflexo.

– Aquele da D&G?

– É.

– Então está gata. Vou ficar na linha caso você seja assassinada.

– Rá. Obrigada. – Voltei a me recostar no banco.

– E o velório, foi uma merda? – perguntou Bri.

Soltei o ar devagar.

– Foi uma merda generalizada. Todo mundo perguntou sobre o Neil.

– E o que você falou?

– Nada de mais. Que terminamos e eu não queria falar sobre isso. Eu não ia entrar nesse assunto. E é claro que Derek não apareceu.

– Que bom momento para estar no Camboja. Ele está perdendo *tooooo-da* a diversão – comentou Bri.

Meu irmão gêmeo costumava evitar o drama da família. Não que ele soubesse que nossa tia-avó Lil ia morrer de repente na casa de repouso nem que eu seria lançada na cova dos leões sozinha para uma reunião de família/velório de três dias… mas era bem a cara dele sumir nessas horas.

Abri o vidro mais alguns centímetros para fazer carinho no cão. Ele tinha as sobrancelhas cheias de um homem idoso e grandes olhos dourados que o faziam parecer surpreso ao me ver.

– Minha mãe fez um ótimo trabalho com a homenagem – falei, acariciando a orelha do cachorro.

– Nenhuma surpresa.

– E Neil mandou mensagem o tempo todo.

– *Também* nenhuma surpresa. Aquele homem é a audácia em pessoa. Você respondeu?

– Hum, *não*.

– Ótimo.

Mais barulhos metálicos do lado de fora.

– Beleza, então escuta só – disse Bri. – A gente podia ir a um encontro duplo quando você voltar.

Soltei um gemido.

– É sério, não é tão complicado assim.

É muito complicado, sim.

– A gente pega os caras mais gatos que encontrar no Tinder. Provavelmente alguém posando com um peixe, mas isso não importa. Levamos eles até o café perto do escritório do Nick… aquele onde ele almoça todos os dias às onze e meia, sabe? E aí, quando Nick aparecer, fingimos surpresa por vê-lo ali. Você tropeça e derruba vinho na camisa dele sem querer enquanto eu beijo meu cara.

Engasguei com a risada.

– Por mais que eu queira ajudar você a destruir as roupas do seu futuro ex-marido – falei, ainda rindo –, não pretendo sair com ninguém tão cedo. Não preciso de homens na minha vida neste momento. Ou em qualquer outro.

– É, bom, somos todas mulheres fortes até uma barata voadora aparecer às três da manhã e não ter ninguém para matá-la.

Bufei.

– Mas é sério agora – disse ela –, nunca ficamos solteiras ao mesmo tempo. Precisamos aproveitar. Verão das gostosas. Seria tão divertido.

– Acho que estou mais no clima de verão das senhoras...

Ela pareceu pensar por um minuto.

– Também pode funcionar.

Ouvi mais barulhos metálicos, como se o cara estivesse prendendo algo ao para-choque.

– Quer sair para beber amanhã? – perguntou Bri.

– Que horas? Tenho aula de pilates.

– Depois.

– Tá bom, vamos.

Percebi alguns movimentos pelo retrovisor lateral. O homem estava voltando. Parei de acariciar o cachorro e fechei o vidro quase por completo.

– Ei – sussurrei para Bri –, o cara está voltando. Espera aí.

O homem afastou o cachorro da porta mais uma vez e se abaixou para falar comigo pela janela.

– Pode deixar o carro em ponto morto? – perguntou ele pela pequena abertura.

Assenti.

– Quando eu tirar você daí, coloque no P e mantenha o motor desligado até eu tirar as correntes.

Aquiesci mais uma vez e vi o homem andar até a caminhonete. Uma porta bateu, e o motor dele rugiu. Então meu carro deu uma guinada e começou a sair da valeta devagar, voltando para a estrada. Ele circundou o carro com uma lanterna e deu uma olhada no para-lama.

Uma libélula pousou no capô. Ficou totalmente imóvel enquanto o homem observava os pneus, agachado. Então ele desligou a lanterna e voltou para a traseira. Mais barulhos metálicos de correntes e, um minuto depois, ele apareceu na janela outra vez.

– Dei uma olhada em todo o carro. Não vi nenhum estrago. Acho que você pode seguir viagem.

– Obrigada – falei, deslizando duas notas de 20 dólares pela fresta.

Ele sorriu.

– Essa fica de brinde. Dirija com cuidado.

Ele voltou para a caminhonete e buzinou, dando um aceno amigável ao passar por mim em meio à neblina.

Daniel

– Cem pratas se ela for embora com você – disse Doug, apontando com a cabeça para a ruiva sentada no bar.

Era a mulher que eu tinha tirado da valeta meia hora antes. Quinze minutos depois, ela entrara no Bar dos Veteranos.

Eram nove da noite de uma terça-feira de abril, o que significava que a cidade inteira estava amontoada no bar. A neve tinha derretido e a baixa temporada começara. Tudo, exceto o Jane's Diner e o bar, ficaria fechado até que o rio esquentasse, e Jane já havia encerrado às oito. Os turistas tinham ido embora, então aquela pobre desavisada se destacava em meio à multidão, além de ser a única mulher na cidadezinha que não era da nossa família nem tinha crescido com a gente. Seria uma perseguição implacável.

Ri do meu melhor amigo, passando giz no taco.

– Desde quando *você* tem 100 pratas?

Brian riu da banqueta onde estava sentado.

– Desde quando você tem 5 pratas? E, se tiver, pode me dar. Você ainda está me devendo pelas bebidas daquela outra noite.

– Boa sorte – resmunguei.

Doug mostrou o dedo do meio para nós dois.

– Eu tenho 100. E tenho suas 5 pratas também, idiota – disse ele para Brian. – Além disso, eu não vou pagar a aposta sozinho. Cada perdedor aqui aposta 50, e quem for embora com ela leva tudo.

– Deixa a mulher em paz – falei, dando a tacada. As bolas rolaram pela mesa, e a seis caiu na caçapa do canto. – Ela não vai para casa com ninguém deste bar. Acredite.

Mulheres como ela não costumam querer nada com caras como nós.

O carro que tirei da valeta era uma Mercedes. Valia mais do que tudo que nós três ganhávamos em um ano. Isso sem falar que ela estava vestida como se estivesse indo para uma festa em um iate. Vestido chique, diamantes enormes nas orelhas, pulseira de diamantes... Ela nitidamente estava de passagem pela cidade e não tinha intenção nenhuma de fazer uma escala ali. Na verdade, fiquei surpreso por ela ter parado lá em vez de dirigir por mais 45 minutos até Rochester para comer. O Bar dos Veteranos não era exatamente um restaurante requintado.

Doug já estava tirando o dinheiro da carteira.

– Não estou interessado – falei, derrubando a oito na caçapa lateral. – Não gosto de apostar em seres humanos. Ela não é um objeto.

Doug balançou a cabeça.

– Que tal pelo menos *tentar* se divertir?

– Eu estou me divertindo.

– Ah, é? Quando foi a última vez que você pegou alguém? – perguntou Doug. – Faz o quê? Quatro meses que você e Megan terminaram?

– Não estou querendo pegar ninguém. Mas obrigado.

Ao perceber que não conseguiria nada comigo, Doug se virou para Brian.

– E você? Cem pratas.

Brian olhou quase imediatamente para Liz, que estava trabalhando atrás do bar.

Doug revirou os olhos.

– Ela é casada. *Casada*. Você precisa superar isso. Está ficando deprimente. Entre em um aplicativo de namoro ou qualquer coisa do tipo. – Doug apontou com o copo de refrigerante para Brian. – Conheci duas gêmeas no Tinder semana passada. *Gêmeas*. – Ele ergueu as sobrancelhas.

Dei uma tacada.

– É mesmo? Então decepcionou duas mulheres de uma vez só?

Brian riu.

Doug me ignorou.

– Estou falando sério, cara. Ela não vai largar o marido. Desapega.

Brian olhou mais uma vez para Liz. Então, como se tivesse sido combinado, a porta do Bar dos Veteranos se abriu e Jake entrou vestindo o uniforme de policial.

Todos paramos para vê-lo seguir até o bar. Ele abriu caminho, distribuindo tapinhas nas costas e cumprimentando as pessoas mais alto que o necessário, para deixar claro que estava nos agraciando com sua presença.

Ele deu a volta no balcão como se fosse o dono do lugar, foi até Liz e a envolveu em um beijo de cinema. Gritos irromperam pelo bar, e Doug e eu nos entreolhamos. Que babaca.

Olhei para Brian a tempo de ver a tristeza em seu rosto.

Caramba, talvez Doug tivesse razão. Não estou dizendo que fazer uma aposta por uma mulher era a saída, mas Brian precisava mesmo superar aquela merda. Liz não ia largar o marido – embora devesse.

Mike passou por nós a caminho do banheiro e Doug acenou para ele.

– E aí, Mike! Cem pratas se ela for embora com você.

Ele apontou para a mulher no bar.

Mike parou e a observou através dos óculos. Devia ter gostado do que viu, porque pegou a carteira.

– Quase não parece justo. Vou acabar com 100 pratas *e* uma mulher bonita.

Ri e olhei para o relógio.

– Preciso ir. Tenho que alimentar a bebê – falei, guardando o taco.

Doug soltou um resmungo.

– Toda hora. – Ele acenou para mim. – Beleza. Vá embora daqui. – Então olhou para o bar por cima do meu ombro e apontou para a mulher. – Ei, fale bem de mim quando passar por ali, ok?

– Quer que eu minta para ela? – perguntei, vestindo a jaqueta.

Brian e Mike riram.

Doug me ignorou e largou o taco sobre a mesa.

– Vou sacar minha arma secreta.

Ri e fui até o bar, balançando a cabeça.

Alexis

– O que vai querer? – perguntou a atendente, limpando o balcão.

Ela era loura, tinha uma rosa tatuada no pulso e estava com um batom cor-de-rosa. Bonita. Seu nome era Liz.

Observei o cardápio que ela tinha me entregado.

– O que tem de bom aqui? – perguntei, não gostando muito das opções. Quase tudo era frito.

– O chili é caseiro – sugeriu ela.

Retorci os lábios.

– Não gosto muito de chili.

A neblina tinha ficado tão densa que eu não conseguiria chegar em casa antes que a necessidade de comer e usar o banheiro ficasse desesperadora. O único posto da cidade estava fechado, então não pude fazer nada disso. O Google me direcionou ao único lugar aberto em um raio de 80 quilômetros: o Bar dos Veteranos que o Cara da Caminhonete tinha mencionado.

O lugar era *um horror*. As mesas não combinavam e as cadeiras eram baratas. Havia letreiros de cerveja de aparência vintage quebrados nas paredes, além de medalhas emolduradas e fotos em preto e branco de veteranos. Um jukebox velho encostado na parede tocava "Bennie and the Jets". Uma cabeça enorme de veado pairava sobre o balcão com luzes coloridas de Natal penduradas nos chifres. Tudo parecia bem velho e gasto. Eu não conseguia imaginar estar ali em qualquer outra circunstância, de jeito nenhum.

Uma mulher com a gravidez bastante avançada veio até Liz e passou um cartão na caixa registradora, apoiando uma das mãos na lombar.

– Já está indo, Hannah? – perguntou Liz, servindo um chope IPA.

– Já. – Ela fez uma careta. – O bebê enfiou o pé bem na minha bexiga.

– Vou guardar suas gorjetas no escritório – disse Liz. Então voltou a olhar para mim. – É uma pena que você não tenha vindo antes que a lanchonete fechasse. Não temos muitas opções enquanto o verão e os turistas não voltam.

– Turistas? – perguntei.

– É. Estamos à beira do rio Root. Além disso, ficamos a duas horas de Twin Cities, então recebemos algumas pessoas no fim de semana. Mas agora só os moradores estão por aqui. E todos no bar. *Tooooodos* os 350. – Ela riu, apontando com a cabeça para o lugar lotado.

Virei na banqueta. Era verdade. Não havia uma cadeira vazia.

Examinando a multidão, vi perto da mesa de sinuca o cara que tinha rebocado meu carro.

Ele era bonito *mesmo*.

Agora que estava sem jaqueta, dava para ver que também tinha um corpo legal. Fazia o estilo lenhador. Barba, cabelo castanho-escuro, olhos castanhos, covinhas. Alto. Vestia camisa de flanela e calça jeans. Com as mangas arregaçadas e tatuagens coloridas à mostra nos braços.

Virei antes que ele percebesse que eu estava olhando.

Um sininho soou, e Liz olhou para algum ponto atrás de mim. Certo nervosismo surgiu em seu rosto, mas ela sorriu. Virei para seguir seu olhar. Um policial bonito estava entrando. Ele era alto, mais de 1,80 metro. Olhos castanhos, cabelos castanhos espessos. O uniforme de xerife colado no corpo em forma. Havia uma arma no coldre em seu quadril e um distintivo dourado preso em seu peito. Ele usava uma aliança de casamento.

– Oi, amor. – Liz sorriu para o homem quando ele deu a volta no balcão.

Ele se aproximou e a beijou. Algumas pessoas assoviaram.

Ele ergueu o queixo dela.

– Trouxe sua blusa – disse, olhando nos olhos dela. Colocou um tecido branco em suas mãos. – Você deixou na viatura.

– Muito gentil da sua parte. – Liz olhou para a blusa. – Ah, Jake, esta é...

Ela parou de falar ao se dar conta de que eu não tinha me apresentado. Jake se virou para mim e pareceu perceber minha presença pela primeira vez.

– Alexis. Muito prazer.

– Bem-vinda a Wakan – disse ele, com um sotaque carregado. – Preciso ir. Volto para buscá-la à meia-noite – avisou para a esposa.

Ele a beijou e me deu um aceno de cabeça antes de ir embora.

Soltei o ar meio bufando e voltei a olhar o cardápio. Estava pensando em ir embora sem comer. Nada parecia bom.

– Então, tirando o chili, o que eu deveria experimentar? – perguntei.

– Oi – disse uma voz masculina atrás de mim, falando com Liz. – Eu queria fechar a conta.

Ergui os olhos. Era o Cara da Caminhonete.

Liz sorriu para ele.

– Indo embora cedo, é?

– Preciso alimentar a bebê – comentou ele. Então se virou para mim e sorriu. – Olá.

– Oi – respondi, ficando de frente para ele. – E aqui estamos mais uma vez.

– E em circunstâncias muito melhores – completou ele.

Eu sorri.

– Obrigada pela ajuda. Não precisava ter feito aquilo.

– Acho que precisava, sim. – Ele indicou com a cabeça um homem no fim do balcão, com os olhos vermelhos e o cabelo desgrenhado, sete copos de cerveja vazios à sua frente. – Aquele ali era seu cavaleiro do guincho.

– Eu teria ficado lá a noite toda.

– Nah, um de nós teria parado. Cinco ou seis horas, no máximo.

Eu ri, e ele sorriu.

– Meu nome é Daniel.

Ele estendeu a mão.

– Alexis – respondi, apertando-a. A palma era áspera e quente.

– Acho que é meu dever alertar você – disse ele, soltando minha mão e se escorando no balcão. – Está vendo aqueles caras ali? – Ele apontou com a cabeça para três homens ao redor da mesa de sinuca. – Estão apostando que você vai embora com um deles.

Liz soltou um gemido atrás da caixa registradora.

– São uns babacas – resmungou, passando o cartão dele. – Brian também?

– Não, só Mike e Doug. – Ele apontou. – Está vendo o cara de óculos? – perguntou para mim.

Virei na banqueta para olhar na direção deles.

– Estou...

– Vive se coçando todo.

Revirei os olhos e Liz soltou uma risada.

– O cara branco e alto de jaqueta mora no porão da mãe – continuou ele. O homem de cabelo louro-escuro estava sorrindo e acenando para nós. – Em uns cinco minutos eles vão arranjar um violão. – Daniel me encarou. – Ele vai tocar "More Than Words", do Extreme, e vai se sair muito, *muito* mal.

Liz ria enquanto colocava a conta na frente dele.

– É verdade. Meu Deus, é isso mesmo?

Olhei para o papel que ele assinou. A conta tinha dado só 10 dólares, mas ele deixou outros 10 de gorjeta. Virou a conta para baixo e se afastou do balcão.

– Enfim... boa sorte.

Ele começou a andar em direção à saída.

– Espere – chamei.

Ele parou e olhou para mim.

– Quanto eles apostaram?

Ele deu de ombros, tirando o chaveiro do bolso.

– Cem pratas.

– E você? Não entrou na aposta?

Ele balançou a cabeça.

– Não faz meu estilo.

– Não? Bom, e se eu fosse embora com você? Você ganharia o dinheiro?

Ele franziu o cenho.

– Não entendi.

– Acho que vou embora de qualquer jeito. Você poderia sair comigo. Ganhar a aposta.

Ele sorriu.

– Você faria isso?

Dei de ombros.

– Lógico.

Ele avaliou os homens do outro lado do bar.

O de jaqueta já estava segurando um violão.

Os olhos de Daniel se voltaram para os meus, e um sorriso brincou nos cantos de seus lábios.

– Se fizermos isso, dividimos a grana.

Virei para Liz.

– Liz, este homem é perigoso? Em uma escala de 1 até Serial Killer. É seguro andar até um estacionamento escuro na companhia dele?

Ela sorriu.

– Daniel é o único cara com quem eu sairia deste bar.

– Não sei o que pensar disso – comentou ele. – Você é minha prima.

Ela riu.

– Ele é inofensivo.

– E vai manter sua palavra e me pagar? – perguntei.

Ela secou um copo com um pano.

– Mesmo que aqueles idiotas não cumpram a parte deles, ele vai pagar você. Ele é esse tipo de pessoa.

Olhei para Daniel, que deu de ombros.

– Não sou um babaca. É o que mais gosto a meu respeito.

Meu sorriso se alargou. Ele era engraçado.

– Tudo bem – concordei. – Combinado. – Indiquei a banqueta ao meu lado. – Mas sente-se aí e converse comigo um pouco. Ou eles não vão acreditar que você me conquistou.

Ele consultou o relógio. Pareceu concluir que tinha alguns minutos e se sentou.

– Então, me fale um pouco sobre você. O que você faz?

– Gerencio uma pousada – respondeu ele.

Liz riu de trás do balcão onde estava servindo um chope.

– Ele é o prefeito.

Arqueei uma sobrancelha.

– Uau, o *prefeito*?

Ele a encarou.

– Está mais para um título honorário. É uma cidade pequena. Minhas funções são mínimas.

Liz balançou a cabeça.

– Ele está sendo modesto. Ele meio que faz tudo por aqui. Canta o bingo nas noites de sábado, é bombeiro voluntário. Ele é até o Papai Noel. – Ela indicou uma das matérias emolduradas acima do caixa.

O Papai Noel vem a Wakan.

O artigo estampava a foto colorida de um Papai Noel gorducho com um garotinho sentado em seu joelho.

Olhei para ele com um sorriso, e ele mudou de assunto.

– O que você faz?

Dei de ombros.

– Nada que seja digno de nota.

Eu não gostava de compartilhar informações pessoais com estranhos. Ele não insistiu.

– Tudo bem. E o que a trouxe a Wakan?

– Estou voltando de um enterro.

Ele ficou sério.

– Ah. Sinto muito.

– Tia Lil tinha 98 anos, e teve uma vida muito boa. Muitos amantes, como ela gostava de dizer.

Ele sorriu.

– Moro em Mineápolis. Estou só de passagem. Ei, sempre tem essa neblina toda aqui?

– Está com neblina lá fora? – indagou Liz, parecendo surpresa.

Daniel balançou a cabeça.

– Nunca tem. Na verdade isso é bem incomum.

– Ahn… Então você tem uma bebê? – perguntei.

Ele olhou para o relógio mais uma vez.

– Tenho. Chloe.

– De que idade?

– Uma semana.

– Ah – murmurei, surpresa. – Bem pequena ainda.

Ele não usava aliança – não que isso quisesse dizer alguma coisa. Ele podia ter uma filha sem ser casado.

– Você tem namorada?

Ele balançou a cabeça.

– Eu não teria aceitado a aposta se tivesse.

– Bom, você não vai me levar para casa *de verdade.*

– Mas estou fingindo que vou. Eu não desrespeitaria minha namorada hipotética.

Ele sorriu.

Precisei conter um sorriso.

– Então não está com a mãe do bebê?

Ele pareceu achar engraçado.

– Definitivamente não. É uma adoção temporária.

Liz sorriu.

– Chloe é *tãããão* fofa. Ele é um ótimo pai. – Ela meneou a cabeça para ele. – Mostre uma foto.

Ele pegou o celular e procurou. Então estendeu o aparelho para mim.

Uma gargalhada explodiu dos meus lábios.

– Sua bebê é uma *cabrita*? De *pijama*?

– É. Ela vai para casa em algumas semanas. É do Doug. O cara do violão. A mãe dela está com mastite e Doug não conseguiria manter a alimentação noturna, então me ofereci para ajudar.

– Deixe-me ver se entendi – falei, cruzando as pernas. – Esse Doug está tentando me seduzir com uma versão mal cantada de "More Than Words", sendo que tem uma *cabrita*? Quando você tem uma cabrita, sempre deve começar a conversa com "Oi, eu tenho uma cabrita".

Ele riu.

– Teoricamente, *eu* tenho uma cabrita.

Liz colocou gelo em um copo.

– Eu sempre digo que o perfil dele no Tinder deveria ser só uma foto da Chloe e um endereço.

Eu ri.

Daniel sorriu e acenou com a cabeça para a mesa de sinuca.

– Eles estão olhando para nós? – perguntou.

Meus olhos se voltaram naquela direção.

– Ah, estão, sim. – Voltei a encarar Daniel. – O Doug da Jaqueta está afinando o violão. Quanto tempo acha que ainda temos antes do show?

– Eu chutaria um ou dois minutos.

– Ok. – Eu me aproximei. – Vou fingir que você disse algo *muito* engraçado, e vou rir. Aí podemos encerrar.

Ele levou a mão ao queixo.

– Que tipo de risada?

– Que *tipo*?

– É. O que quer que eu esteja dizendo teria que ser bom o bastante para que você fosse embora comigo depois de apenas cinco minutos de conversa. Precisa parecer bem convincente. Que tal Julia Roberts?

Isso me fez rir *de verdade*, o que fez com que *ele* risse – e foi muito fofo. Os cantos de seus olhos verde-dourados se enrugaram e seu rosto inteiro se iluminou.

Meu Deus, Daniel tinha um sorriso lindo. *Muito* lindo. Algo nele atingiu em cheio meu coração, me deixando meio sem fôlego.

Ficamos ali sentados, ainda rindo, e de repente eu me peguei mordendo o lábio e me inclinando para cima dele, e percebi, chocada, que estava *flertando*. Flertando de verdade, não fingindo.

Eu tinha passado sete anos com Neil. Achava que ele seria o último homem com quem eu viveria. Então terminei com ele e disse a mim mesma que estava cansada. Chega de homens. Eu não precisava de um. Não precisava daquele incômodo. Rejeitava por completo a ideia de sair com alguém. Tinha comprado um vibrador muito bom e me retirado de cena aos 37 anos. Interesse zero.

E agora estava *flertando*.

Foi como descobrir uma planta que eu achava que tinha morrido, mas que na verdade estava bem viva e só precisava ser regada.

– Opa, Doug está vindo – sussurrou Liz.

Tirei os olhos de Daniel. Doug abriu caminho entre as mesas altas rumando para o bar, o violão na mão.

– Hora de partir – anunciou Daniel.

Ele pegou minha mão, me ajudou a descer da banqueta e saiu do bar comigo.

Daniel

Peguei na mão dela. Estávamos tentando parecer à vontade um com o outro. Eu parecia estar interpretando um personagem. Ousado, mas fiel à proposta.

Ela não se afastou.

Os caras ficaram olhando de queixo caído enquanto saíamos do bar. Abaixei a mão livre e mostrei o dedo do meio para eles.

Quando chegamos ao estacionamento, soltei a mão dela. Tirei as notas da carteira e lhe entreguei.

Ela pegou o dinheiro, contou e enfiou as notas no bolso da minha camisa.

– Hum, o trato era meio a meio – argumentei, pegando o dinheiro para devolver.

– Estou pagando pelo reboque.

– Não. Não aceito – respondi, devolvendo o maço de notas.

Ela cruzou os braços.

– Você fez sua parte – falei, estendendo o dinheiro. – Você mereceu.

– Eu nem estaria aqui se você não tivesse me tirado daquela valeta. E teria pagado muito mais que 50 pratas ao Carl Bêbado. Além disso, eu é que decido o que faço com meus ganhos ilícitos. É assim que funciona. – Ela deu um sorrisinho irônico.

Balancei a cabeça e sorri. Percebi que ela não ia ceder e não insisti muito porque, já que não ia ficar sem as 50 pratas, não teria que pedir para os caras o dinheiro da aposta no dia seguinte. Todo mundo tinha que apertar o cinto fora da alta temporada. E, de qualquer forma, aquilo tudo valera pelo entretenimento.

– Você faz isso com frequência? – perguntei, guardando as notas na carteira. – Preciso dizer que foi o ponto alto da minha semana.

Ela sorriu.

– Deve ter sido uma semana bem ruim.

Eu ri um pouco.

Uma brisa suave jogou uma mecha de cabelo no rosto de Alexis, que a afastou com o dedo. Meu Deus, ela era maravilhosa. Cabelo ruivo, pele clara, sardas no nariz. Olhos castanhos profundos. Atlética. Eu tinha visto mais do que devia quando ela estava se trocando no carro. Senti seu perfume. Não sabia o que era, mas imaginava que fosse caro.

Aquela mulher era tanta areia para o meu caminhãozinho que não tinha nem graça. Era até difícil acreditar que ela estava ali, parada de vestido e de salto, naquele estacionamento de asfalto rachado no meio do nada. Como uma modelo perdida saída diretamente de um ensaio fotográfico para uma revista de moda.

E ela estava certa quanto à neblina, que contornava o estacionamento como se houvesse um campo de força invisível ao redor do Bar dos Veteranos. Era estranho. E nada bom para quem ia dirigir, com certeza.

Ficamos ali por um instante. Então ela indicou o carro com a cabeça.

– Bom, é melhor eu ir embora. Você precisa alimentar sua bebê... Ei, tem algum lugar onde eu possa comer aqui por perto?

Balancei a cabeça.

– Não. Rochester é a cidade mais próxima e fica a 45 minutos daqui.

Ela franziu os lábios.

– Foi o que imaginei. Bom, fazer o quê? Foi um prazer enganar seus amigos.

– É, o prazer foi meu.

Ela abriu um pouco mais o sorriso. Então foi em direção ao carro, e eu fiquei ali, olhando para ela.

– Ei – chamei.

Ela se virou.

– Oi?

– Eu posso preparar algo para você. Na minha casa.

– O que você vai preparar? Porque sou *muito* chata para comer – respondeu ela, sem pestanejar.

– Bom, eu não tenho nuggets em formato de dinossauro, se era isso que você estava esperando.

Ela riu, e eu sorri.

Tentei lembrar o que havia na geladeira.

– Talvez um queijo-quente? Com tomate e manjericão frescos?

Ela arqueou uma sobrancelha.

– Tomate e manjericão frescos?

– Eu tenho uma horta.

– Eu não faço sexo casual.

Soltei uma risada.

– Uau, que reviravolta foi essa.

– Estou falando sério. Nunca fiz e nunca vou fazer. Se esse for seu objetivo, sinto muito em decepcioná-lo.

– Esse não é meu objetivo – falei com sinceridade, sorrindo para ela.

Ela assentiu e deu alguns passos até parar de repente, olhando para mim.

– Certo. Mas devo informar que vou levar meu taser.

– Justo.

– E definitivamente vou usar se for necessário.

Ela me lançou um olhar severo.

Fiz uma expressão igualmente séria.

– Não vai ser necessário. Mas eu acredito, você parece violenta.

Ela segurou o riso, tentando manter uma postura séria.

– E vou com meu carro, você não vai me levar.

– Claro.

– Só mais uma coisa. – Ela inclinou a cabeça para o lado. – Existe alguém por aí que talvez acredite estar em um relacionamento com você?

Dei outra risada.

– É só um queijo-quente. Não é tão sério assim.

– Ah, eu sei. Mas se eu acreditasse estar em um relacionamento com uma pessoa e chegasse em casa e a encontrasse preparando um queijo--quente para outra mulher, não ficaria feliz.

– Eu já disse que não tenho namorada.

– Não foi isso que perguntei.

– Não – respondi, sorrindo. – Não tem ninguém por aí que acredita estar em um relacionamento comigo. E com *você*?

Ela riu.
– Não.
– Beleza.
Ela sorriu.
– Ok.

Acordei no dia seguinte às seis da manhã, nu e feliz depois do melhor encontro da minha vida.

E foi quando percebi que ela havia ido embora.

Alexis

Entrei na minha própria casa na ponta dos pés, sem acender a luz, como uma adolescente se escondendo por ter chegado depois do horário combinado.

Eram seis e meia da manhã, e eu tinha apenas um pé do sapato, estava coberta de lama e pelos de animais de fazenda e vestia um moletom que roubei ao sair, com o cabelo todo emaranhado.

Entrei em pânico.

Entrei em pânico e fugi enquanto ele dormia.

Acordei na cama de um estranho em uma garagem empoeirada de uma cidade no meio do nada depois do que reconheço ter sido o melhor sexo da minha vida... com um cara de 28 anos.

Ele tinha *28 anos*.

Levantei para ir ao banheiro e vesti o moletom dele. Quando estava lavando as mãos, a carteira dele caiu do bolso, aberta onde estava a habilitação de motorista.

Eu sabia que ele era mais novo que eu. Mas não tinha percebido que a diferença era de quase dez anos.

Eu tinha passado a noite com um estranho que era uma década mais novo que eu.

O que eu estava *fazendo*? Eu não era esse tipo de pessoa. Não era adepta do sexo casual. Não tinha *comportamentos de risco*. Neil esperou dois meses para dormir comigo e, quando finalmente cedi, foi durante uma viagem romântica para o México, muito bem planejada. Passei a semana inteira escolhendo a lingerie que ia usar, depilei e esfoliei o corpo, e havia pétalas na cama. Eu nunca tinha transado com alguém que não fosse meu namorado. E tinha acabado de abrir uma exceção para um cara que tinha acabado de conhecer e que tinha quase a idade do filho do Neil.

Surtei.

Eu me vesti e fugi no meio da noite, e ainda pisei em cocô de cachorro na saída. Ou talvez fosse de porco? Ou de cabra? O que quer que fosse era tão grande que meu sapato ficou grudado, e eu o larguei lá como uma lagartixa que deixa o rabo para trás a fim de escapar.

Manquei pela sala escura, jogando a chave no aparador.

– Onde você estava?

Ofeguei com a voz masculina fantasmagórica que vinha da poltrona favorita do Neil. Então uma luz se acendeu e meu coração voltou a bater.

– Derek! Meu Deus, você quase me matou de susto.

Meu irmão gêmeo sorriu para mim.

– Oi, mana. – Ele me avaliou de cima a baixo e se endireitou na poltrona, preocupado. – Você está bem?

Bufei e olhei para meu vestido destruído e meu pé descalço.

– Estou. – Soltei um suspiro. – Estou bem. Como você entrou aqui?

– A senha do seu alarme é a mesma do celular.

– Você sabe a senha do meu celular?

Estendi a mão e tirei o sapato que sobrara.

– Eu sei todas as suas senhas. Mesmo quando você muda.

Dei uma risada seca. Meu irmão e eu compartilhávamos certo grau de telepatia. Como sempre.

– O que você está fazendo aqui? – perguntei, atravessando descalça a sala e me jogando no sofá. – Pensei que fosse ficar mais seis semanas no Camboja.

– Voltei antes.

– Não antes o bastante para me salvar de meia semana em Cedar Rapids sozinha com nossos pais – retruquei, impassível.

– Nada seria capaz de me arrastar até lá.

Ri mais uma vez, recostando a cabeça no sofá e fechando os olhos.

– Isso é um *chupão*?

Ergui a cabeça de pronto.

– O QUÊ?

Levantei do sofá de um salto e corri até o espelho acima do aparador para analisar meu pescoço.

– Droga – falei com um suspiro, observando a mancha roxa perto da orelha.

– Isso é meio ensino médio, não acha, mana? E estou meio chateado por não ter me contado que voltou com Neil.

Soltei um gemido, tocando a mancha com o dedo.

– Não voltei.

Derek me encarou.

– Então quem foi que... – Foi só então que ele pareceu perceber o moletom. – E desde quando você usa estampa camuflada?

– Não uso – respondi, soltando mais um gemido.

Eu ia ter que colocar um band-aid na marca, de tão grande que era. Abri o moletom e revirei os olhos. Havia um chupão no meu peito também. Fiquei olhando para as duas manchas roxas.

Derek esperou em silêncio até que eu explicasse.

– Conheci uma pessoa. Já acabou – falei, interrompendo a inspeção, me jogando de volta no sofá e passando as mãos no rosto.

– Você conheceu uma pessoa? Quando?

Virei a cabeça para encará-lo.

– Umas dez horas atrás?

Ele pestanejou.

– Ok. Você está passando por uma crise de meia-idade. Já vi isso acontecer. Podemos procurar ajuda.

Comecei a rir. Meu Deus, eu devia *mesmo* estar passando por uma crise de meia-idade. De que outra maneira eu poderia explicar isso?

– Meu carro caiu em uma valeta quando eu estava voltando do velório e um cara me ajudou a sair. Ele era simpático e bem bonito, e fui para casa dele comer um queijo-quente... que, aliás, estava muito bom. Ele preparou com ingredientes da própria horta. Também havia um porco solto correndo por lá e fiquei toda suja de lama...

– Um *porco*?

Ele pareceu achar engraçado.

– É. Ele saiu da floresta correndo. Quase me matou de susto. Devia pesar mais de 100 quilos. Talvez seja de alguma fazenda das redondezas e tenha se perdido. Ele era amigável, até fiz carinho nele. Aí um cachorro também pulou em mim. O cara tinha uma cabrita de pijama e…

Derek ergueu uma das mãos.

– Não precisa dizer mais nada, isso explica tudo.

Eu ri, cansada.

– Enfim, não vai dar em nada – resmunguei. – Não sei nem o sobrenome dele.

– Você usou proteção?

– Claro. Ainda estou com o DIU e ele usou camisinha.

Algumas, na verdade. Corei ao pensar nisso.

– Ótimo. Bom, fico feliz por você estar se divertindo… e por não ter sido com Neil.

Eu ri.

– É, eu também.

– Notei que as coisas dele ainda estão aqui.

Ele apontou com a cabeça em direção à garagem.

Esfreguei a testa.

– Eu empacotei tudo, mas ele se recusa a vir buscar.

Derek se inclinou para a frente e apoiou os cotovelos nos joelhos.

– Me desculpe por não estar aqui quando tudo aconteceu – disse ele, em tom sério.

– Tudo bem. Você estava salvando o mundo – respondi, exausta.

Fazia seis meses que Derek estava viajando como voluntário dos Médicos Sem Fronteiras. Ele era cirurgião plástico. Dos bons. Estava tratando vítimas de queimaduras e crianças com lábio leporino. Era difícil ficar chateada por ele não estar lá para mandar pessoalmente Neil para o inferno – se bem que, como fiquei sabendo depois, ele fez isso por telefone via satélite.

Eu o encarei.

– Por que você voltou? Eles te liberaram mais cedo?

Um sorriso lentamente se abriu em seu rosto.

– Eu até posso contar, mas você tem que assinar um termo de confidencialidade.

Eu ri, achando que fosse piada, mas ele abriu uma bolsa que estava ao lado da poltrona e pegou um papel e uma caneta.

Pisquei, surpresa.

– Você está brincando.

– Olha, eu não pediria se não precisasse.

Ele deslizou o papel pela mesinha de centro.

Encarei meu irmão.

– Quer que eu assine um termo de confidencialidade para que você, meu irmão e maior confidente, me conte por que está na sala da minha casa?

Ele empurrou o papel mais um pouquinho na minha direção e bateu com o indicador no campo de assinatura.

Balancei a cabeça e peguei o papel, dando uma olhada.

– O que é isso?

Ele levantou a mão para me silenciar.

– Só assine, e eu vou poder contar tudo.

Suspirei.

– Ok – resmunguei, rabiscando meu nome na linha pontilhada. Deixei o papel na mesinha e joguei a caneta por cima. – Aí está seu documento. Pode falar.

– Eu me casei.

Eu me levantei de um salto.

– O QUÊ?!

Ele exibia um sorriso largo.

– No último fim de semana. Fazia seis meses que estávamos juntos.

Fiquei olhando fixamente para ele.

– E não contou *para mim*?

– Eu não podia. Eu prometi. Era importante para ela.

– Mas... mas você me conta *tudo* – argumentei, incrédula.

Ele assentiu.

– Eu sei. Para você ver como a confiança dela é importante para mim.

Afundei no sofá, o olhar vago.

– Você se casou... – Soltei um suspiro. Olhei para ele. – Com *quem*?

– O nome dela é Nikki. Ela é cantora. Famosa. Estava no Camboja montando um lar para mulheres sobreviventes de tráfico sexual.

Vasculhei meus conhecimentos limitados sobre artistas atuais.

– Nikki... Nikki de quê?

– O nome artístico dela é Lola Simone.

– *Não* – respondi.

Ele estava com um sorrisinho torto no rosto.

– Você não se casou com Lola Simone.

– Casei, sim.

Ele pegou o celular e me entregou.

Fiquei olhando para a foto dos dois juntos, parecia ser um registro do casamento.

Lola Simone era uma estrela do nível da Lady Gaga. Mas naquelas fotos ela não parecia a mesma que saía nos tabloides. Parecia uma pessoa normal. Cabelo castanho na altura dos ombros, um vestido branco simples com um colar de flores. Derek estava de linho branco, com um sorriso radiante.

– Ela é incrível, Ali. A mulher mais impressionante que eu já conheci.

Ergui os olhos para encará-lo.

– E você se casou com ela... sem a minha presença?

O sorriso dele diminuiu um pouquinho.

– A única pessoa presente era o agente dela, Ernie. Tivemos que fazer algo bem discreto – explicou ele, pegando o celular de volta. – A privacidade é superimportante para ela. Ela é reconhecida em todos os lugares. Não existe anonimato. Os paparazzi a perseguem o tempo todo. Era mais fácil fazer lá e com discrição.

– Bom, quando vamos nos conhecer? Ela não veio com você?

– Ela estava ocupada demais com o projeto. E não gosta da ideia de voltar para cá.

– Ela vai ter que voltar em algum momento. Você mora aqui, e seu trabalho voluntário termina em algumas semanas.

Seu sorriso diminuiu mais um pouco.

– Ali, eu não vou voltar.

Eu o encarei, piscando repetidamente.

– *O quê?* Como assim não vai voltar?

– Vou me mudar para o Camboja para viver com minha esposa.

A notícia me acertou como um soco no estômago.

– Mudar para o Camboja... – murmurei, sem acreditar.

– Vamos inaugurar o lar para mulheres. E fazer mais trabalho voluntário. Eles precisam de cirurgiões e podemos fazer muitas coisas boas lá.

Voltei a me sentar no sofá. Então o impacto de tudo o que ele disse me atingiu de verdade.

– Não. Você não pode me deixar aqui com ele.

Seu remorso pareceu ainda maior.

– Você vai ficar bem.

Balancei a cabeça.

– Não. Eu definitivamente *não* vou ficar bem. Você não pode fazer isso comigo, Derek. Não posso continuar trabalhando com Neil. Não posso. Eu tentei. Já estou me candidatando para vagas em outros hospitais. Não consigo vê-lo todos os dias.

Ele passou a mão no rosto. Não me respondeu. Ficou olhando para um ponto atrás de mim. Não conseguia me encarar.

Eu era uma Montgomery.

Sempre havia um Montgomery trabalhando no Royaume Northwestern Hospital, todos os dias desde sua construção, em 1897. Eu vinha de uma família de médicos lendários responsáveis por grandes avanços na medicina ao longo de décadas. Filantropos poderosos que garantiam a realização de grande parte dos programas e ensaios clínicos pelos quais o Royaume era famoso. Era o legado da minha família. Éramos os Vanderbilts e os Carnegies do mundo da medicina. No ano anterior, o History Channel tinha produzido um documentário sobre a família como parte da série Gigantes da Indústria. Metade do hospital tinha o nosso nome. Havia um Jardim Memorial Montgomery. Uma Ala Pediátrica Montgomery. Nunca houve um só dia em quase 125 anos em que o Royaume *não* tivesse um Montgomery na equipe. Era mais que uma tradição, era uma instituição.

Minha mãe e meu pai trabalhavam lá, mas tinham se aposentado em março. Derek trabalhava lá e eu também. Mas se Derek ia embora...

Teria que ser eu. Eu teria que ficar.

Eu não poderia ser a Montgomery que destruiria tudo isso. Não poderia desmantelar a franquia. Isso com certeza ficaria registrado nos livros de história.

Era como se eu tivesse acabado de ser condenada à prisão perpétua. E ele *sabia* disso.

– Olha... – começou ele. – Talvez esteja na hora de quebrar a corrente. O hospital não vai desmoronar se um Montgomery não estiver na equipe...

– Ótimo. Boa ideia. Que tal se *eu* sair primeiro e *depois* você pedir demissão? – Inclinei a cabeça e ele pressionou os lábios. – Foi o que imaginei.

Ele desviou o olhar.

– Alguma chance de Neil ir embora?

– Ele é o cirurgião-chefe. Está no Royaume há vinte anos. Acho mais provável que seja atingido por um raio.

Derek olhou para mim e ficou em silêncio por um instante.

– Sinto muito. Eu sei que isso te deixa em uma posição difícil.

Olhei para ele, a desesperança tomando conta de mim.

– Você não sabe como é... como me sinto diminuída perto do Neil. Ele vai começar a me manipular, me convencer de que mereci o que ele fez, e eu vou ficar tão confusa e esgotada que vou deixá-lo voltar por pura exaustão. Eu *preciso* ir embora, Derek. Não existe outra maneira de me proteger.

Ele fez uma longa pausa.

– Eu preciso viver minha vida, Ali. E minha vida é com Nikki, fazendo o que sei que nasci para fazer.

Apoiei o rosto nas mãos.

Ele ficou em silêncio por um bom tempo.

– Como eu não senti? – sussurrei. – Como eu não soube que você estava se apaixonando e tomando uma decisão tão importante? Eu deveria ter pressentido. Deveria ter percebido a falha na Matrix.

– Como eu só soube que Neil estava te magoando quando você me contou tudo?

Funguei e tirei o rosto das mãos, mas não consegui olhar para ele.

– Ele passou tantos anos arrancando pedaços de mim – falei em voz baixa. – Estou tentando me recompor, e agora vou ter que fazer isso sem você? E com ele sempre à espreita?

Ele sentou na beirada do sofá.

– Você é forte o bastante para isso. E todas as suas amigas estão no Royaume. Não permita que ele te afaste do hospital. Você merece ficar lá se é onde quer estar.

Sim, minhas amigas estavam lá: Jessica, Bri, Gabby. Mas isso não compensava o fato de ter que trabalhar com Neil no meu pé pelo resto da vida – e *seria* pelo resto da vida. Não havia mais ninguém.

Naquele momento Neil estava bancando o ex arrependido. Mas a fachada não ia durar muito tempo. Quando percebesse que não ia conseguir me reconquistar, mudaria a estratégia e se tornaria cruel.

Ele *sempre* era cruel.

Voltei a apoiar o rosto nas mãos.

– Por que *eu* sou a última no programa de criação Montgomery? Parece uma piada de mau gosto.

Meus pais tiveram filhos com o único propósito de dar continuidade à linhagem familiar. Fui criada, moldada, preparada e instruída desde a mais tenra idade de que estava destinada a trabalhar no Royaume e de que não deveria adotar o sobrenome do marido se me casasse. Mas não era para ser eu sob os holofotes. Era para ser *Derek*.

Senti a mão dele em meu braço.

– Não deixe que eles decidam como você deve viver. Só vivemos uma vez.

As palavras ficaram pairando entre nós. Mas eu estava fraca demais para responder.

Derek sabia a verdade. Eu não tinha mais escolha.

Nunca, jamais conseguiria ir embora.

Alexis

Seis dias depois, eu estava com Bri no balcão da emergência do Royaume. Fazia uma semana que não nos falávamos – principalmente porque não trabalhávamos no mesmo turno e eu estava ocupada demais com meu irmão para conversar ao telefone ou sair para beber como tínhamos planejado. Derek tinha ido para o Camboja no sábado, de volta para a esposa, depois de contar para nossos pais que estava indo embora de vez.

Meu pai, como era de se esperar, perdeu a cabeça.

Ele não disse nada, principalmente porque acho que não teve tempo de organizar os pensamentos em meio ao caos do termo de confidencialidade de Derek e do anúncio do casamento, mas senti a decepção caindo sobre mim, como se meu pai percebesse que eu era tudo o que restava do legado Montgomery/Royaume e, por isso, tudo estava perdido.

Derek sempre foi o filho de ouro, então não importava que meus feitos fossem ou não decepcionantes. Eu não queria publicar artigos em periódicos médicos nem dar palestras, como ele fazia. Odiava os holofotes. Só queria ajudar as pessoas.

Mas agora, como única Montgomery na equipe, qualquer coisa menos que o completo domínio profissional seria considerada uma vergonha para minha linhagem de prestígio – e eu já tinha começado mal. Eu não era cirurgiã, não tinha nenhuma descoberta médica no currículo, meu rosto não apareceria em capas de revistas. Era como se meu pai tivesse acabado de descobrir que a princesa mais inútil tinha ascendido ao trono.

Bri mexia no computador ao meu lado. Estava preenchendo o histórico dos pacientes, com o cabelo castanho preso em um coque frouxo e o estetoscópio pendurado no pescoço.

Briana Ortiz era médica da emergência como eu. Nós nos conhecemos na faculdade. Ela tinha 34 anos, era salvadorenha e *muito* boa no que fazia.

– Então – começou ela –, vai me contar o que aconteceu? A rádio corredor está espalhando um boato de que Derek pediu demissão.

Ela digitou uma última informação e se virou para mim.

– Não é boato.

– Também comentaram que ele estava usando aliança.

Ela ergueu uma sobrancelha.

– Sobre *isso* eu não posso falar – respondi, também dando um último toque no teclado. – Assinei um termo de confidencialidade.

– Seu próprio irmão fez você assinar um termo de confidencialidade – afirmou ela, sem expressão.

– Fez. Foi uma semana cheia de coisas inéditas.

Uma enfermeira saiu do quarto número quatro.

– O Cara do Nunchaku está aqui. De novo.

Soltei um gemido.

– Encaminhe para a tomografia – respondemos em uníssono.

Bri voltou a me encarar.

– E o que você fez durante a semana?

Soltei um suspiro.

– Fiquei com Derek e com meus pais. Fomos àquele restaurante novo em Wayzata na sexta, e minha mãe decidiu que era a hora e o lugar certos para discursar sobre como ela torce por Neil e sobre a importância de fazermos terapia de casal. Disse que ele merece uma segunda chance. Parece que ele anda pedindo às pessoas que conversem comigo. É a segunda tentativa de intervenção só nesta semana.

– O cara pegou uma anestesista. Com quem você *trabalha*. Qual parte disso sua família não consegue entender?

Massageei as têmporas, exausta. Não era só a traição. Bri e Derek eram as únicas pessoas que sabiam o real motivo para eu não querer dar uma segunda chance a Neil. Depois do que ele tinha me feito passar durante aqueles últimos anos, Bri o odiava com todas as forças.

Mas os outros? Todos *amavam* Neil. Meus pais, nossos amigos. Ele era a alegria da festa, o amigão da turma.

– No início eles foram solidários comigo – resmunguei. – *Como ele pôde fazer isso? Espero que você tenha dado um pé na bunda dele*, blá-blá-blá. Mas aí teve o aniversário da Jessica e todos foram para a casa do lago, menos Neil e eu. Então todo mundo se deu conta de que a vida que conhecíamos naqueles últimos sete anos tinha acabado. E de repente a coisa mudou para *Vocês já pensaram em fazer terapia de casal? Foi só uma mulher, ele errou e sabe disso.* Acho que ele está dormindo em um futon na casa do Cam – acrescentei, exausta.

Bri fez um grunhido de desgosto.

– O cara é cirurgião. Precisa mesmo dormir no sofá do filho de 22 anos? Não pode alugar a droga de um apartamento?

– Acho que, se ele fizer isso, a situação toda de repente vai parecer real.

– Ótimo. Espero que o pau dele murche e caia. Sério mesmo. – Ela pegou o café gelado. – O que seu pai disse? – perguntou, com o canudo já perto da boca.

– Você vai ficar puta – alertei.

– Pode falar.

– Ele disse que Neil é brilhante e que às vezes pessoas brilhantes cometem erros mundanos.

Ela bufou.

– É, bom, você também é brilhante, e não vejo você montada em anestesistas por aí.

– Ele também disse que espera que eu retome logo o juízo, porque as festas de fim de ano estão chegando.

– Ele *não* disse isso – retrucou ela, boquiaberta.

– Pior que disse. E Derek me deixou sozinha, presa em Cedar Rapids durante três dias com *isso*.

– Estou com vontade de socar sua família inteira.

Bufei.

– Somos duas.

– Por que você não mandou seu pai para o inferno?

A risada que eu dei corresponderia a uma piada muito mais engraçada que aquela.

– *Ninguém* manda o Dr. Cecil Montgomery para o inferno.

Eu fui criada para reverenciar meu pai lendário de forma quase divina – e não conhecia ninguém que não o fizesse. Ninguém discutia com ele, ninguém discordava dele e certamente ninguém o mandava para o inferno.

Eu estudei na universidade que meu pai exigiu. Segui a carreira que ele exigiu. Aliás, a única vez, a única *mesmo*, que ousei ignorar a vontade do meu pai foi quando escolhi a emergência em vez da cirurgia. Ele só deixou para lá porque Derek era o favorito da família, então minhas decisões não importavam muito.

O tiro saiu pela culatra.

Bri remexeu o gelo com o canudo.

– Morro de medo do seu pai. Quando ele vinha à emergência, todo mundo desaparecia feito barata. Aí sua mãe aparecia para pedir uma consulta, toda doce e leve, enxugando as lágrimas das enfermeiras. Por que sempre tem um gentil e um cruel?

– Porque existem dois tipos de pessoas no mundo, as difíceis e as fáceis, e elas se casam uma com a outra.

– Rá.

Ela fez uma pausa e olhou para mim.

– Ok. Agora me conte sobre o chupão. Você falou para todo mundo que se queimou com o babyliss… Por acaso estamos no ensino médio?

Eu ri.

– Você fez sexo selvagem com Neil?

Eu me encolhi, horrorizada.

– Não! Por que está perguntando isso?

– Porque você tem me evitado, e acho que é porque não quer contar a história do chupão. E eu só vou me ressentir se você tiver transado com Neil.

Respirei fundo.

– Eu não transei com Neil.

Ela esperou.

– Então…?

Olhei em seus olhos por um bom tempo, e ela abanou a mão em um gesto de "Desembucha!".

– Conheci uma pessoa semana passada.

Uma expressão de surpresa cruzou o rosto dela.

– Conheceu? Quando? Onde? Em qual aplicativo?

– Nenhum. Lembra o cara que tirou meu carro da valeta?

– O cara do meio do nada?

– Esse mesmo. Fui para a casa dele.

Ela pestanejou.

– Você *não*...

Ela soltou um suspiro.

– Sim. E depois saí correndo às quatro e meia da manhã enquanto ele estava dormindo.

Inclinei a cabeça para o lado.

– Por que você fez isso? Tinha alguma coisa errada com ele?

– Não. Não havia absolutamente *nada* de errado com ele. Ele foi gentil e doce... – Olhei para ela. – E tem *28 anos*.

Ela deu um sorrisinho.

– Carambaaaaa! É isso aí, garota.

– *Shhhhh*. – Olhei ao redor. – Não posso sair com um cara de 28 anos, Bri – sussurrei. – É um bebê.

– Não é o *seu* bebê.

– Cam tem 22.

– Bom, Cam não é seu filho, e seu ex tem um filho de 22 anos porque é dez anos mais velho que você.

Balancei a cabeça.

– Eu não namorava caras de 28 anos nem quando *eu* tinha 28 anos.

– Bom, não sabe o que perdeu. Eles já têm idade suficiente para não serem irritantes e têm toda aquela energia sexual. E você pode treiná-los. Eles têm tanta vontade de aprender nessa idade, são como cachorrinhos. – Ela baixou a cabeça para olhar em meus olhos. – Ele tem amigos?

Soltei uma risada.

Ele realmente tinha energia... Meu rosto ficou quente só de pensar.

– Vou fazer 38 este ano – falei. – Não posso sair com um cara tão novo assim.

– Quem disse? Se você tivesse 28 e ele, 37, ninguém estranharia. Ninguém estranhou quando você começou a namorar o Neil... e olha que deveriam, o cara era um babaca.

Apertei os lábios.

– Olha – continuou ela –, você é nova nessa situação de "solteira aos 30", então não sabe como é o mundo lá fora, e estou aqui para informar que não é nada bom. É como revirar o lixo atrás da coisa menos nojenta. Semana passada um cara me levou flores de velório. Tipo, era uma cruz com a foto de um morto no meio.

Deixei escapar uma risada.

– Acho que ele só percebeu quando eu falei – disse ela. – Ah, lembra que contei do cara de camisa havaiana com bigode de ator pornô e um monte de gatos que ficava dizendo que eu parecia a próxima ex-mulher dele? Tipo, sério? É por homens assim que ficamos com infecção urinária? Se você encontrou um cara de quem gostou, saia com ele. Confie em mim.

Eu ainda estava rindo das flores de velório.

– Eu nem tenho o número dele – falei.

– Tem o nome?

– Só o primeiro.

Ela deu de ombros.

– Então vá atrás dele. Você disse que a cidade é pequena. Não deve ser tão difícil.

Fiquei calada.

– O sexo foi bom? – perguntou ela.

Dei um suspiro.

– O sexo foi incrível. *Incrível.* Ele me levantou contra a parede – sussurrei. – Fizemos três vezes. Ele voltou em menos de dois minutos. *Eu* fiquei cansada primeiro, e era ele quem estava fazendo todo o trabalho.

– Viu, isso é um cara de 28 anos. Acha que o bebedor de conhaque, o calvo, o quase cinquentão do site de relacionamentos vai lhe dar um sexo acrobático? Não vai. Porque ele lesionou a coluna jogando golfe.

Ri tão alto que uma enfermeira que estava levando um paciente em cadeira de rodas se virou para me olhar.

E continuei rindo.

– Ok, mas falando sério, eu não posso. Quer dizer, o que diabos estou fazendo? O que ele tem em comum com meus amigos? Minha família?

Ela olhou no fundo dos meus olhos.

– Você sabe que pode só transar com ele, né?

Ofeguei.

– Estou falando sério. Você não precisa se casar com esse homem. Pode usá-lo só para o sexo. Sabia que essa opção existe?

– É claro que sabia – sussurrei. – Mas não foi isso. Eu meio que gostei dele. Ele era charmoso.

– Você passou a noite com um cara que conhecia fazia quanto tempo?

Ela esperou.

– E aí?

Olhei para ela.

– Três horas.

Ela assentiu.

– Três horas. E não foi isso? – Sua expressão era de deboche. – Você é bastante capaz de fazer sexo casual, eu garanto.

Soltei o ar pela boca.

– Como ele era, afinal? – perguntou ela.

Eu ri.

– Parecia o Scott Eastwood em *Uma longa jornada*, mas com barba. Ah, e ele tinha uma cabrita de pijama.

– *Mentira.*

– Verdade.

Ela arregalou os olhos.

– Eu iria atrás até de um palhaço no bueiro se ele tivesse mesmo uma cabrita de pijama.

– As mãos dele eram ásperas – comentei, meio distante. – Sei que é estranho, mas eu gostei *muito* disso. O cheiro dele também era bom. Roubei seu moletom.

Ela arqueou uma sobrancelha.

– Você roubou o moletom do cara? Isso é um crime sério.

– Eu vou para o inferno, eu sei.

Eu não conseguia parar de usar o moletom. Tinha o cheiro dele, e era um cheiro *bom*.

Minha amiga Gabby uma vez me disse que mandou um cobertor dela para o criador de quem ela comprou um labrador, para que o filhote se acostumasse com seu cheiro antes de ir para a casa dela. Era mais ou menos isso. Parecia que eu estava me acostumando com Daniel por meio dos feromônios do moletom, e ele nem estava lá.

Eu estaria mentindo se dissesse que o cheiro cada vez mais fraco não me fazia querer voltar e sentir o cheiro real...

E eu não conseguia mesmo parar de pensar no sexo. Estava pensando mais agora, quase uma semana depois, do que no dia seguinte, como se tivesse pegado gosto pela coisa aos poucos, e agora estivesse com desejo.

– Com quantos anos você passa a ser considerada papa-anjo? – perguntei.

Ela riu.

– Mais do que você tem hoje.

– Não acredito que fiz sexo casual – sussurrei. – Em *quem* eu me transformei?

– Sabe, só é sexo casual se não acontecer mais nada entre vocês depois.

Tive que conter uma bufada, e ela riu.

– O quê? É verdade – disse.

Balancei a cabeça.

– Deve existir uma ciência por trás desse tipo de atração – falei baixinho. – Alguma coisa a ver com os genes.

– Foi bom assim, é?

– Foi – respondi, e me virei para encará-la. – E pareceu que foi *muito* bom para os dois.

Fazia muito tempo que eu não me sentia irresistível. Pensando bem, eu não sabia se isso já tinha acontecido.

Nunca fiquei tão excitada assim com Neil. Bom, pelo menos não sem provocação. Nossa vida sexual sempre exigiu muita preparação. Preliminares, vinho e jantar. Mas com Daniel...

Não passou batido o fato de eu querer vê-lo nu uma hora depois de nos conhecermos.

Peguei o vibrador na noite anterior. O mesmo que, uma semana antes, me satisfazia perfeitamente como substituto de uma vida sexual de verdade. Fiquei olhando para aquela pequena engenhoca cor-de-rosa e percebi que eu só estava pronta para aposentar minha vida amorosa porque nunca tinha experimentado um sexo bom o bastante a ponto de me fazer desejar mais. Agora que eu *tinha* experimentado, um vibrador não ia mais bastar.

Preferia ter ficado na ignorância.

– Você devia ter visto como cheguei em casa – sussurrei. – Fui atacada por um porco perdido enquanto estava lá... Nem me pergunte. Meu vestido ficou coberto de lama. Tinha a marca de um focinho bem na minha bunda e pelo de cabra por todo lado. Aí pisei em um monte de cocô de cachorro com meu Manolo preto. As luzes do sensor de movimento acenderam e eu entrei em pânico, então saí correndo e deixei o sapato lá.

– Você deixou o sapato – repetiu Bri, sem expressão. – Como a Cinderela.

– Exatamente. E o moletom que eu roubei tinha estampa camuflada.

– Então você chegou em casa com um vestido de 2 mil dólares coberto de lama, calçando apenas um sapato e com o moletom camuflado do seu parceiro sexual.

– Isso mesmo.

– Como uma fazendeira humilhada? Com feno no cabelo?

Comecei a rir.

– Cala a boca.

Era serragem, na verdade, mas eu não ia contar isso para ela.

– Eu compraria outro vestido daquele se pudesse ver um vídeo da câmera de segurança que mostrasse você chegando em casa.

– Bom, seu aniversário está chegando...

Ainda estávamos rindo quando um pequeno grupo de residentes que estava conhecendo o hospital apareceu no corredor e ficou paralisado me encarando, os olhos arregalados.

– Ah, meu Deus! – Bri soltou um gemido. – Sim, é uma Montgomery! – gritou ela. – Vocês vão encontrá-los de vez em quando. Esta aqui vai ser a médica responsável. Fiquem felizes por não ser o pai dela. Por favor, sigam em frente.

Bri enxotou os estudantes com um gesto, e eles saíram correndo. Ela revirou os olhos.

– Você não se cansa disso? – perguntou, virando-se para mim.

– Eu nem ligo mais.

Ela se recostou na cadeira.

– Meu Deus, vocês parecem a família real. O que você vai fazer? Se Derek foi embora, você é meio que A Escolhida agora, não é? Você tem que, tipo, beijar bebês e batizar alas pediátricas?

Fechei bem os olhos.

– Nossa, como eu odeio isso. – Olhei para ela. – Sabia que o *Star Tribune* me ligou ontem? Eles queriam saber quais são meus planos para o aniversário de 125 anos, agora que "a tocha foi passada para a nova geração". – Desenhei aspas no ar. – Pelo visto, eu é que vou ter que fazer o discurso na festa de gala em setembro.

Ela fez uma careta.

– Caramba. Você não pode simplesmente não fazer? Dizer não?

Dei de ombros.

– Claro. Aí o hospital perde 1 milhão de dólares para a pesquisa do câncer, a bolsa Montgomery é suspensa, metade das iniciativas para as famílias de baixa renda perdem o patrocínio, a construção do novo centro de transplantes é interrompida e eu me torno a vergonha do legado Montgomery.

– Uau. Sem pressão.

– É sério. Minha mãe fez questão de lembrar que os doadores internacionais não vêm para as cerimônias a não ser que um Montgomery esteja presente. Então eu vou ter que comparecer a todos os eventos para angariar fundos e socializar com a elite a partir de hoje.

– Derek *ama* socializar com a elite.

– Bom, neste momento Derek está amando outra coisa muito mais importante. – Soltei um suspiro. – Eu amo toda essa iniciativa, só odeio a pompa que a envolve. É como se fosse uma espada que abre caminhos para fazer o bem e eu fosse a última pessoa capaz de empunhá-la. Queria muito que não fosse eu.

– Com grandes poderes vêm grandes responsabilidades.

Dei um sorrisinho irônico, mas ela não estava errada.

– É uma coisa legal também. Você pode salvar vidas só de aparecer com um vestido de festa. Lembra quando a *Forbes* chamou vocês de a última grande dinastia americana e a Taylor Swift usou isso como título de uma música?

– PARA!

– Quê? Foi engraçadíssimo. Você é chique. Tenho orgulho de você. Aliás, pode autografar alguns post-its para mim? Vou vender para os residentes. Tenho um empréstimo estudantil para quitar.

Joguei uma caneta nela, e caímos na gargalhada.

Então Neil apareceu.

No instante em que o vimos, nosso humor murchou completamente.

Ele se dirigiu até o balcão da enfermagem com seu uniforme azul-celeste.

Aos 47 anos, Neil ainda tinha todo o cabelo, grisalho, e uma covinha no queixo. Ele era lindo de dar nojo, e o mais irritante era que sabia disso.

Eu o via quase todos os dias em que estava trabalhando. Ele era o cirurgião-chefe, portanto eu sempre lhe encaminhava os pacientes. Só que não tínhamos nenhum paciente em comum naquele dia, então provavelmente era um assunto pessoal. Oba.

Bri cruzou os braços quando ele se aproximou.

– Dr. Rasmussen. Como podemos ajudar? – perguntou ela, seca.

Ele a ignorou e olhou para mim.

– Alexis, eu queria falar com você.

– Você pode falar qualquer coisa para ela na minha frente – disse Bri. – Ela vai me contar tudo mesmo. Assim ela não precisa imitar seu sotaque babaca.

Vi uma centelha de irritação em seu rosto, mas ele a reprimiu.

Também cruzei os braços.

– O que você quer, Neil?

Ele olhou para Bri e então se voltou para mim.

– Seria melhor conversarmos em particular.

– Melhor para quem? – provocou Bri. – Para você?

Ele retesou o maxilar.

– Precisamos falar sobre a casa.

A casa. Na verdade, precisávamos mesmo discutir sobre esse assunto.

Não éramos casados oficialmente, mas tínhamos comprado a casa juntos cinco anos antes. Nossos nomes estavam na escritura. Ele vinha pagando sua parte da hipoteca nos últimos dois meses, mas não era justo que continuasse, considerando que não morava mais lá – embora fosse o mínimo que ele poderia fazer.

– Eu gostaria de comprar sua parte – disse ele.

Meus braços despencaram.

– *O quê?*

– Eu gostaria de comprar sua parte. Quero ficar com a casa.

Fiquei olhando para ele, incrédula.

– Não vou vender minha casa para você.

– Não é sua casa. É *nossa* casa. Meus amigos estão por lá, é perto do trabalho, tem as pistas de corrida de que eu gosto...

Bri pressionou os lábios.

– Aham. Bem, acho que você deveria ter pensado nisso antes de comer aquela lá.

Ela fez um gesto vago indicando a saída.

– Você não vai ficar com a casa – afirmei. – *Eu* compro a sua parte, e *você* pode comprar outra casa.

Ele estreitou os olhos.

– Você não precisa da casa. É grande demais para você.

– Mas não tanto para você? – Minha voz saiu mais alta do que deveria. – Vai se foder, Neil.

Senti Bri se remexer na cadeira e olhar para mim.

Não havia ninguém além de nós três ali. Ninguém ouviu. Mas eu nunca enfrentava Neil. Não sabia o que estava alimentando aquela onda momentânea de coragem.

Não, eu sabia *exatamente* o que era. A clareza obtida após meses de terapia. A percepção de que ele era um babaca manipulador e emocionalmente abusivo.

E mais uma coisa.

Por algum motivo, saber que Neil não era o último homem que tinha me levado ao orgasmo fortalecia minha coragem. Acho que isso contribuiu mais para a situação do que qualquer outra coisa. Aquela noite provou que eu era atraente e desejável, apesar de Neil ter tentado tanto me convencer do contrário.

Bri deu um sorrisinho sarcástico, e ficamos as duas olhando fixamente para ele.

Ele retesou o maxilar outra vez.

– Você não sabe como manter a casa. A piscina precisa ser aberta no verão, os aspersores estão desligados, uma árvore morta precisa ser removida antes de cair no telhado, é necessário colocar sal no filtro da caixa-d'água...

– Você não faz nenhuma dessas coisas – rebati. – Você contrata alguém para fazer.

– Contratar alguém é parte do que é preciso fazer. Você não faz ideia das centenas de coisas que eu tenho que administrar. Você não é capaz de manter uma casa daquele tamanho.

– Minha resposta é não – falei. – Não vou deixar que você me tire de lá. – Inclinei o corpo para a frente. – De qualquer forma, se ficasse com a casa, como você se livraria do cheiro?

Inclinei a cabeça e observei o golpe. Era uma briga interna que só ele e eu entendíamos, e que deixava sua marca.

Ele comprimiu os lábios. Então se virou e saiu.

– Meu Deus – sussurrou Bri quando ele já estava longe o bastante para não ouvir. – Puta merda, *nunca* vi você mandar ele se foder assim.

– O que aconteceu? – murmurei. – Eu apaguei.

Neil empurrou as portas duplas e desapareceu.

Bri balançou a cabeça, com um sorrisinho torto.

– Você arrasou. Oito mil terminações nervosas e mesmo assim o clitóris não é tão sensível quanto um homem branco quando não consegue o que quer. – Ela sorriu para mim. – *Estou gostando* dessa nova Ali.

– Minha terapeuta diz que ser consistente é o único jeito de lidar com alguém como ele. Que o que permitimos é o que ensinamos. Preciso estabelecer limites claros e reforçá-los.

– Eu diria que você foi estupidamente clara. Meu Deus, como ele é irritante. É como um cabelo grudado na mão, você sacode, sacode, mas não consegue se livrar dele.

Eu ri.

– *Nunca* vou deixar que ele fique com a casa.

– Não deve mesmo.

– Não vou. Passei um ano inteiro mobiliando. Uso a pista de corrida mais do que ele, e meus amigos também moram por lá. É *minha* casa, caramba.

Ficamos sentadas ali por um instante.

Olhei para ela.

– Acho que preciso ligar para aquele cara.

– Também acho.

– Quer dizer, eu preciso devolver o moletom, né? É a coisa certa a fazer. E se tiver algum valor sentimental?

Ela pareceu achar engraçado.

– O que foi?

– Seja sincera. Você quer é sexo. Precisa disso. Precisa de alguém que a faça se sentir segura e bonita e ofereça todo o sexo que você não teve nos últimos sete anos. E ele parece perfeito para a tarefa. Longe o bastante para não se intrometer na sua vida. Jovem demais para querer compromisso sério.

– E não temos nada em comum, então não vou me apegar – acrescentei. Ela assentiu.

– Essa possibilidade nem existe.

Daniel

Sentei a uma das mesas altas do Bar dos Veteranos, bebendo uma cerveja quente. Doug estava sendo irritante. Isso queria dizer que a ansiedade o corroía. Eu estava acostumado, mas meu pavio andava mais curto do que o normal naquela semana.

Abril era um dos meus meses favoritos. Não havia turistas, então eu podia fechar a propriedade que alugava e me concentrar na carpintaria em tempo integral. O clima começava a melhorar e as folhas brotavam. Mesmo assim, eu estava de mau humor.

Não conseguia parar de pensar nela. No motivo para ter ido embora. Minha sensação é que assustara uma criatura bela que nunca mais veria de novo.

Repassei aquela noite na cabeça várias vezes, e aconteceram tantas coisas idiotas que eu não conseguia decidir qual poderia ter sido a causa. Foi o porco? Minha casa?

Eu?

Eu sabia o que *não* tinha sido. Não tinha sido o sexo. *Aquilo* foi incrível. Para os dois. Pelo menos isso estava óbvio.

As mãos dela eram tão macias. Entrelaçamos nossos dedos quando eu estava por cima dela – mas então me perguntei se minhas mãos não eram ásperas demais. Se ela percebeu os calos e ficou desanimada. Ou talvez tivesse sido a enorme pilha de merda que Hunter deixou de presente bem em frente à porta... onde ela pisou. Eu sabia disso porque ela tinha abandonado o sapato lá.

Eu limpei o sapato. Não que tivesse alguma esperança de que ela voltasse para buscá-lo. Já tinha se passado uma semana.

Morar em Wakan nunca me incomodou. Nunca me incomodou que só uma pizzaria ficasse aberta durante o verão ou ter que dirigir 45 minutos para ir ao mercado ou a uma loja de materiais de construção. Mas namorar era difícil. A cidadezinha não tinha exatamente um lugar para os solteiros, e sair com turistas nunca dava em nada. Eu não tinha conta no Tinder ou o que quer que Doug usasse naquele tempo. Namorei uma garota de Rochester chamada Megan por um tempo, mas nunca houve aquela faísca verdadeira entre nós. Ela acabou me confessando que estava saindo com outra pessoa e terminou o relacionamento. Eu nem me importei o bastante para ficar decepcionado.

Mas Alexis... Com ela eu fiquei decepcionado.

Não sei o que eu estava imaginando que aconteceria. Era bem provável que ela fosse embora na manhã seguinte e eu nunca mais a visse, mesmo que *tivesse* ficado a noite inteira. Mas ainda assim eu odiava aquela situação.

Tudo nela me atraía. A personalidade, o senso de humor. As curvas do seu corpo, o perfume do seu cabelo...

Eu precisava parar de pensar nisso. Principalmente porque não havia nada que pudesse fazer.

– Ei – disse Doug. – Vamos comprar raspadinhas.

– Acho que vou para casa – resmunguei, largando a cerveja em cima da mesa.

Ele fez uma cara feia.

– Cara, qual é o seu problema? Ainda está chorando por aquela garota?

– Quer saber? Vai se foder. Talvez se seu porco não estivesse correndo pelo quintal...

– Ei, não me culpe pela sua falta de talento. – Ele riu, levando o copo de refrigerante à boca. – Se não conseguiu fechar negócio, a culpa não é minha.

Eu não contei a ninguém que tínhamos transado. Falei que ela foi para a minha casa, que preparei algo para ela comer e nos despedimos. Não queria macular nosso tempo juntos transformando-o em combustível para os golpes de Doug. E a verdade era que, embora *tivesse* sido só sexo, não era isso que eu estava sentindo. Nós tivemos uma conexão.

Pelo menos era o que eu *pensava*.

Eu devia estar imaginando aquilo. Tinha que ser isso, certo? Do contrário, ela não teria ido embora sem deixar seu número de telefone.

Levantei e vesti a jaqueta.

Doug pigarreou.

– Não pode ficar mais uns vinte minutos?

Ele me encarou por um segundo, então desviou o olhar.

Doug enfrentava alguns problemas de saúde mental – depressão e estresse pós-traumático. Era por isso que eu estava cuidando da Chloe, porque ele precisava dormir. Quando não dormia, os sintomas ficavam piores.

A baixa temporada estava sendo difícil para ele. Doug precisava de interação e de projetos e, quando os turistas iam embora, não tinha nenhum dos dois. No ano anterior a situação tinha se complicado tanto que Brian e eu tivemos que nos revezar na casa de Doug, com medo de que ele fizesse algo de ruim consigo mesmo.

Esse era outro problema de Wakan. Não tínhamos nada. Nem dentista, nem atendimento de emergência. O profissional de saúde mental mais próximo ficava a quase uma hora de distância, logo nós mesmos cuidávamos dos nossos problemas em vez de procurar ajuda. Ele tinha ido algumas vezes até o hospital dos veteranos, onde lhe deram remédios e ofereceram terapia. Mas não o reabasteceriam se ele não mantivesse o tratamento com um médico, e não era nada prático ir até lá para isso, então ele não continuou.

Fiquei feliz por ele pedir ajuda. Ainda que estivesse apenas pedindo que eu não o deixasse sozinho.

Sentei de novo.

– Claro. Posso ficar mais um pouco.

Ele tomou um gole de refrigerante e assentiu.

– Obrigado. – Fez uma pausa. – O que aconteceu com ela, afinal? – perguntou, em tom mais ameno agora. – Com a garota.

Soltei um suspiro. O que *não* aconteceu?

– Bem, vejamos. Chegamos em casa e precisei explicar que eu morava no apartamento em cima da garagem, e não na bela mansão histórica em frente à qual tínhamos estacionado. Isso foi engraçado. Aí seu porco barrigudo saiu correndo da floresta e sujou o vestido dela de lama. Tipo, *o vestido inteiro*. Eu tive que jogar uns tomates para que ele saísse de cima dela.

– Desculpa, cara. Eu consertei a cerca – disse ele, e pareceu mesmo arrependido.

– Tudo bem – resmunguei. – Ela reagiu numa boa, na verdade. Fez carinho no porco quando percebeu que ele não era perigoso. Então, quando entramos, o Hunter pulou nela também. Acho que a situação toda deve ter sido um pouco demais.

Mas foi *mesmo*? Porque, mesmo depois daquilo tudo, ela ficou. Preparei o jantar, ela brincou com a Chloe. Nós conversamos.

E fizemos outras coisas…

Foi estranho porque tive a sensação de que passamos todo aquele tempo nos conhecendo, mas no fim eu ainda não sabia nada sobre ela. Não sabia seu sobrenome, onde ela trabalhava, o que fazia. Ela pareceu meio reservada com essas informações, então não insisti. Não que saber tivesse ajudado. Ela obviamente não queria que eu entrasse em contato, senão teria deixado um número. Eu pareceria um stalker se pesquisasse sobre ela.

Liz apareceu com uma bandeja.

– Mais alguma coisa, pessoal?

– Não, obrigado – respondi enquanto ela pegava a cestinha de amendoim.

– E aí, o que aconteceu com a Alexis naquela noite? – perguntou ela.

Ela permaneceu ali, com um sorrisinho que eu nem precisava ver para saber que estava ali. Eu conhecia minha prima. Ela estava tentando me provocar.

Grunhi para o copo de cerveja.

– Não deu certo.

– Sério? Achei que ela tivesse gostado de você. Ela deu sinais de estar *bem* interessada.

Bufei.

O telefone tocou, e Liz desistiu do interrogatório e voltou ao balcão para atender.

– Raspadinha? – perguntou Doug mais uma vez.

– Dez pratas – respondi, tirando a carteira do bolso. – Só isso. Depois vou para casa.

Liz gritou para mim do outro lado do bar:

– Daniel! Ligação para você!

Olhei para ela, confuso.

– Ligação?

Ela estava sorrindo, com a mão sobre o bocal.

– Alexis!

Eu a encarei, incrédulo, por alguns segundos. Então me lancei até o telefone tão rápido que tropecei em uma banqueta e quase saí voando. Avancei mancando os últimos metros que faltavam e peguei o telefone sem fio das mãos de Liz.

– Alô?

Uma voz hesitante surgiu do outro lado da linha.

– Alô... Oi. Aqui é a Alexis. A gente se conheceu semana passada.

Um sorriso enorme tomou conta do meu rosto.

– Oi.

– Oi.

– Achei que nunca mais fosse ouvir falar de você – falei, levando o telefone até o corredor ao lado dos banheiros, onde estava um pouco mais silencioso. – Pensei que talvez tivesse feito algo errado.

Ela riu.

– Não. Você não fez nada de errado. *Sério*.

Eu sorri.

– Eu, ahn... estou ligando porque preciso confessar uma coisa – disse ela, sugando o ar com os dentes cerrados.

– Sim?

– Eu roubei seu moletom. Estou me sentindo muito mal por isso.

– Deixa eu ver se entendi – comentei, com o sorriso tão largo que ele com certeza estava perceptível na minha voz. – Você está se sentindo mal por ter roubado meu moletom, mas não por fugir de mim no meio da madrugada? – provoquei.

– É... quanto a isso... desculpa. Sou uma ladra de moletom *e* uma fugitiva.

– Pois fique sabendo que uma dessas coisas acabou com a minha semana. A outra é só um moletom.

Ela riu.

– Posso mandar pelo correio?

Balancei a cabeça.

– Não. A entrega não é tão rápida. Preciso dele de volta imediatamente. Esta noite, de preferência. Posso ir buscar, é só me dar seu endereço.

– Esta noite, é?

– Com certeza. Coitado do moletom, confuso e perdido. Você provavelmente o guardou em um armário escuro.

– Ah, não, seu moletom está sendo *muito* bem cuidado, eu juro.

Eu sorri.

– Você está usando?

– Bom, não se rouba um moletom para *não* usar. Seria um crime sem sentido.

Pensar nela usando meu moletom fez meu coração bater forte.

– Sabe, eu tenho uma teoria – falei, trocando o telefone de orelha.

– Ah, é? Qual?

– Acho que você pegou o moletom porque queria um motivo para voltar aqui.

– É *meeeesmo*?

– É. E acho que você sabe o motivo. A cabrita. Você está me usando para passar tempo com minha bebê? Porque, se estiver, preciso ser sincero, eu entendo.

Ela gargalhou.

– Bom, se eu for aí, vou ser atacada pelo porco de novo? Porque foi muita emoção para uma noite só.

– Ok, antes de qualquer coisa, o porco tem nome. É Kevin Bacon. É grosseiro não chamá-lo pelo nome.

Ela riu outra vez.

– Kevin Bacon?

– É. Doug tem um zoológico, e ele dá esse tipo de nome aos animais.

– Que tipo de nome? – perguntou ela. – Diga outro.

– Bom, tem a Cabra Macha… é a mãe da Chloe. O nome completo da Chloe é Chloe Balido. – Fui contando nos dedos. – As galinhas são a Mãe Cacaruja e o Pintolas Cage, tem o Barack O-Lhama, o Al Capônei…

Ela gargalhou.

Dei um sorrisinho.

– O Paulo Coelho… e a lebre é o Lebrão James…

– PARE – implorou ela. – Você só pode estar brincando.

– O Doug é assim – falei, sorrindo. – Então, qual é o seu endereço? Posso sair em meia hora.

Ouvi Alexis soltar um suspiro. Ela fez uma pausa longa.

– Você deve ter percebido que eu sou bem mais velha que você.

Dei de ombros.

– E daí?

– Não quer saber quantos anos eu tenho?

– Na verdade, não. Isso não muda nada para mim.

– Faço 38 em dezembro.

– Tudo bem. Não me importo.

Não me importava mesmo.

Ela fez mais uma pausa.

– Daniel, não é um bom momento para eu me envolver com alguém. Não estou disponível emocionalmente.

– Sem problemas. Podemos só curtir.

– E você precisa saber que eu não costumo fazer o que fizemos naquela noite. *Nunca.*

É, ela disse isso quando nos conhecemos. Algumas vezes, para falar a verdade.

– Bom, você precisa saber que eu também não faço. Nunca.

E isso também era verdade. Eu não fazia.

Ela ficou em silêncio mais uma vez.

Havia algo de frágil em seu silêncio. Fiquei com a sensação de que, se desligasse sem conseguir convencê-la a me encontrar, nunca mais a veria. Ela desapareceria de novo no universo. E alguma coisa me dizia que isso talvez acontecesse de qualquer forma.

Pigarreei.

– Você não vai acreditar – comecei. – Doug acabou de apostar 100 pratas que eu não consigo convencer você a me encontrar esta noite. Que loucura, né?

Ela riu, e senti sua determinação vacilar.

– Ok – concordou, finalmente. – Mas eu vou até você. Só vou demorar umas três horas para chegar. Não moro perto.

Olhei para o relógio. Eram quatro horas.

– Então quer dizer que vai passar a noite?

– Hum...

– Quer saber? Eu coloco você na pousada – sugeri rapidamente. – Um quarto só para você. Como fechamos na baixa temporada, você vai ter a casa inteira à disposição.

– Não tem problema?

Eu me senti murchar um pouco ao ouvir que ela não queria dormir ao meu lado. Mas a cavalo dado não se olha os dentes, e isso devia tê-la assustado da última vez.

– Problema nenhum. E venha com fome. Vou preparar um jantar para nós. Tenho nuggets em formato de dinossauro.

Ela riu de novo.

– Ok.

Trocamos celulares, e eu dei a ela o endereço da pousada. Desliguei e me virei para Liz e Doug, parados bem atrás de mim. Os dois estavam radiantes.

– Ela vem? – perguntou Liz, parecendo entusiasmada.

Passei uma das mãos no rosto.

– Vem. – De repente bateu a ansiedade. – O que é que eu vou fazer com ela?

– Acho que você sabe o que fazer com ela, parceiro.

Olhei para ele.

– Você entendeu o que eu quis dizer.

Era baixa temporada. Não havia nada aberto. Não tínhamos nem cinema. Eu não poderia levá-la nem para tomar um sorvete, nada.

O que diabos as pessoas das cidades grandes faziam? O que é que *nós* fazíamos? Fogueiras? Bar dos Veteranos? Dirigir por aí?

– Dê uma volta com ela – disse Doug, como se lesse minha mente.

O pânico me rasgava por dentro.

– Ela gosta de você – concluiu Liz. – Está vindo para cá porque quer ver você. É o suficiente.

Será? Quer dizer, o que *eu* tinha a oferecer a uma mulher como ela?

Bem… uma coisa era certa. Eu devia ter feito um bom trabalho, já que ela aceitou dirigir três horas para repetir. Pelo menos isso.

– Faça ela rir – disse Doug. – Quando uma mulher ri, seus olhos ficam mais tempo fechados. Ela não vai notar como você é feio.

Eu ri, embora contrariado.

– Ligue para o Brian – sugeriu Liz. – Talvez ele possa ajudar.

Assenti. Era uma boa ideia.

– Ok. Beleza, o que mais?

Doug virou o resto do refrigerante.

– Eu cozinho. Posso deixar uma cesta na sua casa em duas horas.

– Sério?

Ele pegou a jaqueta que estava pendurada nas costas da cadeira.

– Sim, estou falando sério. Vou até colocar o queijo bom.

Aquiesci, me sentindo um pouco melhor. Doug oferecia degustações de vinho em sua fazenda no verão. Era apicultor e fazia o próprio queijo de cabra e o próprio mel. Ele sabia montar um banquete.

– Colha umas flores – disse Liz. – As mulheres gostam de ver que houve um esforço.

Assenti. Esforço. Entendi.

Com isso, corri para casa.

Três horas pareciam muito, mas não eram. Eu precisava abrir a pousada e arrumar o melhor quarto. Limpei a caminhonete, o que parecia menos trabalhoso do que acabou se revelando. Acho que nunca tinha lavado aquela caminhonete – usava para o trabalho e ela era quase tão velha quanto eu. Limpei o apartamento, o banheiro. Precisava alimentar Chloe e trocar seu pijama. Quando entrei no banho, faltava só meia hora.

Eu estava muito nervoso. Parecia que estavam me dando uma segunda chance para... nem sei para quê.

Ela me mandou um "Chego em cinco minutos", e saí com Hunter e tirei Chloe do curral. Eu me agachei na entrada e olhei nos olhos do meu cachorro.

– Certo, amigão. Chega de bagunça, ok? Nada de pular... Ei! Olhe para mim. NADA DE PULAR. Está vendo como a Chloe é boazinha? É esse tipo de comportamento que eu preciso de você.

Hunter se aproximou e lambeu o nariz da Chloe, e ela soltou um balido fofo.

– E faça suas necessidades nas árvores. Temos uma floresta inteira. Você não precisa fazer na frente da garagem. Quero seu *melhor* comportamento.

Hunter não parecia fazer ideia do que eu estava falando e começou a coçar o pescoço. Sua coleira fez uma rotação completa, e ele parou e piscou para mim. Sua orelha estava virada.

Hunter era um cão de caça de 6 anos, aposentado, que adotei do resgate.

Fazia três meses que estava comigo. Era um griffon de aponte de pelo duro. Parecia estar sempre confuso e era o pior ouvinte que já conheci – o que era estranho, porque o dono anterior disse ao pessoal do resgate que ele era treinado. Cães de caça são obstinados por natureza, mas aquele...

Olhei para ele.

– Já vi que você vai ajudar muito... – resmunguei.

Ouvi o barulho de pneus no cascalho e me levantei. Meu coração acelerou.

Por um segundo, pensei *e se*. E se a química tivesse desaparecido ou a atração não fosse a mesma? E se eu tivesse construído uma imagem em minha cabeça e ela não correspondesse às minhas memórias?

Mas no instante em que a vi eu soube que não tinha imaginado nada.

Alexis

Eu liguei para ele. Liguei para ele e estava voltando lá.
O que eu estava fazendo?
Foi uma coisa tão espontânea, eu não pensei direito. Estava na sala de casa, decidindo o que pedir para o jantar, e de repente pesquisei o Bar dos Veteranos de Wakan no Google e liguei para o número que apareceu.
Eu não fazia ideia se ele estaria lá. Estava. E no instante em que ouvi sua voz eu soube que passaria a noite em uma cama que não seria a minha.
Vasculhei o armário, procurando a roupa certa. Vi como estava o tempo em Wakan. Fazia 15 graus, então peguei uma calça jeans, uma galocha xadrez que eu poderia lavar se pisasse em cocô de novo, e uma camisa de flanela com uma regata branca por baixo. Parecia alguém *tentando* parecer natural da área rural.
Pensei em ligar para Gabby e pedir ajuda com a roupa, mas teria que explicar por quê, e *definitivamente* não estava pronta para ter essa conversa.
Daniel não era uma pessoa que eu poderia apresentar aos meus amigos. Jamais.
Eles não entenderiam. Para falar a verdade, nem *eu* entendia.
Meu grupo de amigos não conhecia pessoas com tatuagem. Ou barba. Ou cabras. O marido de Gabby, Philip, era um administrador financeiro importante, e o marido de Jessica, Marcus, um advogado de sucesso. Daniel era jovem demais e diferente demais dos caras com quem elas estavam acostumadas. Ele era diferente demais dos caras com quem *eu* estava acostumada.

Talvez por isso a atração fosse tão forte...

Definitivamente havia algo bastante descomplicado nele. Eu não sentia a pressão de manter uma conversa estimulante ou de deixá-lo impressionado. E ele era tão divertido. Neil jamais teria enganado os próprios amigos em um bar.

Neil ficaria horrorizado só de *estar* naquele bar.

Separei um short de pijama de seda e uma regatinha preta combinando. Nada sexy demais, mas também nada desleixado. Eu não queria que parecesse que tinha ido até lá só para seduzi-lo – o que era verdade –, mas também não queria que parecesse que não tinha me esforçado.

Tomei um banho, depilei as pernas, arrumei o cabelo e me maquiei, preparei a mala e saí antes que pudesse mudar de ideia.

Fui ouvindo Lola Simone no caminho.

Já que não poderia conhecer minha cunhada pessoalmente, decidi fazer isso ouvindo suas músicas. Ela tinha onze álbuns, e comecei pelo primeiro. Não era exatamente meu estilo. Meio pop-rock. Parecia a Britney Spears no início da carreira, o que acho que fazia sentido, pois, de acordo com a Wikipédia, Lola tinha 16 anos quando gravou aquele álbum. Mas a letra era muito boa.

Dessa vez, ao entrar na cidadezinha de Wakan, olhei ao redor. Metade das lojas estava fechada na pacata rua principal. Uma sorveteria, um laboratório fotográfico antiquado, duas butiques e meia dúzia de restaurantes com letreiros em neon apagados e pôsteres que diziam "Fechado durante a baixa temporada" nas vitrines. O hotel que vi naquela noite ao entrar na cidade também tinha o mesmo aviso no letreiro, e o estacionamento de trailers ao lado parecia abandonado. Mesmo na baixa temporada, no entanto, Wakan tinha seu charme.

A cidade ficava entre um rio e alguns penhascos. Todas as construções eram de tijolos aparentes com postes antigos nas calçadas. Quase todas as lojas tinham uma placa histórica de metal preto, embora eu estivesse longe demais para identificar o que estava escrito nelas. Passei devagar por uma loja de antiguidades e por uma farmácia que parecia estar com as portas fechadas desde o século XIX, com um mural folclórico desbotado na lateral de tijolos.

Havia uma livraria bem pequena, uma barbearia, um único café, chamado

Jane's Diner, com uma placa de "aberto" pendurada em uma corrente na parte interna da porta.

Dirigi quase 1 quilômetro e finalmente virei na entrada de cascalho da propriedade de Daniel. Um letreiro no qual eu não tinha reparado da outra vez estava iluminado. Casa Grant, 1897. Mesmo ano em que o Royaume foi inaugurado, observei.

Daniel estava esperando em frente – segurando a cabrita.

Meu coração disparou no instante em que o vi.

Eu não sabia o que ia sentir ao vê-lo novamente – se seria estranho ou se o que quer que tivesse me atraído teria desaparecido. Mas no momento em que coloquei os olhos nele, parado ali, meu coração disparou.

Ele estava ainda mais bonito – talvez porque dessa vez tivesse sido avisado? Vestia calça jeans e uma camiseta preta do Jaxon Waters com um pássaro desenhado, e tinha uma pulseira marrom de couro grossa no punho. Seu cabelo estava mais arrumado. Penteado com cuidado. Ele parecia ter se arrumado.

Era engraçado pensar que a versão arrumadinha de Daniel era um nível de roupa casual que eu nunca tinha visto em Neil. Mas combinava com ele. E, meu Deus, era muito atraente.

Daniel tinha um corpo esbelto, tonificado. Não havia nenhuma gordurinha ali, mas ele era musculoso o bastante para não parecer um magricelo desengonçado. Lembrei que seus ombros largos eram salpicados de sardas. Sempre que ele me levantava, seu abdômen se contraía como um acordeão…

Corei quando pensei nisso.

Estacionei. Enquanto eu saía do carro, Daniel veio até a porta para me receber.

O cão saltou entre nós dois, o rabo balançando para a frente e para trás. Parou no meio do cumprimento animado e soltou um "uuuuuuuuuu!".

Então pulou em mim.

Eu o segurei, soltando uma exclamação e cambaleando para trás.

– Hunter, desça! – Daniel o tirou de cima de mim com a mão livre, ainda segurando Chloe. – Desculpe.

– Tudo bem. Desta vez vim vestida para isso. – Sorri para a cabrita. – Você está mesmo se aproveitando da cabrita, hein?

– Eu sei o que tenho nas mãos.

Então ele se aproximou e me deu um beijo.

Foi uma surpresa. Quer dizer, eu estava ali para isso, já esperava um beijo em algum momento. Mas o beijo sensual como cumprimento tornou a situação toda estranhamente familiar. Como se eu já tivesse estado ali dezenas de vezes.

Chloe ficou imprensada entre nós dois e mordiscou a barra da minha camisa. Comecei a rir, e Daniel sorriu com os lábios grudados nos meus.

– Está com fome?

– Morrendo.

Ele se afastou.

– Vou colocar Chloe no curral. Hunter. – Ele encarou o cachorro, que estava sentado aos meus pés, obediente. – Nada de pular. Já conversamos sobre isso.

Ele fez aquele gesto de apontar para os próprios olhos, avisando que estava de olho, e foi até os fundos da garagem.

Sorri para Daniel e peguei a bolsa de viagem do banco do passageiro.

Quando ele voltou, eu estava espiando a casa.

Estava escuro quando fui ali antes, então não pude dar uma boa olhada no lugar. Agora também estava escurecendo, mas a iluminação da pousada estava acesa, e vi que era uma linda casa vitoriana, verde com detalhes brancos. Tinha uma varanda à sua volta, balanço, cadeiras de balanço e gerânios vermelhos em floreiras sobre o guarda-corpo. Havia uma placa indicando um marco histórico ao lado da porta da frente com o mesmo ano do letreiro na entrada.

– É linda – falei, com um suspiro.

– Pertence à minha família há seis gerações – disse ele, pegando minha bolsa.

– Você não quis morar aqui? – perguntei, indo com ele até a escada.

– Não tenho dinheiro para isso – respondeu ele.

Ele não pareceu envergonhado com a pergunta, mas me senti mal assim mesmo.

Parecia que eu tinha esquecido que nem todo mundo pode morar em uma mansão. Foi um momento "que comam brioches" da minha parte e, pela primeira vez desde que telefonei, pensei que aquilo era um erro. Nós éramos tão diferentes que eu nem sabia como não insultá-lo sem pensar. Fiquei com medo de fazer isso de novo, sem querer.

Eu ainda estava me xingando mentalmente quando ele abriu a porta.

– Esta é a casa.

Dei uma olhada na entrada. Era linda mesmo. Eu sabia que seria, só de observar a fachada.

Havia um pequeno balcão para o check-in e uma incrível escadaria de nogueira escura, que fazia uma curva, levando ao segundo andar. O corrimão parecia uma obra de arte funcional, com flores esculpidas à mão. Uma bela peça antiga, provavelmente original daquela casa histórica. Esplêndida.

A sala de jantar à esquerda tinha uma mesa comprida de madeira com doze lugares. À direita, uma sala de estar com uma lareira emoldurada por um mosaico verde. Abajures Tiffany de vidro colorido, cortinas vermelhas suntuosas, móveis vitorianos. A casa era um primor.

Olhei para meus pés, sorrindo.

– Piso de madeira original?

– Madeira de bordo em mosaico espinha de peixe – respondeu ele, orgulhoso. – Foi meu tataravô quem fez. Está vendo como ele colocou carvalho no zigue-zague para dar contraste? Finalizou com massa incolor, goma-laca branca e uma cera clara para preservar a cor natural da madeira. – Daniel sorriu. – Ele sabia o que estava fazendo.

E Daniel sabia do que estava falando...

– Foi ele quem construiu este lugar? – perguntei.

– Foi. – Ele assentiu. – Vamos, vou mostrar o restante.

Ele começou o que pareceu um tour bem ensaiado me levando pelos cômodos. Apontou arandelas barrocas italianas monumentais de madeira, um relógio de parede alemão, uma grinalda de cabelo vitoriana do século XIX.

Parecia que o lugar estava congelado no tempo, preso nos anos 1800. Fiquei completamente apaixonada. Eu *adorava* antiguidades. Sempre quis comprar algumas, mas Neil dizia que não combinariam com o estilo da casa.

A Casa Grant tinha quatro quartos e banheiros, e uma vista para o rio nos fundos, embora estivesse quase escuro demais para enxergar. Havia uma varanda envidraçada, com cadeiras de vime e mais uma lareira. No patamar do segundo andar havia um vitral enorme de uma cena subaquática azul com peixes e mergulhões. Vimos os quartos no andar de cima. Cada um deles tinha uma bela lareira. No último quarto, ele largou minha bolsa.

– Este é o seu. É o melhor da casa.

Olhei ao redor, sorrindo. Tinha um papel de parede adamascado, uma cama de dossel e uma lareira já crepitante. Era um upgrade *e tanto* em relação ao apartamento de Daniel.

Lembrei quando entrei em sua garagem naquela primeira noite. Tinha cheiro de cedro. Como a seção de madeira de uma loja de materiais de construção. Os dentes irregulares de uma serra elétrica reluziam sobre uma mesa central, e vários projetos de móveis estavam amontoados pelo chão e nas paredes. Havia um banco de musculação que ele obviamente usava e uma fileira de botas enlameadas alinhadas com cuidado junto à porta lateral. À direita havia uma pequena cozinha, onde ele havia preparado o queijo-quente.

À esquerda, uma escada de metal em caracol levava a um apartamento com um quarto pequeno, uma cama queen e uma janela grande que dava para a garagem. Parecia ter sido um escritório que Daniel transformou em quarto.

Para ser justa, o quarto estava impecável: a cama arrumada e sem roupas jogadas. Ele não sabia que levaria uma mulher para casa, então era sinal de organização. E na pousada também… O quarto em que ele me instalou era impecável – e havia flores frescas na cabeceira.

Eu tinha pesquisado avaliações no TripAdvisor antes de ir.

Cinco estrelas. *Cinco.*

Todas as avaliações falavam sobre Daniel e como ele tinha se esforçado para fazer com que todos se sentissem em casa. Eram muitas as histórias sobre o seu heroísmo. Ele convenceu o farmacêutico a abrir a loja às duas da manhã para comprar paracetamol para uma criança doente e trocou o pneu furado de um hóspede. Fazia coisas como deixar caixas de biscoitos, chocolates e marshmallows ao lado da lareira.

Algumas pessoas já tinham passado as férias lá cinco vezes, de tão fiéis que eram. E não parava por aí.

Ele era atencioso. E generoso. Eu já sabia disso, pois tinha experimentado seu altruísmo quando nos conhecemos, mas era bom poder atribuir ao cara uma classificação em estrelas.

– Tem tanta personalidade – falei quando voltamos a descer, mais para mim mesma do que para ele. Ele esperou que eu chegasse até o pé da escadaria e abriu a porta para mim. – E aí, o que vamos comer? – perguntei.

– Na verdade, vamos comer fora.

Parei na varanda. Eu não sabia se gostava da ideia. A cidade era pequena demais. Não queria anunciar aquele relacionamento para todos que ele conhecia. Será que ele queria?

– Onde? – perguntei.

Ele olhou para mim do pé da escada, parecendo achar engraçado.

– Você está com medo de sair comigo?

Cruzei os braços.

– Não.

– Porque você tem um taser.

– Acho que você não vai me matar. Embora, segundo as estatísticas, seja muito mais provável sermos assassinados por alguém que conhecemos, então as chances são maiores desta vez.

Ele riu.

– Acha que eu salvei você da valeta naquela noite só para ter o prazer de assassiná-la? E, teoricamente, a probabilidade de *eu* ser assassinado também não é maior agora? Será que *eu* não deveria estar preocupado?

Contive um sorriso.

– Planejei um piquenique. Só nós dois. Mas meu amigo Brian vai estar por perto para chamar uma ambulância caso você me ataque.

Soltei uma risada, relaxando.

– Tudo bem. Aliás, já que tocamos no assunto "lesões corporais", nada de chupões desta vez.

Ele virou a cabeça.

– Eu te deixei com chupões? *Você* me deixou com chupões.

– Quê? Não deixei, não.

Ele puxou a gola da camiseta e me mostrou uma mancha roxa desbotada na clavícula.

Meu queixo caiu.

– Eu *não* fiz isso.

– O quê? Quem mais teria feito? – Ele estendeu os braços e olhou ao redor com um sorrisinho torto. – Quanta movimentação você acha que temos por aqui? Não estou pegando ninguém além de você.

Cruzei os braços.

– Ok, mas, sério, eu não fiz isso.

– Fez, sim. Estou com arranhões nas costas também.

Ofeguei, e os olhos dele brilharam.

De fato eu me lembrava de tê-lo arranhado um pouco...

Ele subiu os degraus que ainda havia entre nós e colocou as mãos em minha cintura.

– Não tem problema, eu gostei – disse, os lábios a milímetros dos meus.

Eu teria rido se meu corpo inteiro não tivesse virado geleia nos braços dele.

Meu Deus, ele era *tão* sensual. Acho que ele sabia disso. Ele riu quando ofeguei e me conduziu até a rua.

– Sua carruagem está esperando.

Daniel

Dei a volta e abri a porta da caminhonete para ela, e imediatamente comecei a duvidar do meu plano. Também me arrependi de ter chamado a caminhonete de carruagem.

O banco onde ela se sentou tinha fita adesiva para cobrir as rachaduras no couro. Droga. Eu devia ter colocado um cobertor. Mesmo limpo, o interior da caminhonete cheirava a gasolina e óleo. Eu nunca tinha percebido, mas estava notando agora. Comecei a dirigir, repensando a coisa toda.

Eu não ligava nem um pouco para o que minhas últimas namoradas achavam da caminhonete, mas Alexis era elegante demais para aquilo. Mesmo sem o vestido e o salto, ela era sofisticada demais.

Tudo nela era. Ela era tão refinada. As roupas que vestiu para que Hunter pudesse pular nela pareciam nunca ter sido usadas. O jeans era escuro o bastante para ter sido lavado uma vez que fosse. Brincos de diamante, unhas perfeitamente pintadas. Até a bolsa de viagem era de uma marca que eu jamais poderia comprar, nem de segunda mão.

Uma vez um cardeal entrou pela lareira da sala de estar, e lembrei como foi surpreendente ver aquele lindo pássaro vermelho-vivo empoleirado entre as cinzas. Parecia isso. Meu Ford arruinado só destacava o contraste, como Alexis parecia deslocada.

Mulheres como Alexis não viviam nas cinzas. Não viviam em cidadezinhas no meio do nada onde não era possível comer um filé fora da temporada. Não andavam em caminhonetes gastas e não seguravam a mão de homens que tinham calos. Viviam em cidades grandes com homens bem-sucedidos que tinham empregos importantes.

Fiquei olhando para a estrada, desejando, pela primeira vez na vida, ser o tipo de homem que usa gravata ou tem um carro melhor.

Ela devia estar pensando a mesma coisa, porque enfiou o dedo no buraco do rádio onde antes havia um botão.

– Nunca andei de caminhonete.

Olhei para ela.

– Você nunca andou de caminhonete? Nunca?

Ela balançou a cabeça.

– Bom, então você vai amar o passeio de trator que vamos fazer mais tarde.

Ela riu, e me senti um pouco melhor. Pelo menos me achava engraçado.

– Aonde estamos indo? – perguntou ela.

– É surpresa.

Engoli em seco e virei na estrada de terra escura e arborizada que levava ao nosso destino, e ela se ajeitou no banco. Então viu uma placa iluminada na entrada e abriu um sorriso deslumbrante.

– Um drive-in?

Dei um sorrisinho torto.

– Fiz Brian abrir para nós.

– Nunca fui a um drive-in – declarou ela, quase admirada.

Ela sorriu para mim, e todas as minhas reservas quanto àquela noite desapareceram.

– Você nunca foi a um drive-in?

– Não. A gente não fazia esse tipo de programa quando eu era criança.

Entrei e estacionei com a caçamba virada para a tela.

– O que vocês faziam? – perguntei, desligando o motor.

– Não esse tipo de coisa – respondeu ela.

Acho que fazia sentido. Ela não parecia mesmo ter sido uma criança que nadava em poços ou jogava fliperama na farmácia local. Mas gostei de ter proporcionado a ela uma experiência inédita. De algum jeito, antes isso me parecia *impossível*.

– Fique aqui um pouco enquanto eu ajeito tudo – pedi.

Desci da caminhonete e fui até a caçamba. Enchi um colchão de solteiro e cobri com um cobertor vermelho grosso de estampa asteca. Eu tinha levado edredons e travesseiros, que coloquei contra o vidro traseiro para que tivéssemos onde nos encostar. Acendi uma vela de citronela para afastar os poucos mosquitos que poderiam surgir naquela época do ano e coloquei no teto. Então acendi pisca-piscas em um adaptador e pendurei nas laterais da caminhonete para não comermos no escuro. Quando terminei, fui buscá-la.

Abri a porta para ela.

– Tudo pronto.

Ela desceu e contornou a caminhonete.

– Uau – exclamou ao ver toda a produção, sorrindo.

Ajudei-a a subir na caçamba e subi em seguida. Então peguei a cesta de piquenique que Doug tinha levado para mim e comecei a tirar a comida.

Doug tinha se superado. Tinha queijo de cabra caseiro com peras fatiadas regadas com mel, frutas secas, bruschettas no pão crocante de fermentação natural que ele mesmo preparava, duas garrafas térmicas com chocolate quente – Doug fazia muitas coisas. Mas, resumindo, na verdade ele era um amigo muito, *muito* bom.

Também acho que ele estava tentando compensar pelo porco.

Ela ficou observando enquanto eu arrumava tudo. Quando entreguei a garrafa térmica, percebi que parecia um pouco séria.

– O que foi?

Ela balançou a cabeça.

– Está tudo tão agradável.

Senti um "mas" chegando.

– Mas preciso lembrar que não quero namorar nesse momento. Você não precisava transformar minha vinda em um grande evento – argumentou ela.

Parei o que estava fazendo.

– Tudo bem. Precisamos estabelecer uma coisa – falei, olhando em seus olhos. – Quando você vier, independentemente do *motivo*, eu vou fazer *tudo isso*. Porque é um grande evento. Você vai dirigir seis horas, ida e volta, para estar aqui. Não é pouca coisa. E se vai passar a noite aqui, não é só uma rapidinha. Eu adoraria dizer que posso passar as doze horas que você vai ficar aqui lhe dando prazer, mas não posso.

Ela riu.

– Vamos fazer outras coisas – continuei. – Vamos comer e passar um tempo juntos. E vou me esforçar porque você está se esforçando para vir. E toda vez vai ser assim. Ok?

Os cantos de seus lábios se contraíram.

– Ok.

Eu sorri.

Parte de tudo aquilo vinha da minha hospitalidade na pousada e da minha educação. Estava em meu sangue. Eu fui criado para atender às necessidades dos turistas. Minha vida, e a vida de todo mundo na cidade, dependia de as pessoas se divertirem enquanto estavam em Wakan. Mas parte também era outra coisa.

Eu gostava dela.

Queria que ela gostasse de vir porque eu queria que ela voltasse. Assim que a vi parar o carro em frente à minha casa, soube que não poderia ser a última vez.

Se tudo o que ela queria por enquanto era sexo, podia ser só sexo. Eu preferia transar com alguém de quem gostasse e que eu ansiaria encontrar de novo. Era assim que funcionava para mim.

Além disso, havia uma conexão. Eu senti antes, e continuava sentindo ali. Não conseguia explicar. Não sabia se tinha algum significado ou se levaria a alguma coisa mais séria. Provavelmente não, considerando a situação. Tudo o que eu sabia era que ela precisava voltar.

– Vamos ver o quê? – perguntou ela, sentada sobre as pernas cruzadas.

– Podemos escolher – respondi, pegando o celular para ler a mensagem que Brian tinha mandado. – Estas são as opções: *Gremlins*, *Uma linda mulher*, *Clube dos cinco*, *A princesa prometida*…

– *A princesa prometida* – disse ela no mesmo instante.

– Como quiser.

Ela sorriu, e mandei uma mensagem para Brian, que estava esperando na sala de projeção que ficava em cima da lanchonete fechada. Logo depois a tela grande ganhou vida.

Uma mensagem apareceu:

ELE DEVE GOSTAR MUITO DE VOCÊ. IMPLOROU PARA QUE EU FIZESSE ISSO. APROVEITEM O FILME.

Alexis riu.

Maldito Brian. Senti o rosto quente. Fiquei grato pela luz baixa.

– Você implorou, é?

Ela sorriu.

– Ele só cedeu depois que eu chorei.

Ela balançou a cabeça, ainda rindo.

Na tela, começou um rolo pré-filme. Anúncios sem som de lugares na cidade que ficariam fechados até junho.

Insetos pretos ziguezagueavam em frente à tela.

– O que são? – perguntou ela, apontando para eles.

– Libélulas – respondi, limpando as mãos em um guardanapo. – Mas é meio cedo para aparecerem assim. A primavera está bem quente.

Ela estreitou os olhos.

– São tantas.

Inclinei o tronco para trás, me apoiando sobre as mãos.

– Minha avó dizia que as libélulas significam mudança.

Ela ficou um tempo em silêncio.

– Deve ser uma mudança e tanto.

– Deve.

Observei Alexis enquanto comíamos, iluminados pelo brilho claro.

Ela era tão linda. Eu não conseguia acreditar que tinha conseguido convencê-la a voltar. Fiquei um tanto orgulhoso das minhas habilidades sexuais.

– Brian é dono do drive-in? – perguntou ela, comendo um damasco seco.

Assenti.

– E da mercearia.

– E você é o prefeito e tem uma pousada?

– Todo mundo faz mais de uma coisa por aqui. Liz trabalha no Bar dos Veteranos e no Jane's três vezes por semana. Doug faz vários bicos. E a coisa de prefeito não é nada de mais. É basicamente liderar as reuniões da cidade.

– Para que reuniões?

Bufei, pegando um biscoito.

– Para resolver disputas mesquinhas.

– Como assim?

Terminei de mastigar e engoli.

– Bom... por exemplo, dizer aos Lutsens que eles não podem manter galinhas no telhado da barbearia porque as penas caem na loja de doces do outro lado da rua. Administrar reclamações sobre latidos, ser jurado do concurso de esculturas em manteiga no celeiro do Doug no Halloween. Sabe, coisas importantes desse tipo.

Ela riu.

Bebi um gole do chocolate quente.

– E aí, *você* vai me dizer o que faz?

Ela estreitou os olhos.

– Não é mais divertido se eu for misteriosa?

– Acho que é mais divertido se eu puder conhecer você.

Ela contraiu os lábios. Não queria me contar.

– Existe alguma coisa nefasta de que você acha que eu possa me aproveitar? – perguntei.

Ela prendeu o cabelo atrás da orelha.

– Trabalho no negócio da minha família.

– Que é…

– Que tal se eu lhe der três chances para adivinhar?

Dei um sorriso.

– Ok. E o que eu ganho se acertar?

Ela arqueou a sobrancelha, brincalhona.

– O que você quer?

– Quero que volte no fim de semana que vem.

Ela abriu um sorriso divertido.

– Tudo bem – concordou. – Combinado.

Esfreguei as mãos.

– Posso fazer alguma pergunta antes de chutar?

Ela balançou a cabeça.

– Não. Tem que ser na sorte.

Droga. Ia ser difícil. Tentei pensar no pouco que sabia sobre ela. Era refinada e elegante. Inteligente. Eu chutaria um trabalho de escritório. Dava para ver que ela vinha de família rica, então provavelmente ganhava bastante dinheiro, qualquer que fosse a profissão.

– Advogada – falei.

Ela inclinou a cabeça.

– Pareço alguém que negocia para viver?

– Você enrolou o Doug – destaquei.

Ela riu.

– Não. Não sou advogada.

– CEO.

– Não.

– Droga – sussurrei.

– Já foram duas tentativas – lembrou ela, sorrindo. – Só tem mais uma.

Contorci os lábios.

– Banqueira?

Ela balançou a cabeça.

– Não.

Enchi as bochechas de ar.

– Então qual é a chance de eu te convencer a voltar no próximo fim de semana? – indaguei, erguendo uma sobrancelha.

– Baixa.

– Então eu tenho alguma chance…

Ela riu para a tela.

– Vamos ver como vai ser esta noite.

Terminamos de comer assim que o filme começou. Guardei tudo na cesta de piquenique e estendi um cobertor para que pudéssemos nos deitar. Fiquei feliz por estar frio, porque ela precisaria de mim para aquecê-la. Ela se aproximou e deixou que eu a abraçasse, aconchegando-se na dobra do meu cotovelo – e aquilo era tão familiar e confortável que eu tive que lembrar que era só a segunda vez que ficávamos juntos.

E, caramba, ela tinha um cheiro bom. Era inebriante. Eu nem estava a fim de assistir ao filme, só queria enfiar o nariz no pescoço dela – e eu sabia que, se fizesse isso, nós dois acabaríamos com chupões de novo antes mesmo de sair dali.

Tentei me comportar e olhar para a tela, mas tive a sensação de que ela não estava conseguindo prestar muito mais atenção do que eu. Me perguntei se, na vez seguinte, deveria levá-la para o quarto antes de sairmos. Nenhum dos dois era capaz de se concentrar.

Westley estava lutando contra Inigo Montoya quando olhei para Alexis de novo. Mas ela não estava vendo o filme. Estava admirando o céu.

Ela percebeu que eu a observava e se virou, e seus lábios ficaram a centímetros dos meus.

– Não lembro quando foi a última vez que olhei para as estrelas – sussurrou ela. – Talvez nunca. É tão tranquilo aqui.

– Não temos poluição luminosa – falei. – As estrelas estão sempre muito brilhantes em Wakan.

Baixei o olhar até seus lábios.

Ela pigarreou e olhou para meu braço, que estava apoiado na barriga.

– Me conte sobre as suas tatuagens.

Estendi o braço para mostrar a ela.

– São rosas, nos dois braços.

– Por quê?

– São as flores do corrimão da escada. Uma das minhas lembranças mais antigas da infância e uma das coisas de que eu mais gostava na casa. E meu avô sempre comprava rosas para minha avó.

Ela passou um dedo sobre uma das pétalas. Senti meu coração acelerar só com esse contato minúsculo, como se a menor atenção vinda dela fosse o bastante para deixar meu corpo em estado de alerta. Quando ela chegou até meu punho, entrelacei os dedos nos dela. Ela fechou a mão na minha, e eu sorri.

Talvez mulheres como ela *gostassem* de mãos calejadas...

Ela inclinou a cabeça mais uma vez para me encarar.

– Por que você não tem namorada? – perguntou.

– O quê?

– Você é gentil. É atencioso. Não é feio, e o sexo é... Por que não tem namorada?

– O sexo é o quê? – perguntei, com um sorriso largo.

Ela se apoiou no cotovelo, nossas mãos ainda entrelaçadas.

– Por quê?

Também me apoiei no cotovelo.

– Eu estava saindo com uma pessoa até uns meses atrás. Não era nada sério.

– Por que não era sério? – perguntou ela.

Dei de ombros.

– Não sei. Acho que eu nunca visualizei mais do que o dia seguinte com ela.

– O que isso significa?

– Nunca imaginei um futuro com ela. Só queria vê-la no dia em que queria vê-la. Sabe como é quando a gente gosta de alguém e quer fazer planos com essa pessoa? Eu nunca quis fazer planos com ela.

– Mas quer fazer planos comigo para o próximo fim de semana, é?

Dei um sorrisinho torto.

– Na mosca.

Ela riu.

– Eu entendo essa situação – confessou ela. – No fim eu não conseguia olhar para a cara do meu ex por mais de um minuto.

– Ah, é? Como ele era?

Ela levantou um ombro.

– Arrogante. Cirurgião.

Murchei. Então eu tinha razão quanto ao tipo de homem de que ela gostava. Cultos. Bem-sucedidos.

O oposto de mim.

Cirurgião. Talvez essa fosse a profissão dela.

– Você é cirurgiã? – perguntei.

Seu sorriso diminuiu.

– Foram quatro chutes. Mas não.

Percebi certa tensão no modo como ela pronunciou *não*. Eu não sabia o que dizer, então fiz a única coisa em que consegui pensar para preencher o silêncio: me inclinei e a beijei.

Acabou se revelando a coisa certa a fazer.

Já tive química com outras mulheres antes, mas nunca tinha experimentado esse magnetismo animal. É o tipo de coisa que, quando acontece, é inconfundível – e aconteceu com ela. Como na vez anterior, mas mais forte. A tensão sexual entre nós era como um girassol virado para o céu. Percebi que sentia isso mesmo quando ela não estava lá. Como se meu corpo procurasse por ela mesmo que eu não soubesse onde ela estava. Era uma alteração na gravidade. Dois corpos em uma rede... ou um colchão velho que afunda no meio. Eu sentia nossos corpos rolando um em direção ao outro.

É o tipo de atração em que é mais fácil ceder do que ignorar.

Alexis

Tínhamos acabado de chegar do drive-in. Ele tinha subido a escadaria atrás de mim rindo, e eu estava encostada na porta do quarto.

– Foi divertido – falei, mordendo o lábio. – Amo *A princesa prometida*. Só acho que podíamos ter prestado mais atenção...

Daniel diminuiu a distância entre nós, e o calor do corpo dele se impôs sobre mim.

– Inconcebível – disse, pressionando os lábios contra os meus.

Seu beijo era quente, úmido e perfeito, e senti uma ereção dura como pedra contra minha barriga.

Eu me afastei, sem fôlego.

– Você fica repetindo essa palavra. Não acho que significa o que você pensa que significa.

Ele riu, e mãos firmes deslizaram pela minha cintura e minhas costas. Ah, meu Deus...

Eu fiquei de pegação com um garoto na caçamba de uma caminhonete.

Provavelmente teríamos avançado se Brian não estivesse na sala de projeção e se tivéssemos uma camisinha.

Voltei a ter 16 anos – só que *nunca* fiz esse tipo de coisa aos 16 anos. Eu cursava química avançada e trabalhava como voluntária no hospital. Não ficava de pegação com garotos bonitos de cidades pequenas na caçamba de caminhonetes.

Daniel afastou os lábios dos meus uns poucos centímetros. Minha calcinha estava toda molhada.

– Boa noite – sussurrou ele.

E me empurrou e seguiu pelo corredor.

Segui-o com o olhar, em choque.

– Quê… Você não vai…?

Ele se virou.

– Não vou o quê? – perguntou, piscando inocentemente.

– Eu achei que… quer dizer… você não vai ficar?

– Ah, para isso? Eu quero. É óbvio que eu quero. – Ele indicou a parte da frente da calça e fez uma cara que dava a entender que qualquer ideia que não fosse aquela era ridícula. – Mas não posso. Esse era o quarto dos meus avós. Eu não conseguiria fazer as coisas que quero aí. Não parece certo.

– Bom, há outros três quartos…

Ele deu de ombros.

– Os outros não estão arrumados. – Ele apontou para trás com o polegar. – A gente poderia ir até o meu apartamento, claro. – Ele sorriu. – Não consigo pensar em nada que eu não faria com você na minha própria cama. A noite toda. Quantas vezes você quisesse.

Então era isso.

Cruzei os braços.

– Quer mesmo que eu passe a noite com você, não é?

– Quero que você faça o que te deixar confortável. E pode voltar para cá depois para dormir. – Ele ergueu uma das mãos. – A não ser que esteja cansada demais para andar a curta distância da garagem até a casa. E você sabe que meu objetivo é esse. – Suas covinhas se destacaram. – Além disso, este lugar é assombrado. Eu não dormiria aqui sozinho. – Ele fingiu uma cara de medo.

Eu ri, e os olhos dele brilharam quando soube que tinha me convencido. Não que eu acreditasse em fantasmas, mas ele era encantador demais para que eu recusasse sua proposta.

De certa forma, Daniel conseguia ser charmoso e incrivelmente realista, ao mesmo tempo que exalava sexo puro. Era uma combinação desconcertante.

E que eu não era capaz de recusar.

Daniel

O telefone me acordou às sete e meia.

Alexis ainda estava lá, nua e aninhada ao meu lado na cama. Considerei uma vitória.

Não queria que ela se acostumasse a ficar na casa grande. Não estaria sempre disponível, e não era onde eu morava. Onde eu morava *de fato* não era grande, mas era onde eu morava. E quanto antes ela se sentisse à vontade para ficar na minha casa, melhor, porque ela precisava voltar. Ela *precisava*.

O sexo era *surreal*. Era como encontrar a parceira de dança perfeita e melhorar cada vez mais, porque agora estávamos praticando juntos.

Eu não conseguia tirar as mãos dela. Caramba, ela não conseguia tirar as mãos de *mim*. Eu ia ter que começar a deixar um Gatorade na mesa de cabeceira.

Peguei o celular e atendi com um sorriso.

– Alô?

– Oi, querido, é a Doreen. Espero não ter acordado você.

– Tudo bem – falei, esfregando os olhos. – O que houve?

– Popeye não veio hoje de manhã. Sei que de vez em quando ele se atrasa um pouco, principalmente quando a cachorra da Jean faz o que tem que fazer no gramado dele e ele briga com ela, mas já faz mais de vinte minutos. Eu não quis ligar para o xerife porque você sabe o que Pops acha do Jake.

Merda.

– Tudo bem, obrigado por avisar. Estou indo para lá agora mesmo.

Desliguei.

Alexis se apoiou nos cotovelos.

– Está tudo bem?

Joguei a coberta para o lado e comecei a vestir a calça.

– Preciso correr – avisei. – Não sei que horas vou voltar. Tenho que dar uma olhada em alguém.

– É assunto médico?

– Acho que sim.

Ela também se levantou.

– Eu vou com você.

Não discuti. Primeiro, porque eu não queria perder a oportunidade de passar um tempo com ela; segundo, porque, se Popeye ainda estivesse vivo, eu provavelmente precisaria de ajuda. Ele dava trabalho. Mas sempre cedia às mulheres, então talvez brigasse menos se ela estivesse lá.

Alexis se vestiu rápido, e Hunter ficou seguindo-a até ela entrar na caminhonete.

– O que aconteceu? – perguntou ela, batendo a porta.

Liguei o motor.

– Popeye não foi até a lanchonete hoje de manhã – respondi, dando a ré.

Pops era sempre pontual. Ele ia à lanchonete todos os dias às sete horas, fizesse chuva, fizesse sol ou nevasse. Se ele não tinha aparecido, alguma coisa estava muito errada.

– Popeye? – indagou ela.

– Ele fica com um dos olhos fechado. Meio que lembra o personagem – expliquei, virando na estrada. A casa dele ficava a dois minutos dali.

– Quantos anos ele tem? – perguntou ela.

– No mínimo uns 90.

– Alguma doença preexistente?

Balancei a cabeça.

– Acho que não.

– Demência, pressão alta, diabetes?

Olhei para ela.

– Não sei. Nada que já tenha mencionado. Ele é bem afiado.

– Sabe quais remédios ele toma? Se já ficou internado?

Olhei para ela, piscando.

– Não...

Eu queria questioná-la a respeito de todas aquelas perguntas, mas não pude porque já estava parando em frente à casinha do Popeye. Desliguei o motor.

– Fique aqui.

Ela tirou o cinto.

– Não vou ficar no carro.

– E se ele estiver morto?

– Acho que dou conta.

Arqueei uma sobrancelha.

– E se ele estiver nu?

– Nada que eu já não tenha visto – rebateu ela, e saltou do carro.

Sorri para ela, então corri até a entrada e bati na porta.

– Pops? Está aqui?

Esperei um instante. Como ele não respondeu, peguei a chave reserva que ficava em meu chaveiro. Popeye tinha uma arma e não pensaria duas vezes antes de atirar, então bati e chamei o mais alto possível quando abri. Empurrei a porta devagar e dei uma olhada.

– Pops?

Ouvi um gemido vindo do quarto. Corri pela casa escura e cheia de mofo e abri a porta com tudo. Popeye estava no chão ao lado da cama. Estava desperto e sentado, ainda de pijama, as costas apoiadas na mesa de cabeceira.

– Ei, você está bem?

Agachei ao lado dele.

– Caí quando fui levantar dessa cama maldita. Não consegui posicionar os pés para levantar. Bom, me ajude, pelo amor de Deus!

Apoiei-o no meu braço e ajudei-o a se sentar na beirada do colchão. Ele cheirava mal. Suor azedo e amônia. Meus olhos começaram a lacrimejar.

– Meu Deus, Pops, você está fedendo. Quando foi a última vez que tomou banho?

Ele recolheu o braço com violência.

– Quem você pensa que é? Minha esposa? – retrucou, ríspido.

Bom, pelo menos não estava ferido a ponto de não brigar comigo.

– Acha que quebrou alguma coisa?

Ele olhou para mim por baixo daquelas sobrancelhas brancas grossas, contrastando com a pele negra.

– Não, não quebrei nada. Mas preciso mijar urgentemente. Você demorou a chegar.

Alexis bateu no batente da porta e se aproximou.

– Oi, Popeye. Sou a Dra. Alexis. Tudo bem se eu der uma olhadinha no senhor?

Parei e olhei para ela.

– Você é médica?

– Sou. – Ela sorriu para Pops. – Está com alguma dor?

Ele encarou Alexis como se estivesse tentando decidir se deveria confiar nela.

– Não.

Ela pegou o celular e acendeu a lanterna.

– Só uma luzinha rápida aqui. – Ela iluminou o olho esquerdo dele, depois o direito. – Ótimo. Qual é seu nome completo, Popeye?

Ele olhou para mim e de volta para ela.

– Thomas Avery – resmungou.

– Pode me dizer que dia é hoje?

– Quarta-feira – respondeu ele, rabugento. – Dia de sanduíche de atum no Jane's.

Ela olhou para mim, para que eu confirmasse a informação, e assenti. Então pegou seu punho e posicionou dois dedos para aferir a pulsação, olhando para o relógio.

Foi como se ela tivesse se transformado diante dos meus olhos. Tudo nela mudou. De repente, ela era uma profissional, seguindo uma rotina que provavelmente já tinha levado a cabo milhões de vezes. Fiquei só observando.

– O que estava fazendo quando caiu? – perguntou para Pops.

– Só levantando da cama.

– Tem alguma doença que queira me contar? Pressão alta? Histórico de AVC? Infarto?

Ele balançou a cabeça.

– Firme e forte.

Ela sorriu e deu uma olhada na mesa de cabeceira.

– Estes são os únicos remédios que está tomando?

– Até onde eu sei.

Ela pegou os dois frascos e os analisou. Sacudiu um deles.

– Toma este com a comida?

– Tomo como sempre tomei: com água antes de me levantar.

Ela sorriu.

– Se não tomar este aqui com a comida, ele pode te deixar tonto. Tem alguns biscoitos que possa deixar ao lado da cama? Algo para forrar o estômago da próxima vez?

Ele balançou a cabeça.

– Tudo bem. Vamos conseguir alguns. Acho que o senhor está em boa forma, mas precisa consultar um médico, ok? Uma queda na sua idade pode ser perigosa.

– Certo. Você se importa se eu for mijar agora?

Ela deu um sorrisinho para mim.

Eu o ajudei a levantar. Ele foi até o banheiro do corredor arrastando os pés, resmungando para si mesmo. Assim que a porta se fechou, olhei para ela.

– Vou dar uma olhada para ver se encontro outros remédios – disse Alexis, saindo do quarto.

Fiquei olhando para ela.

Médica?

Senti o abismo entre nós ficar ainda mais fundo. Parecia que toda vez que eu achava que estava me aproximando do seu nível eu percebia que não estava nem perto. *Médica!*

Soltei um suspiro e olhei ao redor. O lugar estava uma bagunça.

– Pops, Jean ainda vem limpar sua casa? – perguntei, do outro lado da porta. – Quando foi a última vez que ela veio?

O som do Popeye se aliviando ecoou no banheiro.

– Eu a mandei à merda algumas semanas atrás.

Esfreguei uma das mãos no rosto.

– Este lugar está um desastre. – Comecei a juntar as roupas do chão, juntando-as em uma pilha. – Quem está lavando sua roupa?

A porta do banheiro se abriu, e ele saiu, resmungando.

– Eu. Ela fazia um trabalho de merda. Deixou minhas camisetas com cheiro de petúnias.

– Você tem que tomar um banho – constatei. – Precisa de ajuda?

Ele acenou com a cabeça em direção à cozinha, erguendo uma sobrancelha branca.

– *Ela* podia me ajudar.

Vi Alexis abafar um sorriso no corredor.

Coloquei a mão em seu ombro.

– Ok, meu velho, vamos lá.

Ele teve dificuldade de passar por cima da borda da banheira. Tive que abraçá-lo, e ele quase caiu de novo.

– Venho buscar você assim que ouvir o chuveiro desligar. Não tente sair sem mim – falei.

– Ok, ok. Me deixe em paz.

Fui falar com Alexis enquanto o chuveiro estava ligado, me apoiando no balcão ao lado da pia.

– Ele tem algum hematoma? – perguntou ela.

– Não que eu tenha visto.

– Tem algum familiar próximo? Alguém que possa cuidar dele?

Esfreguei a nuca, olhando para a casa escura.

– Ninguém? Todos nós? É meio que um trabalho em equipe.

– Daniel – disse ela, a voz baixa. – Ele vai precisar de mais ajuda do que está recebendo. Tem que ter comida em casa e alguém para garantir que tome banho.

Passei a mão na barba.

– Ele me disse que caiu na banheira semana passada. Acho que ficou assustado.

– Você pode abrir um chamado no Serviço de Proteção a Adultos. Tentar arranjar um cuidador para ele, um programa de entrega de alimentos.

Balancei a cabeça.

– É difícil conseguir ajuda aqui. Vou fazer um cronograma. Pedir que alguém venha uma vez por dia fazer uma limpeza, dar uma olhada nele. E vou instalar um corrimão na banheira. Talvez um antiderrapante no piso.

Ela assentiu.

– E ele tem que tomar esses remédios com comida. Ele deve ter caído porque ficou tonto.

– Ok. Vou entregá-los à Doreen. Ela pode dar os remédios para ele com o café da manhã quando ele for à lanchonete.

Alexis sorriu.

– O que foi?

Ela balançou a cabeça.

– É só... Não sei. Gosto de ver como vocês cuidam uns dos outros.

– Aqui é assim. É o que fazemos. – Inclinei a cabeça, notando uma diferença. – Você se maquiou?

Acabamos a noite anterior no chuveiro. Ela não estava maquiada quando fomos dormir, e levantou na mesma hora que eu. Pelo menos eu *achava* que era o que tinha acontecido.

– Sim – disse ela, prendendo o cabelo atrás da orelha. – Por quê?

Olhei para ela, confuso.

– Quando?

Ela fez uma pausa.

– Antes de você acordar.

Continuei a encarando, piscando.

– Você se levantou só para passar maquiagem? Não estava cansada? Não queria dormir?

Ela não respondeu.

– Espero que não tenha feito isso por minha causa – falei. – Eu não me importo com a sua aparência quando você acorda.

Eu estava sendo sincero. Não me importava mesmo.

A expressão dela demonstrou desconfiança.

– Não ligo para essas coisas – afirmei. – Prefiro que você durma. Se vamos virar a noite, precisa recuperar suas energias.

Ela riu. Então mordeu o lábio.

– Tudo bem.

Fiz um meneio de cabeça indicando a casa.

– Vou dar uma limpada aqui. Quando ele terminar, podemos levá-lo até o Jane's para que ele coma alguma coisa.

Mas ela balançou a cabeça.

– Acho que vou embora.

Meu sorriso desapareceu.

– Não vai ficar para o café da manhã?

Ela enfiou as mãos nos bolsos de trás da calça.

– Não, tenho umas coisas para fazer em casa. Não precisa me levar. Eu me lembro do caminho, posso ir andando. Não é longe, e você não trancou a garagem. Vá comer alguma coisa com ele.

Ela não queria ser vista comigo.

Pelo menos não em público. Tinha aceitado ficar para o café da manhã quando estávamos na pousada…

Eu não sabia o que esperar. Acho que era *mesmo* pedir demais que ela andasse pela cidade comigo. Tudo era muito recente e ainda não sabíamos direito o que aquilo era. Mas fiquei chateado mesmo assim.

– Ok – concordei. – Quando vamos nos ver de novo?

Alexis deu de ombros, evasiva.

– Não sei. Eu mando mensagem para você. – Ela ficou na ponta dos pés e me deu um selinho rápido. – Foi muito divertido. – Ela sorriu. – Obrigada por me receber.

– Nada. Obrigado por ter vindo.

Fiquei olhando enquanto ela ia embora, decepcionado porque a visita tinha chegado ao fim.

Enquanto esperava Pops, juntei a louça suja. Então peguei um saco de lixo e comecei a enchê-lo com jornais velhos e embalagens de comida. O lugar estava uma zona. Empoeirado e bagunçado.

Uma espingarda comprida de cano duplo estava em cima da mesinha de centro. Era maior que Popeye. Ele estava limpando a arma, e uma haste de metal e uns trapos encharcados com óleo estavam jogados ao lado de uma caixa com cartuchos.

Desejei que ele não estivesse planejando matar o cachorro da Jean.

Ou *a* Jean.

Voltei para a cozinha e tirei o lixo. Quando ouvi o chuveiro ser fechado, fui buscá-lo, e alguns minutos depois ele estava vestido e limpo.

Popeye não deixou que eu o ajudasse a entrar na caminhonete. A lanchonete ficava a um quarteirão dali, mas percebi, pela lentidão com que avançava, que ele estava dolorido da queda. Além disso, ele não insistiu para que eu o deixasse ir andando até lá. Estacionei o mais perto possível da porta sem parecer que estava tratando Pops como criança, o que ele odiava.

Doreen ficou aliviada ao vê-lo, e nos sentamos à mesa do canto.

Ela serviu café e, quando nos deixou a sós, Popeye comentou:

– Ela vai voltar.

Servi leite em minha caneca.

– Quem?

Ele se virou para me encarar.

– A médica! Está fingindo que não sabe de quem estou falando... – resmungou ele. – A cidade vai fazê-la voltar.

Franzi as sobrancelhas.

– Não estou entendendo.

– A cidade! A cidade vai fazê-la voltar! A cidade escolhe quem quer. Conheço todos os escolhidos há 96 anos. Sei reconhecer um quando o encontro. Seus avós, você, Doug, Doreen. Sua mãe não. Eu soube assim que ela entrou em nosso mundo que não se encaixava. A cidade também soube, por isso deixou que ela fosse embora.

Pisquei para ele.

– *Deixou* que ela fosse embora?

Ele me encarou por um instante, estreitando o olho bom.

– Isso aqui tem vida, sabe.

– O que tem vida?

– Este lugar. A cidade respira, como você e eu. Tem magia.

Peguei o açucareiro, entretido.

– Magia, sei.

Ele olhou para mim.

– Vá em frente, pode rir de mim. Mas quando começarem a acontecer coisas que não têm explicação... neve em julho, coincidências engraçadas... você vai mudar de tom. Não existem coincidências aqui, garoto. É a cidade que está se protegendo. Anote o que estou te falando: a cidade gosta da sua namorada e vai trazê-la de volta.

Soltei um suspiro. Talvez ele estivesse *mesmo* ficando um pouco confuso com a idade, afinal.

Não que eu não precisasse de certa intervenção mística...

Ela era *médica*.

Não havia pessoas assim ali. Caramba, acho que menos de uma dúzia fez faculdade na cidade inteira. Todos trabalhávamos no setor de serviços – não existiam empregos de escritório em Wakan. Não tínhamos uma clínica onde ela pudesse trabalhar, muito menos um hospital. Não tínhamos nem aparelho para aferir a pressão na farmácia.

Terminei meu café da manhã e levei Popeye embora. Quando voltei para casa, Alexis já tinha ido embora. Sentei no primeiro degrau da escadaria em caracol olhando para a garagem. Hunter veio trotando e se sentou ao meu lado.

Olhei para meu cachorro e ri.

– Por favor, me diga que está de brincadeira. Você estava assim quando ela voltou? Estamos tentando causar uma boa impressão e suas duas orelhas estão viradas ao contrário.

Ele piscou para mim, e eu tive que rir. Havia um beijo de batom cor-de--rosa em sua testa.

Sorri, ajeitei suas orelhas e soltei um longo suspiro.

– Como acha que a gente se saiu, amigão? Acha que ela vai voltar?

Ele olhou para mim com a língua para fora.

Então percebi que meu moletom preto não estava mais pendurado no cabide ao lado da porta.

Alexis

Eu estava correndo com Jessica, minha vizinha, na trilha perto de casa. Fazia algumas horas que eu tinha chegado da casa de Daniel. Minha amiga tinha 45 anos e era escultural. Era obstetra e ginecologista no Royaume e era casada com um advogado chamado Marcus.

Ela odiava o marido.

– Como você sabe quando deve colocar sal no filtro? – perguntei.

– Meu cabelo avisa – respondeu ela, categórica.

Jessica sempre foi meio mal-humorada.

– Como é que é?

– Quando meu cabelo não fica mais macio, sei que o filtro está sem sal. Por quê?

– Porque eu preciso fazer isso, agora que Neil foi embora.

– Eu vou até lá e te mostro. Sou eu que faço isso lá em casa. Marcus não move uma palha. – Ela olhou para o relógio. – Por onde você andou? – indagou ela. – Perdeu a noite de jogos na casa da Gabby ontem à noite.

– Eu sei – confirmei. – Estava viajando.

Ela continuou olhando para a frente.

– Se está fazendo algum tratamento, quero saber onde.

– Quê?

– Nova York? Los Angeles? Você está reluzente. É aquela terapia de luzes nova? Peeling? Não seja egoísta, a gente deve compartilhar esse tipo de informação.

– Não fiz tratamento nenhum.

Ela olhou para mim e me examinou.

– Ok. Então onde você estava?

Fiquei em silêncio por um instante. Principalmente porque as pernas dela eram mais compridas que as minhas, e eu tinha que correr em um ritmo mais rápido para acompanhá-la e, por causa disso, não conseguia falar ao mesmo tempo. Mas também porque precisava pensar.

Eu tinha chamado Jessica porque, entre ela e Gabby, ela seria a mais compreensiva em relação ao que eu estava fazendo com Daniel. E uma hora eu ia ter que contar a elas.

Minhas vizinhas viam tudo.

Tudo.

Elas assistiam pelo celular às gravações das câmeras de segurança no trabalho como se fosse seu canal de TV favorito.

Se eu chegasse em casa tarde – ou nem fosse para casa –, era apenas questão de tempo até que percebessem. E eu preferia me antecipar. Ainda mais porque eu tinha quase certeza de que a coisa com Daniel ia continuar. Nada sério. Nada para sempre. Mas definitivamente com certa frequência, pelo menos por enquanto.

Eu gostava dele. Ele era divertido. E o sexo tinha sido ainda melhor, se é que era possível.

Não fiquei para o café da manhã.

Havia apenas uma lanchonete na cidade, e eu não queria fazer um anúncio do tipo "Ei! Acordei aqui! Com ele! A gente transou!", como ficaria óbvio se aparecêssemos juntos. Não estávamos namorando – era só uma aventura. Não era necessário tornar nada público.

– Eu estava na casa de um cara ontem – finalmente respondi.

Jessica parou de correr.

– E? – disse ela, e não parecia nada surpresa. – Quem é ele?

Coloquei as mãos na cintura, recuperando o fôlego.

– A gente se conheceu há uma semana e se encontrou duas vezes. Acho que vou continuar saindo com ele.

– Entendi. – Ela checou os batimentos cardíacos no relógio. – E onde vocês se conheceram?

Peguei minha garrafa d'água e bebi um gole.

– Depois do enterro, na semana passada, quando passei pela cidade onde ele mora.

– Já contou isso para Gabby?

Balancei a cabeça.

– Não. Ainda não. Pode falar para ela, se quiser. Não é nada de mais. Só achei melhor contar antes que vocês percebessem que eu não voltei para casa à noite.

– Neil sabe?

– Não – respondi, com veemência.

– Ótimo – comentou ela, seca. – Faça todo o sexo selvagem necessário, depois vocês podem voltar com o placar zerado.

Meu sorriso se desfez.

– Jessica, eu não vou voltar com ele. Nunca.

– Aham – murmurou ela, com desdém, alongando a coxa.

– Jessica...

Fiz uma pausa longa.

– Sabe o que ele fazia? – perguntei, olhando para ela. – Ele dizia que eu fedia.

Ela franziu a testa.

– O quê?

– Logo antes de entrarmos em uma festa, um restaurante ou algo do tipo, ele se aproximava e perguntava: "Você tomou banho hoje?" E você sabe que eu sou compulsiva com minha higiene. Fazia meia hora que eu tinha saído da banheira, e ele enrugava o nariz e me dizia que meu desodorante não estava funcionando. Eu me aproximava para beijá-lo, e ele virava o rosto e perguntava se eu tinha comido cebola de sobremesa.

– Você não cheira mal – disse ela. – Se cheirasse, eu falaria.

– Pois é, bom, eu fiquei tão encanada com isso que pedi a Bri que fizesse um exame completo para ver se tinha alguma coisa errada comigo. Nada. Fui ao dentista verificar se havia algo errado com minha boca, e foi a mesma coisa: nada. Ele não me tocava nem me beijava. No fim, eu tomava três ou quatro banhos por dia, escovava os dentes toda hora. Estava à beira de um colapso nervoso. Sabe o que minha terapeuta falou? Que isso é uma forma de abuso. Que ele minava minha autoestima de propósito.

Um ciclista buzinou, e saímos para a grama. Esperamos a bicicleta passar antes de continuar.

Esfreguei a testa.

– É tanta coisa para analisar, Jessica. Eu me sinto como se tivesse entrado no labirinto da terapia nos últimos seis meses – desabafei. – No início foi bom. Ele era gentil. A coisa ficou séria, compramos a casa. Ele era meio rabugento às vezes, mas não era ruim. Então começou a fazer comentários sobre minha aparência. Essa roupa não ficava melhor antes? Por que você parece tão cansada? Ele brincava dizendo que, se soubesse que eu ia me descuidar quando fôssemos morar juntos, não teria ido morar comigo...

– Você se *descuidar*? – Ela pareceu irritada. – Acho que nunca a vi sem batom.

– É, bom, a coisa foi piorando. Depois de um tempo, ele nem falava comigo de manhã enquanto eu não estivesse maquiada. Quando eu acordava, ele se aproximava de mim e me cheirava, então balançava a cabeça e ficava irritado o dia todo como se eu tivesse arranjado alguma briga com ele. Comecei a acordar antes dele para me arrumar. Às seis eu já estava de banho tomado e maquiada. E se eu não fizesse isso e ele comentasse alguma coisa, eu me via pedindo desculpa, como se a reação dele fosse razoável. O mau humor dele era constante. Eu nunca sabia qual Neil encontraria a cada dia. Uma noite ele me preparava um jantar e comprava meu vinho favorito; na outra parecia irritado e eu nem sabia o motivo, já que ele não conversava comigo. Parecia que ele *gostava* que eu pisasse em ovos. Que, enquanto eu corresse atrás dele, implorando que me dissesse o que havia de errado, em que eu poderia melhorar, ele ficaria feliz. Eu nunca relaxava, comecei a ficar deprimida, com crises de ansiedade o tempo todo. Eu estava infeliz e me sentia presa, mas ao mesmo tempo *grata* por ele estar comigo, afinal quem mais ia me querer?

Jessica balançou a cabeça.

– Ali, eu não fazia ideia.

Soltei uma risada de deboche.

– Nem *eu*. A coisa foi aumentando e aumentando, e eu nem percebi o que estava acontecendo, até que a situação ficou péssima a ponto de tomar conta da minha vida inteira. Só quando a terapeuta analisou a situação comigo é que percebi o que ele estava fazendo. Era como se eu tivesse sofrido uma lavagem cerebral para acreditar que aquilo era normal.

Duas pessoas passaram por nós correndo, e ficamos caladas até que se afastassem.

Soltei um longo suspiro.

– Quase morri de alívio quando ele teve aquele caso, porque eu não precisava mais de uma desculpa para terminar com ele. "Neil me traiu, então eu o deixei. Ele é o vilão, estou fora." Simples. Mas na verdade não, porque agora ele está bancando o ex arrependido e todo mundo está com pena dele. E acho que ele não esperava que eu tomasse essa iniciativa. Ele devia pensar que eu ia ficar e guardar segredo como sempre fiz porque me sentiria muito constrangida por ser nojenta a ponto de levá-lo a cair nos braços de outra mulher.

A expressão dela era bem séria.

– Quem mais sabe disso? – perguntou ela. – Bri?

Dei de ombros.

– Contei para ela depois, quando eu mesma comecei a entender. Quer dizer, Bri nunca gostou dele. Mas ele nunca fazia essas coisas na frente dos outros, e é meio difícil de explicar. Consegue me imaginar tentando contar isso a vocês? Tentando convencê-las de que Neil era cruel comigo? Neil, o amigão de todos? Reclamar porque ele era um bom namorado e me dizia que eu tinha mau hálito? Vocês provavelmente achariam que ele estava tentando me ajudar, não que era cruel de propósito. Eu não ficaria surpresa nem se vocês duvidassem de mim agora...

– Eu acredito em você – interveio ela, categórica.

Olhei para ela, piscando, com surpresa.

– Ali, os homens são duas coisas: decepcionantes e consistentes. Eu acredito em você.

Não sei o que houve depois. Talvez ter relatado para alguém de quem eu vinha escondendo tudo havia tanto tempo. A pequena vitória de trazer um de nossos amigos em comum para o meu lado ou simplesmente o fato de outra pessoa saber de tudo e acreditar em tudo... Meu queixo começou a tremer.

– Eu devia ter percebido, né? – sussurrei. – Eu sei o que é abuso. Mas pensei que fosse diferente, alguém bater em você, xingar, gritar. Não sabia que podia ser *assim*. – Sequei os olhos com a lateral da mão. – Para falar a verdade, ele me fez um favor me traindo com aquela mulher. Eu deveria mandar um buquê de flores para ela.

– Deveria. Use o cartão dele.

Dei uma risada fraca.

Ela esperou um momento para que eu me recompusesse. Então continuamos caminhando ao longo da trilha arborizada.

– Então você está saindo com alguém – disse ela, voltando ao início do assunto.

– Estou. – Funguei. – Não é nada sério.

– Só me faça um favor com esse seu brinquedinho novo. Cuide-se. Leve camisinha, veja se ele colocou direito e, quando terminarem, se ainda está com ela.

Olhei para ela.

– Por que não estaria?

– Porque eles tiram.

Virei o rosto.

– Tipo, de propósito?

Ela bufou.

– Ali, nunca subestime o que um homem é capaz de fazer quando quer ter um pouquinho mais de prazer. Meus dias são cheios de gestações indesejadas e ISTs... que as mulheres pegam do marido. Os homens são uns merdas. É por isso que continuo com Marcus. Ele é ocupado demais para aprontar com outra pessoa, imagine comigo – resmungou ela.

Franzi a testa, olhando para a trilha.

– Isso é... triste.

– Pelo menos dele eu sei o que esperar – retrucou ela, seca. – Ah, por falar nisso... Você não vai gostar da notícia que eu tenho para dar.

Olhei para ela.

– O que foi?

– Sabe o aniversário do Marcus semana que vem?

– Sim?

– Ele convidou o Neil.

Parei de andar.

– *Por quê?*

– Ele disse que o aniversário é *dele* e que Neil é amigo *dele* e que quer que ele vá. Acredite, eu tentei convencê-lo a não chamá-lo.

Revirei os olhos.

– Bom, então acho que *eu* não vou.

– Nem deveria mesmo. Eu também não estou a fim de ir. Que se danem, podem fazer o clube do Bolinha que quiserem.

Olhei para ela, agradecida.

– A gente deveria procurar um *spa day* ou alguma coisa do tipo. Uma pousada. Gabby topa ir aonde nós formos. Ela sempre topa tudo.

Abri um sorriso.

– Obrigada – sussurrei.

– Não me agradeça. Meu Deus, que babaca.

Ela estreitou os olhos para as casas à frente e parou de andar.

– Por que a polícia está na entrada da sua casa?

Fiquei paralisada. Estávamos a alguns metros da minha casa. Ela tinha razão, havia uma viatura parada em frente à garagem.

Eles estavam lá com *Neil*.

– O que está acontecendo? – indagou Jessica quando nos aproximamos.

Neil se virou e me encarou com o olhar ensaiado que reservava à família dos pacientes que não resistiam à cirurgia.

– Ali, vamos conversar em particular.

– O que você está fazendo aqui? – perguntei, cruzando os braços. – Se quer suas coisas, era só ter mandado mensagem.

– Estou voltando a morar aqui.

As palavras me atingiram como um trem de carga.

– *Quê?*

– Eu tenho o direito de morar aqui. Meu nome está na escritura, sou um dos proprietários.

– Você se mudou!

– Nós nos desentendemos – mencionou ele para o policial, não para mim. – Passei algumas semanas com meu filho. Ainda recebo a correspondência aqui, e as contas estão em meu nome. Ela não tem uma ordem de restrição. – Ele estava entregando documentos ao policial. – Somos coproprietários. Eu moro aqui.

Fiquei olhando de um para o outro, boquiaberta. O policial olhou a papelada. Então ergueu os olhos para mim.

– Se ele é legalmente proprietário, não posso pedir que vá embora.

– Você só pode estar brincando... – Soltei o ar.

Jessica cruzou os braços.

– Neil, você não está falando sério.

– Jessica, esta é minha casa, e Alexis é a mulher que eu amo. Não vou abandonar nenhuma das duas.

– Não *ouse* fingir que está fazendo isso por mim – argumentei, sentindo o rosto queimar. – Você *não está* morando aqui,

Ele olhou de volta para o policial.

– Vou entrar agora. Preciso provar mais alguma coisa?

Ele balançou a cabeça.

– Não. Tenha uma boa noite.

Neil se virou e entrou na garagem. Eu tinha trocado as fechaduras, mas mantive o código da garagem para que ele pudesse pegar suas coisas. Não tranquei a porta interna, já que só tinha saído para uma corrida rápida, então Neil simplesmente entrou na sala.

Jessica olhou para mim, chocada.

– Pergunte ao Marcus se isso está dentro da lei – pedi, a voz tremendo.

Corri para dentro atrás de Neil. Ele estava carregando um dos organizadores de plástico transparente onde eu tinha guardado as coisas dele, indo em direção ao porão, onde ficava nosso maior quarto de hóspedes.

– Neil!

Ele me ignorou.

Uma onda de histeria borbulhou dentro de mim. Aquilo não podia estar acontecendo.

Fiquei andando de um lado para outro na sala de estar, trocando mensagens frenéticas no grupo que tinha com Gabby e Jessica. Gabby tinha acabado de chegar em casa e viu quando a viatura foi embora. Contei o que tinha acontecido e Neil subiu para pegar mais um organizador de plástico.

– Neil! Por que você está fazendo isso?

Ele fez uma daquelas expressões amigáveis e tranquilas que reservava às pessoas de fora.

– Esta é *minha* casa. Como eu falei, quero ficar com ela. Tenho mais chance de ficar com ela se estiver morando aqui. Tenho todo o direito de fazer isso. Os incomodados que *se mudem.*

Ele pegou mais um organizador e desceu.

Fiquei olhando para ele, em choque. Meu queixo tremeu, então subi as escadas correndo e bati a porta do quarto.

Meu celular não parava de receber mensagens do grupo. Gabby, Jessica, Gabby, Jessica. De repente, quase de um jeito cômico, em meio àquilo tudo, Daniel mandou uma mensagem.

DANIEL: Só queria dizer que gostei muito de ver você outra vez.

Jessica disse que, de acordo com Marcus, tudo aquilo era legal. Não havia nada que eu pudesse fazer.

Larguei o celular na cama, enfiei a cara em um travesseiro e gritei.

Daniel

Ela não me respondeu.

Já tinham se passado oito dias desde aquela manhã em que Popeye caiu. E fazia dois dias que eu tinha mandado a última mensagem. Que ela também não respondeu. Imaginei que duas mensagens eram o máximo para que eu não parecesse desesperado, então deixei por isso mesmo.

Levei Popeye a Rochester para uma consulta com o médico após o acidente. Ele estava bem. Já que estava lá, fui até a loja de materiais de construção e comprei o corrimão e o antiderrapante para a banheira. Instalei tudo. Ajudei Doug a cavar um fosso. Fiz uma mesinha de centro.

Eu preferia encontrar Alexis.

Dizer que estava decepcionado seria eufemismo. Eu achava que nosso encontro tinha corrido bem.

Pelo jeito não.

Eram sete horas da manhã e estava escuro lá fora. Eu estava sentado na varanda envidraçada, tomando um café, quando Amber – *mamãe!* – ligou.

Minha mãe não era exatamente minha mãe. Não em termos práticos.

Ela engravidou de mim aos 15 anos. Meu pai era um turista de 16 cuja família não tinha interesse nenhum em mim. Foram minha avó e meu avô maternos que me criaram.

Eu tinha vagas lembranças de Amber de quando era criança. Ela foi embora assim que aprendeu a dirigir. Só tivemos um relacionamento de verdade depois que meus avós morreram.

Eles deixaram a casa para *ela*.

Minha tia Andrea, mãe de Liz, e minha tia Justine, mãe do meu primo Josh, não faziam questão. As duas moravam na Dakota do Sul e não tinham nenhuma intenção de voltar a Wakan. Então meus avós deixaram a casa para Amber, provavelmente imaginando que mudariam o testamento a fim de me beneficiar, quando eu ficasse mais velho, mas acabaram não fazendo isso. Então Amber ficou com tudo.

Implorei a ela que não vendesse a casa. Aos 23 anos eu ainda não tinha condições de comprá-la. Consegui convencê-la a me deixar administrar a propriedade, mandando parte do dinheiro para ela toda semana e garantindo que ela poderia vender se não desse certo. Amber aceitou, e demos início ao acordo que se mantinha havia cinco anos.

Quando ela ligava, era para falar de dinheiro.

– Amber – falei, atendendo na terceira chamada, tentando não parecer tão mal-humorado.

– Oi, Daniel, é a Amber.

Esfreguei a testa, exausto. Às vezes parecia que ela não estava ouvindo.

– O que aconteceu? – perguntei.

– Você está cuidando do jardim agora?

– O quê?

– O que você está fazendo?

Ela estava puxando papo. Era estranho.

– Só estou sentado aqui na varanda envidraçada. Por quê?

Ela fez uma pausa.

– Olha, é melhor ser curta e grossa: vou vender a casa.

Congelei.

– O quê? Do que você está falando?

– Vou anunciar. Hoje.

Levantei.

– O qu… *Por quê?*

Ouvi Amber arrastando os pés. Parecia distraída.

– Amber, você não pode fazer isso.

– Eu já tenho uma corretora. Lembra da Barbara? Da Imobiliária Root River? Ela disse que a casa vale 500 mil dólares!

Balancei a cabeça.

– Mas… estamos indo bem assim, a casa está dando dinheiro.

– Estou cansada. É estressante demais ser proprietária de uma casa dessas. Ter que lidar com os impostos…

– *Eu* posso fazer isso. Deixe que *eu* lido com os impostos…

– Nah. É muito trabalho. Não tenho tempo.

Mentira. Ela não levantava um dedo, era eu que fazia *tudo*. Ela só queria o dinheiro.

Saí da varanda e comecei a andar de um lado para outro.

– Por que *você* não compra a casa? – perguntou ela.

– Amber, eu não tenho dinheiro para dar entrada em uma casa como esta. É muito caro. – Minha cabeça estava rodando. – A casa está na família há 125 anos – argumentei. – Você não tem o direito de fazer isso. O vovô…

– O vovô o quê, Daniel? Vai se revirar no túmulo? – Dava para perceber a cara de desdém que ela estava fazendo. – A casa é usada por estranhos. Não seja tão dramático. Você nem mora nela.

– Eu moro, *sim*!

– Você mora em cima da *garagem*. Por que não pergunta ao novo proprietário se pode continuar lá? Tipo, pagando aluguel ou algo assim? Barbara disse que a casa deve ser comprada por um investidor que provavelmente vai querer manter a pousada. Então talvez fiquem com você. Você pode até continuar fazendo o mesmo trabalho.

– E se não fizerem isso? E se uma família comprar a casa para morar nela? Você deixaria isso acontecer? Eu perderia meu trabalho, meu apartamento, minha oficina…

Parei na lateral da casa e olhei para ela. As videiras e os carvalhos do vitral emitiam um brilho verde-esmeralda sob o beiral de ferro que meu tataravô forjara com as próprias mãos. Meu trisavô nasceu no quarto da cama de dossel. Meu avô pediu minha avó em casamento na sala em frente à lareira de mosaico verde.

Eu conhecia cada cantinho da casa. Ela não podia vendê-la. Eu não permitiria. Era meu lar. Minha infância inteira estava ali. Gerações de Grants tinham nascido ali, se criado ali, *morrido* ali.

– Escute – falei –, me dê alguns meses para juntar o valor da entrada. Por favor. Para que eu tenha alguma chance de conseguir um empréstimo.

Eu não fazia ideia de onde conseguiria o dinheiro. Eu ficava com uma porcentagem de cada hospedagem por gerenciar a propriedade e vendia meus móveis quando finalizava uma peça. Mas era um hobby, não uma fonte estável de renda, e a casa não receberia novos hóspedes pelo menos até maio. Eu levava uma vida simples. Tinha alguns milhares de dólares na poupança, mas não chegava nem perto do valor que o banco exigiria.

Ela deu um suspiro.

– Não sei...

– Eu abro a casa na baixa temporada – interrompi, sem nem pensar. – Você vai receber a renda extra. Além do mais, a casa está precisando de alguns reparos – acrescentei. – Tem uma infiltração num dos quartos, o telhado precisa ser substituído. Se essas coisas não forem arrumadas, o preço de compra vai cair... e, de qualquer forma, vou levar alguns meses para consertar tudo.

Ela ficou em silêncio por um tempo.

– Amber. Eu nunca pedi nada a você. *Por favor*. Me dê uma chance.

Houve uma longa pausa.

– Tudo bem. Certo. Seis meses. Mas só. Preciso do dinheiro. Eu e Henrique vamos abrir uma loja de bicicletas.

Era isso.

Fechei bem os olhos. Não tinha a menor ideia de quem era Henrique. Provavelmente um cara com quem ela começou a sair e que ia fugir com o dinheiro dela. Eu já nem me importava mais. Não poderia fazer nada mesmo. Ela sempre fazia o que queria, e dessa vez não seria diferente.

Assenti, embora ela não pudesse me ver.

– Ok. Obrigado.

Desliguei, sem acreditar totalmente que ela cumpriria a promessa.

Seis meses. Eu tinha seis meses para conseguir 50 mil dólares.

Após a ligação de Amber pela manhã, fui até o banco. A boa notícia era que a pousada tinha cinco anos de rendimentos estáveis que cobririam com folga o valor da hipoteca se eu ficasse com ela, e meus cinco anos como gerente e meu bom histórico de crédito certamente garantiriam um empréstimo. A má era que eu precisava de 50 mil dólares para a entrada.

Poderia muito bem ser 1 milhão. Não parecia uma quantia possível.

Fiquei na oficina fazendo o inventário. Projetos empilhados contra as paredes do chão ao teto. Obra do meu avô antes de morrer. Ele era famoso por começar as coisas e perder o interesse no meio do caminho. Cadeiras de balanço lixadas que precisavam ser envernizadas, mesas de jantar sem pés, cômodas sem puxadores, camas que precisavam apenas ser montadas.

Se conseguisse vencer aquele acúmulo, finalizar o que já estava começado, talvez acrescentar meus próprios toques artísticos às peças para aumentar seu valor, eu poderia levar tudo para a feira de trocas em Rochester e vender. Talvez fosse o suficiente para conseguir o dinheiro.

Talvez.

Isso, mais os sete mil que eu já tinha economizado, talvez bastasse. Seria um trabalho exaustivo. E ainda havia a administração da pousada. Mas eu conseguiria. Eu conseguiria fazer tudo isso.

Eu *tinha* que conseguir.

Nunca odiei alguém em toda a minha vida, mas agora *odiava* Amber. Era difícil acreditar que tínhamos sido criados pelas mesmas pessoas, com os mesmos valores, e crescido no mesmo lugar. Como ela podia não amar aquela casa? Não querer protegê-la? A casa tinha alma, *respirava*. Era nossa responsabilidade.

Eu não deveria ter ficado surpreso. Sabia que um dia acabaríamos nessa situação.

Amber precisando de dinheiro era a constante da minha infância. Amber ligando para meus avós e eles a salvando, não importava o que ela fizesse. Eu me lembro das ligações mês sim, mês não, implorando que fizessem uma transferência. Minha avó sentada na despensa ao telefone com a filha, o fio enrolado esticado passando por debaixo da porta, a conversa abafada e sussurrada. Meu avô era mais rígido, mas ela sempre conseguia convencer minha avó a ceder.

Eu me perguntava o que seria necessário para minha mãe cair em desgraça com a minha avó. O critério para ela parecia tão baixo que mesmo o mais hediondo dos crimes incitava apenas um suspiro e um meneio de cabeça.

Quando visitava a casa, Amber roubava coisas. Ia até o Bar dos Veteranos, enchia a cara e se envolvia em brigas, e meu avô tinha que ir tirá-la da cela dos bêbados que ficava no correio. Quando não estava em Wakan, ela pulava de caloteiro em caloteiro. Quase nunca tinha endereço fixo.

Acho que a única razão para nosso acordo ter durado tanto tempo era a fonte de renda estável que eu depositava na conta dela durante a alta temporada. Ela nunca teve um emprego fixo. Já tinha sido garçonete e comissária de bordo, mas nunca conseguia manter um emprego por mais do que alguns meses. Então me ligava pedindo um adiantamento.

Às vezes dizia que estava com algum problema de saúde, por isso precisava do dinheiro. Mil dólares para fazer um canal ou uma quantia para dar entrada em um carro novo porque ela havia batido o anterior e não tinha seguro. Era sempre alguma coisa. Só que agora essa "alguma coisa" era tão grande que ela teria que vender a casa para dar conta.

Atualizei o site para informar que a pousada estaria disponível a partir de sexta-feira e cerrei os dentes ao apertar Enter.

Abrir na baixa temporada era quase inútil. Na melhor das hipóteses, metade dos quartos ficaria ocupada, e a quantidade de trabalho com apenas metade do lucro não valia a pena. Eu ficava preso à casa quando tinha hóspedes. Não conseguia nem ir até a loja de ferramentas em Rochester, a não ser que Liz ou Doug me substituíssem. Eu tinha que servir o café às seis para aqueles que acordavam cedo e preparar um serviço gourmet completo antes das nove. Check-out às onze, então limpar os quartos, arrumar as camas, receber os hóspedes às três da tarde. Era como estar em uma roda de hamster eterna. E eu tinha que fazer todas essas coisas com um só quarto reservado ou todos os quatro. Mas precisaria dar um jeito. Porque se Amber não recebesse o dinheiro, provavelmente anunciaria a casa no ato, não só em outubro.

Mandei um e-mail para nossa lista de hóspedes. Mencionei os divertidos cafés da manhã que prepararia, as folhas brotando na primavera, os queijos e os vinhos de cortesia no saguão para enriquecer a experiência. Então comecei a trabalhar nas peças que estavam na garagem. Mais ou menos uma hora depois, meu celular tocou. Eu estava com um humor péssimo, mas, assim que vi quem era, isso mudou.

ALEXIS: Desculpe, acabei de perceber que não respondi.

Dei um sorrisinho torto. E liguei para ela.

Ela atendeu no segundo toque.

– Alô?

– Oi.

– Você me ligou mesmo? De propósito? Sem mandar mensagem antes, como uma pessoa normal faria?

– Siiiiiim. – Dei um sorriso. – Não é isso que se faz com telefones?

– Não é o que eu faço com o meu.

– Parece até que mandei um nude sem consentimento.

– Um nude teria sido menos chocante.

Comecei a rir.

– E se eu estivesse ocupada? – perguntou ela.

– Aí você não atenderia. Louco, eu sei.

Deu para perceber que ela estava sorrindo.

– Estou trabalhando em uma peça – falei. – Não posso ficar escrevendo agora.

– Ah, é? No que está trabalhando?

– Uma cadeira.

– Está consertando uma?

– Estou fazendo uma.

– *Uaaau* – disse ela. – Você sabe fazer isso?

– Sou carpinteiro – respondi. – Minha família inteira é. Todos os meus primos. Liz também. Meu avô que ensinou.

– Legal. Você tem um Instagram da sua carpintaria? Eu adoraria seguir.

Balancei a cabeça.

– Não. Não tenho redes sociais.

Ela fez uma pausa.

– Tipo, nenhuma? *Nada?*

– Não. Acho perda de tempo. Se eu passar duas horas no TikTok, perdi duas horas. Se eu passar duas horas na oficina, faço uma cadeira. Prefiro a cadeira.

– Mas… como você mantém contato com as pessoas se não tem redes sociais?

– Eu ligo para elas.

Ela riu.

Aquela química… no instante em que nos reconectávamos, ali estava ela.

Ouvi o barulho de uma porta abrindo e fechando.

– Onde você está? – perguntei, pegando a fita métrica e voltando ao projeto.

– Estou sentada em uma espreguiçadeira à beira da piscina.

Arqueei uma sobrancelha.

– Você tem piscina?

O mais próximo de uma piscina que tínhamos na cidade era o rio.

– Tenho. Acabei de chegar da casa de uma amiga.

Gostei de saber disso. Se ela estava na casa de uma amiga e lembrou que não tinha me respondido, elas deviam ter falado de mim.

– Que amiga? – perguntei.

– Hum, só uma amiga que mora no outro lado da rua.

Percebi que ela sempre me respondia assim. Sempre com uma resposta vaga. Eu não sabia o sobrenome dela, em que hospital trabalhava. Caramba, eu nem sabia que ela era médica antes do acidente do Popeye. Mas imaginava que se abriria comigo quando estivesse pronta, por isso eu não insistia.

– Então – retomei –, o que você anda fazendo?

– Nada de mais. Trabalhando... – Ouvi o barulho de uma latinha sendo aberta.

Coloquei os fones de ouvido para usar as duas mãos.

– Que tipo de médica você é? – perguntei.

Não tinha conseguido perguntar antes que ela fosse embora.

– Sou médica de emergência.

– Ah – murmurei, medindo a perna da cadeira e marcando com um lápis. – Por que escolheu essa área?

Ela parecia estar se alongando.

– Não estava nos meus planos. Eu tinha me decidido por neurocirurgia, mas conheci minha melhor amiga, que tinha escolhido a emergência, aí eu comecei a gostar. É divertido. Eu gosto de estar ao lado de alguém em seu pior dia. Gosto de salvar pessoas.

Dei um sorriso.

– Algum caso interessante?

– Ah, *vários.*

– Conta um.

Ela pensou um pouco.

– Tirei um sapatinho de Barbie do nariz de uma criança ontem. E um cara atirou um prego de quase 8 centímetros no pé com uma espingarda de pregos hoje de manhã. Ele ficou preso no chão. Os paramédicos tiveram que usar um martelo para soltá-lo.

Puxei o ar por entre os dentes.

– Ai.

– Uma vez um cara engoliu um smartwatch. Ele estava traindo a namorada e recebeu uma mensagem da outra no aparelho. A namorada exigiu que ele mostrasse, e foi aí que ele engoliu. O relógio continuou marcando os passos dentro do estômago. Também temos o Cara do Nunchaku. Uma vez por mês ele tem uma concussão. Teve o cara da lanterna presa no reto...

– Por que são sempre homens?

– Não sei, Daniel. Por que será que são sempre homens?

Imaginei seu sorrisinho torto.

– Ei, *eu* nunca fui parar no pronto-socorro. Doug é que me dá os pontos.

– *Doug* dá pontos em você?

Assenti.

– É. Ele era médico no Exército. Me poupa da viagem de duas horas de ida e volta até Rochester. Ele usa um anzol sem fisga e linha de pesca.

– Por favor, me diga que você está brincando...

– Não estou. E ele faz um bom trabalho. Retinho.

– Ah, meu Deus. – Ela soltou um suspiro. – O que você toma para a dor?

– Gim?

Ela riu.

Eu precisava usar o serrote, mas não podia fazer isso enquanto falava com ela, então decidi pintar algumas cabeceiras. Levantei e peguei os pincéis.

– Voltando ao caso da lanterna... Acontece com muita frequência?

– Você não faz ideia. As pessoas *amam* enfiar coisas lá. E sempre querem que você acredite que caíram em cima delas enquanto tomavam banho. Cinquenta por cento do meu trabalho é manter uma expressão neutra.

Dei uma risada.

– Do meu também. Alguém pichou pintos na trilha de bicicleta ontem. A Sra. Jenson veio me contar, e ela só mexia os lábios ao mencionar "pênis", porque não conseguia dizer a palavra em voz alta e eu tive que parecer muito preocupado e assentir bastante.

– Alguma pista de quem pichou? – perguntou ela, com um sorriso na voz.

– Ah, adolescentes. Sempre são os adolescentes. Bombinhas em caixas de correio, roubo de vinho na mercearia, xixi ao ar livre…

– Xixi ao ar livre… – repetiu ela, sem expressão.

– É. – Abri uma lata de tinta. – É exatamente isso. O comércio ou está fechado ou não quer que os adolescentes usem o banheiro, então eles fazem onde podem. O beco ao lado da farmácia estava começando a ficar com cheiro de mictório.

– E você tem que lidar com essas coisas? Não é um problema para a polícia?

– Seria se Jake conseguisse pegá-los – respondi. – Só que ele não consegue. Fugir da polícia é uma tradição de Wakan – falei, mexendo a tinta. – É daí que vem metade da graça.

– Ah. E o que você vai fazer para resolver essa onda de crimes, Sr. Prefeito?

– Na verdade, estou desenvolvendo um programa de voluntariado para a baixa temporada. Coisas para manter os adolescentes ocupados. Doug vai ensiná-los a cuidar de abelhas e eu vou oferecer uma oficina de carpintaria. Se fizerem serviços comunitários, eles podem ganhar créditos para usar nas locadoras de bicicletas ou caiaques. Vamos começar a arrecadar fundos para o programa em algumas semanas.

– Que legal. Você não tinha dito que o cargo de prefeito não era nada de mais?

Dei de ombros.

– E não é. Quer dizer, eu fui eleito. Mas a cidade é muito pequena para que seja um cargo remunerado, então sempre acho que na verdade não conta. É só uma coisa que os Grants sempre fizeram.

– Bom, parece que você é um prefeito muito bom – disse ela. – Mesmo que ache que na verdade não conta… eu acho que conta, sim. Você poderia simplesmente punir os adolescentes.

Balancei a cabeça.

– Nah. A misericórdia não custa nada – falei, passando tinta em uma cabeceira.

– Como?

– A misericórdia não custa nada. Minha avó costumava dizer isso. Ela gostava muito de repetir isso quando eu agia como um merdinha.

– Duvido que *você* um dia tenha agido como um merdinha.

– É difícil ser adolescente aqui – respondi. – Pode ser entediante. Na verdade, é difícil ser adulto aqui também. Sabe, se a cidade tiver menos de mil habitantes, não é nem considerada uma cidade. É uma aldeia.

– Então você é um aldeão – brincou ela, parecendo achar engraçado.

– Isso aí. Existe alguma chance de você saquear minha aldeia hoje à noite? Porque eu queria muito ver você.

– Não posso. – Imaginei-a fazendo beicinho. – Vou passar o fim de semana com as amigas. Viajo amanhã de manhã.

Meu sorriso diminuiu uma fração de centímetro. Já fazia mais de uma semana. Eu queria encontrá-la.

– Vai ter que se contentar com o papo mesmo – completou ela, com um ar divertido na voz.

Dei um sorrisinho torto.

– Tudo bem. Sobre o que quer conversar?

– Não sei.

– Que tal um jogo? – perguntei.

– Um jogo? Que *tipo* de jogo?

– Um jogo para a gente se conhecer.

Imaginei-a dando de ombros.

– Ok. Tudo bem.

Pensando nas nossas conversas anteriores, achei que ela se desviaria das perguntas cujas respostas realmente me interessavam. Então decidi manter a descontração na conversa.

– Se pudesse voltar no tempo, que época visitaria?

– Hummmmm – murmurou ela. – É uma boa pergunta. Eu sou um fantasma? Ou vivo no passado?

Balancei a cabeça.

– Por que você ia querer ser um fantasma?

– Muitas doenças. Difteria, varíola, peste bubônica. As mulheres viviam só até dar à luz.

– Você poderia ser qualquer pessoa – falei. – De qualquer gênero. Poderia ser rei.

– E você acha que a situação era melhor para os reis? Carlos II da Espanha tinha tantos problemas que mal conseguia comer: a mandíbula era desfigurada, ele tinha raquitismo, alucinações, sua cabeça era grande demais, ele era impotente e infértil. Henrique VIII tinha uma úlcera na perna por causa de uma justa. O ferimento estava tão podre que dava para sentir o cheiro a três quartos do dele. E alguns acreditam que ele enlouqueceu por causa da sífilis.

Eu sorri.

– Então uma sífilis qualquer é motivo para você desistir, é?

– Ainda estamos falando sobre o rei ou essa é uma indireta? A sífilis tem tratamento e não é motivo de vergonha. Uma injeção intramuscular de penicilina benzatina de ação prolongada resolve o problema.

– Ok, já deu para entender, você sabe curar a sífilis.

Ela riu mais uma vez.

– É, você tem razão – falei, mergulhando o pincel na lata e tirando o excesso. – Eu leio muitos livros de não ficção sobre história. Acho que o passado era *mesmo* brutal.

– História? – repetiu ela, parecendo um pouco surpresa.

– Minha área favorita.

– Minha também. Gosto dos aspectos da medicina. Sempre penso no que eu faria de diferente se vivesse no passado, sabendo o que eu sei.

– Eu gosto porque aconteceu de verdade – falei. – Não se pode ficar frustrado com o enredo se a história é verdadeira. E sempre aprendemos alguma coisa.

– É. Sabe, ler faz o pênis parecer maior… Por favor, não fale para ninguém que eu disse isso, as pesquisas são muito recentes.

– É isso que está acontecendo? Eu estava mesmo me perguntando. Aliás, acabei de terminar *Guerra e paz*.

Ela riu tanto que acho que cuspiu a bebida.

– Eu gosto de livros – comentei, sorrindo. – É a única maneira de viver em algum lugar que não seja Wakan. Leio três, quatro livros por semana. Muitos audiolivros. Assim posso trabalhar e ouvir ao mesmo tempo.

– Nunca ouvi um audiolivro – admitiu ela.

– Ah, você deveria experimentar. É como um filme para os ouvidos. Você poderia ouvir enquanto dirige para vir me ver. E isso vai ser quando mesmo?

– Daniel, você sabe como adoro observar o seu trabalho. Mas eu preciso planejar o quingentésimo aniversário do meu reino, também meu casamento, a morte de minha esposa e a incriminação de Guilder. Estou atolada.

Uma fala de *A princesa prometida*. Eu caí na gargalhada.

Caramba, como era bom conversar com ela. Não conseguia me lembrar da última vez que gostei tanto assim de conversar com alguém. Eu preferiria encontrá-la, mas seria um segundo lugar apertado, com certeza.

Olhei para o relógio.

– Preciso alimentar Chloe.

– Ah – respondeu ela, parecendo um pouco decepcionada. – Acho que é melhor desligar, então.

Larguei o pincel sobre a tampa da lata de tinta.

– Não, vou levar você comigo. Demorei uma semana para conseguir conversar com você, não vou desligar agora.

Também não desliguei depois.

Conversamos durante cinco horas.

Alexis

Estávamos indo para o fim de semana das garotas.

Os homens tinham ido para o norte, para Grand Marais, então fomos para o sul. Uma pousada que Gabby reservou.

Ela estava dirigindo, e Jessica ia no banco do carona. Eu estava no banco de trás do Escalade preto, como se fosse a criança da família. Jessica era o pai mal-humorado e Gabby, a mãe alegre.

Gabby tinha um quê de líder de torcida. Com 34 anos, era loura e tinha só 1,52 metro de altura. Era pediatra. Das três, era a única que estava em um relacionamento bem-sucedido. Philip se dedicava completamente a ela.

Gabby se virou para Jessica.

– Tem certeza de que Marcus não se importa por você não ter ido? É o aniversário dele.

– Faz seis anos que o homem não encosta em mim – argumentou Jessica, em tom entediado. – Ele mal lembra que eu existo. Acho que não se importa nem um pouco.

– Então, Jessica me contou o que aconteceu. – Gabby olhou para mim pelo retrovisor. – Neil é *muito* babaca. Sério, por que você não falou nada?

Soltei o ar pelo nariz.

Elas eram minhas amigas. Eu passava mais tempo com elas do que com Bri, principalmente por causa dessa dinâmica dos casais. Viajávamos juntas, trabalhávamos juntas e morávamos na mesma rua. Mas eu não podia conversar com elas sobre absolutamente tudo, como fazia com Bri.

Gabby era meio fofoqueira e às vezes um pouco superficial. Jessica era mal-humorada e tendia a ser negativa.

Eu amava as duas, mas sabia quem eram de verdade.

– Era difícil de explicar – comentei, colocando um fim na discussão. Gabby já sabia tudo o que eu tinha contado a Jessica.

Gabby me lançou um sorriso malicioso.

– E esse cara com quem você está saindo...

Mais uma coisa sobre a qual eu não podia conversar com elas.

Eu protegia o relacionamento com Daniel o máximo possível. Não dava nenhum detalhe além do fato de que ele morava longe. Mas sabia que um interrogatório estava por vir. Teríamos um fim de semana inteiro para isso.

– A gente só se viu duas vezes – falei, sem dar importância ao assunto.

– Sim, mas como ele é?

Dei de ombros, olhando pela janela.

– Não sei. Bacana.

– O que ele faz?

– Hum, ele administra uma propriedade – respondi, meio vaga.

– O sexo é bom?

Bom não chegava nem perto de definir o quanto o sexo era maravilhoso. Mas se eu revelasse a verdade, ela ia querer mais detalhes.

Dei de ombros mais uma vez.

– É bom, eu acho.

– Tem uma cepa de clamídia resistente a antibióticos por aí – avisou Jessica, com a voz monótona.

Gabby soltou um *ecaaaaa*.

– Estou me protegendo direitinho – retruquei.

– Quando vamos conhecer esse cara? – perguntou Gabby.

– É só sexo.

Não era.

Bom, não exatamente. Acho que, se fosse só sexo, não teríamos conversado como na noite anterior. O tempo passou tão rápido que eu nem percebi que estava tão tarde, e só desliguei porque Neil chegou em casa, e vi a luz do escritório se acender.

Eu gostava *muito* de conversar com Daniel. Era fácil, e ele me fazia rir. E o surpreendente era que tínhamos mais em comum do que eu imaginava.

Gabby entrou em um posto de gasolina.

– Preciso ir ao banheiro. Alguém quer café?

Jessica soltou o cinto.

– Eu vou.

Meu celular começou a vibrar. Era Bri ligando.

– Vou esperar no carro – falei, atendendo. – Oi.

– Acabei de levar um bolo. De novo – começou ela. – Você acha que eles aparecem, olham para mim e depois vão embora? Ou nem aparecem? Não consigo decidir se prefiro ser tão horrorosa que eles acabam fugindo ou tão entediante que esquecem o encontro.

– Você não é entediante nem horrorosa – falei, observando Gabby e Jessica entrarem na loja de conveniência do posto de gasolina. – Quem perde são eles.

– São mesmo? Porque parece que me produzir toda na minha folga é que é perda de tempo. Quer jantar comigo? Não queria desperdiçar o look.

– Não posso – respondi. – Vou passar o fim de semana com Gabby e Jessica.

Ela soltou um gemido.

– Merda. Eu tinha esquecido.

– Por que não vem também? Se a pousada estiver cheia, pode dormir comigo.

Ela bufou.

– Hum, passo. Tenho um limite para as reclamações da Gabby e o revirar de olhos da Jessica. Não tem problema. Vou visitar o Benny ou alguma outra coisa.

– Como ele está? – perguntei. O irmão mais novo dela estava com um problema sério de saúde.

– Está começando a afetar o funcionamento dos rins.

Meus lábios se curvaram para baixo. Benny tinha só 26 anos – mais novo que Daniel, e Daniel era um bebê. Jovem demais para estar tão doente assim.

A saúde precária de Benny era um golpe pesado para Bri. Ela achava que tinha que curá-lo porque era a médica da família, o que era injusto.

– Não é culpa sua, Bri.

Benny estava recebendo um tratamento excelente, mas sua condição estava piorando de qualquer jeito. Às vezes a medicina é assim. Podemos ajudar só até certo ponto.

– E o cara, alguma novidade? – perguntou ela, mudando de assunto.

Dei de ombros.

– Nada de mais. Conversamos ontem à noite.

– Ah, é? Sexo por telefone?

– Não. Só batemos papo. Nada sério. Fiquei uma semana sem responder. Eu estava tão perplexa por ter Neil no meu porão que sempre me esquecia de retornar.

– Você vai até lá de novo?

– Provavelmente. Talvez no próximo fim de semana?

– Entendi. Bom, lembre-se de não botar nenhum apelido no pênis dele. Depois de dar um nome, você acaba se apegando.

Eu ri. Gabby e Jessica estavam saindo da loja de conveniência.

– Preciso ir – avisei, ainda gargalhando.

– Tá bom. Me ligue mais tarde.

As garotas entraram na SUV, e voltamos para a estrada. Andamos por trinta minutos, Gabby e Jessica conversando sobre o piscineiro gostoso que todo mundo estava contratando e um evento beneficente do qual os filhos de Gabby iam participar. Eu não estava prestando muita atenção. Estava com o fone em uma das orelhas ouvindo as amostras de audiolivros que Daniel tinha recomendado.

– Argh, café de posto é péssimo – reclamou Gabby, largando o copo no suporte. – Nem sei por que eu ainda arrisco.

Jessica soltou um suspiro alto.

– Talvez consiga algo melhor quando chegarmos. Para onde exatamente estamos indo mesmo?

– Ah, meu Deus, vocês vão *amar* o lugar que eu encontrei – disse Gabby, virando à direita em um milharal. – Fica no rio Root. Eles têm uma trilha de bicicleta épica. Era uma ferrovia, e eles pavimentaram. Podemos alugar bicicletas na cidade. Caiaques também.

Tirei o fone e me aproximei para olhar pelo para-brisa.

– Rio Root? Eu achei que a gente ia para Red Wing.

– A gente ia mesmo. Eu já tinha até reservado o lugar, mas cancelei quando vi esse. É uma cidade pequena, bem fofa. Condado de Grant. É uma pousada em que eu andava de olho. Recebi um e-mail dizendo que estaria aberta na primavera.

– Qual o nome da cidade? – perguntou Jessica.

– Wakan.

Espera aí. *QUÊ?*

Meu coração acelerou.

– Wakan? – perguntei, tentando controlar a voz. – Tem certeza?

– Uhum, tenho.

Gabby riu.

– Não é Wabasha? Ou Winona?

– Tem algo de errado com Wakan? – perguntou Jessica, entediada.

– Não. Não sei, nunca fui lá – respondi, a voz saindo meio estridente.

A pousada do Daniel não estava aberta. Ele fechava durante a baixa temporada, então eu não precisava me preocupar. Mas, se estávamos indo a Wakan, havia uma grande chance de encontrar pelo menos uma pessoa que me reconheceria daquela primeira noite, e eu não estava preparada para contar a Gabby e Jessica sobre Daniel. Não estava preparada para o encontro daqueles dois mundos. Ainda não. Talvez nunca.

Eu sabia que, se Gabby e Jessica conhecessem Daniel, Neil ficaria sabendo. Jessica conseguiria esconder de Marcus, já que eles não conversavam. Mas Gabby contaria a Philip, e Philip certamente contaria a Neil – ainda mais se a história fosse o drama que com certeza Gabby produziria sobre meu "namorado" tatuado de 28 anos que morava em cima de uma garagem em uma cidade que tinha mais pés de milho do que habitantes.

Neil faria daquilo uma piada. Todos eles fariam. E eu não queria que Daniel se tornasse uma piada. Eu não queria que se tornasse nada. Só queria me divertir, aproveitar e não pensar na opinião dos meus amigos ou que Neil desse risada e transformasse aquilo em um exemplo de como eu tinha me rebaixado depois que nosso relacionamento terminou. Ele não podia saber. Nenhum deles podia. Daniel era meu, e eu queria que continuasse assim, porque o que tínhamos era bom e estava me fazendo feliz. E não sobreviveria ao escrutínio alheio.

A verdade era essa: não sobreviveria ao escrutínio alheio.

Não resistiria à inspeção. Meus amigos não aprovariam. E isso não importava muito para mim antes, pois eu não imaginava que eles estariam em posição de fazê-lo.

Passamos por uma estrada sinuosa que eu agora reconhecia como o último trecho até o centro.

– Onde em Wakan? – perguntei, tentando soar despreocupada.

– O nome da pousada é Casa Grant – respondeu Gabby.

O pânico me rasgou por dentro. Parecia que eu ia hiperventilar. Não. Não, não, não, não. Isso não podia estar acontecendo.

Olhei para o GPS de Gabby. Chegaríamos em menos de três minutos. Comecei a escrever uma mensagem para ele, frenética.

EU: Chego em dois minutos. Por favor, faça de conta que não me conhece. Me desculpe.

Quando o carro avançou pelo caminho de cascalho, estiquei o pescoço, olhando pela janela, para ver se Daniel estava por ali. Não o vi. A mensagem fora entregue, mas não lida.

Minha boca ficou seca.

– Chegamos! – cantarolou Gabby, estacionando o carro.

Jessica olhou para a casa pelo para-brisa.

– Fofa.

– Não é?

Gabby desligou o motor e saltou do carro.

Elas deram a volta até o porta-malas para tirar as bagagens, mas eu não desci. Fingi procurar alguma coisa na bolsa, rezando por uma mensagem de Daniel dizendo que tinha recebido a minha.

– Humm… você vem? – chamou Gabby depois de um tempo.

As duas estavam em pé com a bagagem em frente à escada.

Coloquei a cabeça para fora da janela.

– Derrubei o fone. Podem ir. Eu entro em um segundo.

Daniel ainda não tinha respondido.

Daniel

Ouvi as hóspedes do fim de semana estacionarem em frente à casa. Assumi meu posto no balcão de check-in ao lado da escada e olhei para Hunter.

– Certo, escute. Vou deixar você conhecer as hóspedes para praticar seu cavalheirismo. Mas existem regras. – Lancei-lhe um olhar severo. – Você tem que ficar sentado. – Levantei o dedo indicador, dando o comando de "sentar".

Ele sentou e eu sorri.

– Bom garoto. Nada de pular. E nada de ficar cheirando as coisas... você sabe do que estou falando. Entendido?

Ele me lançou aquele olhar pateta, a língua para fora.

Eu o prendi ao balcão de check-in, só para garantir. Ele não costumava pular nas pessoas, mas tinha pulado em Alexis.

Ele precisava de socialização. Como eu estava administrando a pousada em tempo integral, ia acabar trancado na garagem durante a maior parte do dia se não conseguisse se controlar. Quando mais interação eu pudesse proporcionar, melhor.

A porta da casa se abriu, e eu sorri dando a volta no balcão para pegar as malas. Eram duas mulheres.

– Tem mais uma lá fora – disse uma delas, em um tom entediado. – Ela já vem.

Com elas, entrou uma libélula, que ficou voando pelo saguão. Hunter ficou de olho no inseto, mas não saiu do lugar, e eu afaguei sua cabeça em sinal de aprovação.

Abri o laptop e dei início ao check-in. Eu tinha dado sorte. Elas reservaram três dos quatro quartos. Dois quartos tinham um banheiro compartilhado, então só podiam ser reservados entre o mesmo grupo de pessoas. Isso significava que ainda havia um quarto extra que poderia ser ocupado de última hora. Eu precisava disso. Se conseguisse mandar cheques gordos a Amber toda semana, talvez ela mantivesse a promessa de não colocar a casa à venda antes do outono. Além disso, eu conseguiria juntar o dinheiro da entrada mais rápido.

– Tem algum lugar bom para jantar? – perguntou a loura, mexendo no celular.

– A partir das cinco oferecemos queijos e vinhos de cortesia – respondi.

– Para o jantar recomendo…

A porta se abriu com um rangido lento, e a terceira hóspede entrou. Ergui os olhos para sorrir para ela e… era *Alexis*.

Pisquei, surpreso, e ela rapidamente levou um dedo aos lábios. Parecia quase em pânico. Nem tive tempo para processar tudo aquilo, porque Hunter a viu e perdeu a cabeça. Ele *mergulhou* na direção dela.

O balcão balançou com o puxão repentino da coleira, e meu laptop caiu no chão com um estrondo. Então Hunter arrastou o balcão de quase 50 quilos pelo chão de madeira do saguão como um cão de trenó enlouquecido e pulou nela.

Ele ficou tão agitado naquele espaço estreito que as duas mulheres recuaram para a sala de jantar, gritando.

– Oi… cachorro – cumprimentou Alexis, acariciando-o, tentando segurá-lo para acabar com o massacre do balcão de check-in sobre o piso de parquet.

Hunter chorou como um filhotinho ao vê-la. Então soltou um uivo comprido e animado.

– Caramba… esse cachorro gostou muito de você – disse a morena, lá da sala de jantar.

Alexis riu, nervosa.

– É, eu devo ter um rosto comum.

Que diabos… O que ela estava fazendo ali? E por que estava agindo como se não nos conhecesse?

Com o rosto vermelho, segurei Hunter pela coleira e o levei para fora. Ele imediatamente foi até a janela ao lado da porta e pulou, choramingando e pedindo que eu o deixasse entrar.

Encarei Alexis. Ela estava toda desgrenhada depois do ataque de amor de Hunter. Estava com um vestido amarelo de alcinha e sandálias. Seu rosto estava corado e uma das alças do vestido tinha caído pelo braço. Mesmo em meio à confusão, percebi como aquela mulher era bonita.

Ela olhou em meus olhos por uma fração de segundo. Então desviou os olhos.

Virei para as outras hóspedes.

– Eu, ahn, peço desculpas. Ele tem uma queda por ruivas.

As outras duas mulheres riram e Alexis sorriu constrangida, olhando para o chão.

Sem saber o que fazer ou o que estava acontecendo, peguei o laptop. A tela estava rachada.

Droga, Hunter.

Parecia que a casa tinha sido atingida por um meteoro. Um ciclone inesperado de caos.

O balcão estava de lado no meio do saguão. Havia um risco enorme no piso de madeira que eu teria que lixar e polir.

Hunter soltou um uivo triste lá fora, como se ser banido fosse uma espécie de tortura que eu tinha lhe imposto sem motivo.

Limpei a garganta.

– Bom, vou levá-las até os quartos – falei, desistindo do check-in.

Peguei as chaves na gaveta do balcão, o rosto quente.

Carreguei as malas escada acima, oferecendo uma versão desconexa do tour pela casa. Meu cérebro estava fritando. Eu não conseguia me concentrar.

Ali Montgomery.

Esse foi o nome que a loura registrou na reserva do quarto de Alexis.

Tínhamos conversado durante cinco horas na noite anterior. Depois de dois encontros. Passei as mãos em cada centímetro do corpo dela, e ainda não a conhecia o bastante para contornar aquela situação simplesmente sabendo seu *nome completo.*

O absurdo daquilo martelou em meu cérebro, assim como tudo o que tinha acabado de acontecer. Ela vinha por último, quieta, e eu a sentia ali como uma queda na pressão atmosférica. Queria empurrá-la para dentro de um armário e perguntar o que estava acontecendo. O que ela estava fazendo ali?

Depois de apontar cada um dos quartos, dei um sorriso, esperando parecer recomposto.

– Se precisarem de alguma coisa, meu número está no livro de visitas da mesinha de cabeceira.

As outras duas mulheres entraram para se acomodar. Alexis estabeleceu contato visual e fechou a porta. Fiquei um instante olhando para a porta, piscando sem parar. Então peguei o celular. Havia várias mensagens curtas dela.

A última dizia: Me desculpe.

Alexis

A explicação era complicada demais para uma mensagem de texto. Só pedi desculpas e disse que conversaria com ele assim que pudesse.

Que *bagunça*. E a ironia era que, apesar do pânico, tudo em que consegui pensar quando entrei no quarto era como tinha gostado da surpresa de estar ali e como Daniel estava bonito. MEU DEUS.

As garotas quiseram descansar até a hora dos queijos e vinhos, então aproveitei a oportunidade para sair de fininho.

Quando entrei na garagem, Daniel estava sentado à bancada de trabalho, o maxilar retesado. Fui até ele e cutuquei sua coxa com o joelho.

– Desculpa.

Ele me encarou.

– O que foi *aquilo*?

– Eu não sabia que a gente estava vindo para cá. É um fim de semana das garotas, e foram elas que fizeram a reserva. E eu achava que a casa não ficava aberta fora da temporada.

– Resolvi abrir – respondeu ele, direto.

– Está bravo comigo?

Ele voltou a olhar para mim.

– Imagine se eu aparecesse com meus amigos no seu hospital. Você é a médica que está tratando deles. E eu finjo que não conheço você. Parece uma coisa normal para você?

Soltei um suspiro.

– Daniel, ainda não estou pronta para contar às pessoas sobre nós.

– Não estou pedindo que faça isso. Mas fingir que nem me *conhece*?

– Você não... – Soltei o ar. – Se eu disser que conheço você, elas vão querer saber *como*, onde e quando isso aconteceu. Sabe Jessica, a de cabelo castanho? Ela sabe que estou saindo com alguém que mora no Sul. As duas são como detetives da fofoca. Logo iam descobrir.

Ele pressionou os lábios, e eu soube que estava se perguntando por que eu me incomodava com o fato de elas saberem sobre nós.

Eu conhecia os amigos *dele*. Ele estava disposto a me levar para tomar café da manhã na frente de todo mundo. *Ele* não estava me escondendo.

Eu o tinha magoado.

Umedeci os lábios.

– Daniel, sei que ainda não conversamos sobre isso, mas acabei de passar por um término muito difícil. Muito, *muito* difícil. Os maridos delas também viajaram juntos e levaram meu ex. Aliás, sem entrar em detalhes, eu não gostaria que meu ex soubesse sobre minha vida neste momento. Minha melhor amiga, Bri, sabe tudo sobre você. Mas essas que estão aqui... elas *não podem* saber.

Ele me analisou como se estivesse procurando a verdade. Então foi o que lhe ofereci.

– Eu fiquei tão feliz quando percebi que ia ver você hoje.

Sua expressão se suavizou pela primeira vez desde que entrei naquela garagem.

Ele afastou o olhar, mas colocou a mão no meu joelho.

– Por favor, não fique bravo comigo – sussurrei.

Ele me encarou novamente e soltou um longo suspiro. Então me puxou para o seu colo e me envolveu em seus braços de um jeito tão delicado que fez meu coração acelerar.

Daniel era mesmo muito carinhoso. Ele gostava de dar aqueles grandes abraços de urso. Aposto que era bom com crianças. Com certeza era bom com cabritas.

Toquei o nariz dele com o meu.

– Você estava tão bonito quando entrei na pousada... – comentei, baixinho.

Os cantos dos lábios dele se curvaram para cima. Seus olhos estavam na minha boca.

– Você trouxe meu moletom? – perguntou ele, a voz baixa e rouca.

Eu assenti.

Ele sorriu.

– Você colocou o casaco na mala mesmo sem saber que estava vindo me ver?

– Você vai ter que usar um moletom roubado – retruquei.

– Senão é apenas outro crime sem sentido?

– Eu gosto do cheiro dele – sussurrei.

Ele sorriu e me deu um beijo, e então eu percebi que tinha sido perdoada.

Caramba, como senti saudade dele. Só me dei conta naquele momento, mas realmente senti.

Era estranho sentir falta de alguém que eu tinha acabado de conhecer. Mas acho que era porque eu nunca tinha ficado tempo suficiente com ele. Meu humor melhorou quando percebi que passaria o fim de semana inteiro lá... Eu estava precisando disso.

A semana anterior fora horrível. Tive que procurar um advogado e um corretor de imóveis. Estava evitando encontrar Neil dentro da minha própria casa. Mas eu sentia *falta* de Daniel. Sentar no colo dele, ser envolvida pelo seu abraço, sentir seu cheiro de pinha... era um momento pelo qual eu *ansiava*. Era como finalmente alcançar a linha de chegada ou soltar o ar depois de prender o fôlego... ou até mesmo voltar para casa.

É a libertação que sentimos quando não precisamos pensar em mais nada.

Meia hora depois, Daniel teve que ir preparar os queijos e vinhos. Voltei para a casa de fininho, pela varanda envidraçada. Hunter me seguiu por todo o quintal, encostando a cabeça na minha mão, e quando entrei, ele tentou ir junto comigo. Tive que empurrá-lo de volta para fora e fechar a porta na cara dele.

Eu estava começando a bolar uma teoria sobre o cachorro, mas precisava observá-lo mais a fundo.

Jessica e Gabby estavam sentadas nas cadeiras de balanço.

– Ah, oi. Fui dar uma volta. Não sabia que já tinham saído do quarto

– falei, me acomodando na espreguiçadeira, tentando parecer despreocupada, como se não tivesse acabado de dar uns amassos no nosso anfitrião.

– Batemos na sua porta, mas você não atendeu – disse Gabby. – A gente pensou que você estivesse tirando uma soneca ou algo do tipo. Meu Deus, aquele cachorro está obcecado por você.

Olhei para ele e ri. Hunter estava com o focinho encostado no vidro, ofegante. Havia duas marcas de respiração no vidro logo abaixo do seu focinho e sua orelha estava virada. Uma libélula tinha pousado na cabeça dele.

– Você viu o cara por aí? – Gabby olhou para o quintal atrás de mim. – Estava cortando lenha ou…?

– Que cara? – perguntei, me fazendo de boba.

– Ahn… o cara gato que nos recebeu? Com as tatuagens?

Dei de ombros.

– Não vi.

Jessica estava folheando uma revista.

– Talvez devesse dar uma olhada. Colocar mais um brinquedinho no rodízio.

– Aposto que ele gosta da natureza – comentou Gabby. – Parece gostar. Deve cheirar a fumaça de fogueira de acampamento.

– Óleo de motor – disse Jessica, sem expressão. – Ele deve gritar "Sei trocar velas de ignição!".

Gabby riu, e eu pressionei os lábios.

– Meu namorado antes do Philip era assim – contou Gabby. – Ele era empreiteiro. Habilidoso. Fazia todas essas coisas de floresta, caçava, pescava. Eles levam carrapatos para a cama. Carrapatos de verdade. É como deixar um cachorro sujo dormir ao seu lado.

Jessica riu.

– É sério – disse Gabby. – E estão sempre sangrando.

Ela fez uma careta.

Olhei para ela.

– Sangrando?

– É. Têm cortes nas mãos e picadas de inseto. Sempre. Eles sangram e mancham os lençóis egípcios de mil fios.

Ela estremeceu.

Sem tirar os olhos da revista, Jessica falou:

– Não desencoraje a Ali. É divertido brincar com esses caras.

Gabby deu de ombros.

– É. Eles estão sempre em forma, não exigem muito. E fazem a gente derreter como manteiga. Mas é melhor levá-los a um motel, não para casa.

– Por que diabos ela o levaria para casa? – perguntou Jessica, estremecendo.

– Qual é o problema de levá-lo para casa? – indaguei, olhando de uma para a outra.

As duas me encararam como se eu tivesse contado uma piada.

– Seu pai ia *amar* isso – resmungou Jessica, voltando a atenção para a revista.

Gabby soltou uma gargalhada.

– Imagina só: "Pai, sei que meu último namorado era um cirurgião-chefe, mas este cara aqui sabe construir uma cabana de caça."

As duas riram.

– Ele pode ser muito legal – falei, um pouco na defensiva.

Jessica baixou a *Vogue*.

– Você acha que seu pai se importa com o fato de ele ser *legal*? – zombou ela. – Lembra aquele advogado da empresa do Marcus que eu arranjei para você? Adrian? Logo antes do Neil? *Ele* era legal. Seu pai reagiu como se você tivesse levado um criminoso sexual para o brunch. Encheu tanto o seu saco que você nunca mais saiu com o cara. E Adrian era advogado, não um cara com um diploma de supletivo, tatuagens e carrapatos.

Gabby olhou para as unhas.

– Sua família é como a família real. Só vão aceitar que você se case com alguém que fortaleça uma aliança médica.

Eu ri, embora aquilo não tivesse nenhuma graça.

– Odeio dizer isso, mas seu próximo namorado vai ter que superar expectativas *muito* altas – disse Jessica, voltando a olhar para a revista. – Se não tiver as palavras "de renome internacional" no currículo, nem se dê ao trabalho.

Gabby indicou a casa com um meneio de cabeça.

– Esqueça seus pais. Você se imagina levando um cara como aquele para conhecer Philip e Marcus? – Ela puxou o ar entre os dentes cerrados. – Eles o comeriam *vivo*.

Jessica balançou a cabeça sem tirar os olhos do artigo.

– Philip provavelmente discursaria sobre carteiras de ações só de baba-quice.

Gabby riu.

– Marcus nem lhe dirigiria a palavra.

Fechei a cara; me recostei na cadeira e fiquei girando a pulseira. A sensação era de que alguém tinha me tirado todo o ar.

Elas não estavam falando nada que eu já não soubesse. Mas ouvir tudo aquilo ser dito sem rodeios me preocupou.

– Ele é fofo, de fato – disse Gabby. – Meio que se parece com o Scott Eastwood. Se for solteiro, você deveria passar um tempo com ele.

Ela remexeu as sobrancelhas.

Esfreguei a testa.

– É, não sei se estou a fim. Na verdade, acho que estou ficando com dor de cabeça. – Àquela altura, nem era mentira. – Talvez vocês tenham que ir jantar sem mim hoje.

Gabby franziu o cenho.

– Sério?

– É, eu...

Daniel enfiou a cabeça no vão da varanda.

– Desculpem interromper. O aperitivo está servido.

Ele abriu um sorriso charmoso e desapareceu.

Jessica largou a revista na mesinha.

– Ótimo. Estou mesmo precisando de uma taça de vinho.

Ela se levantou.

Fui atrás delas, sentindo um cansaço que não sentia havia muito tempo.

Daniel

Era difícil não olhar para ela.

Eu não gostava de fazer aquilo, fingir que não a conhecia. Mais difícil ainda era não olhar para ela, porque ela era linda e eu gostava de observá-la.

Enquanto as mulheres se serviam de vinho e salada caprese com queijo de cabra, preparei um mapa para guiá-las até o Jane's no jantar. Circulei a loja que alugava bicicletas, pois elas tinham dito que queriam fazer a trilha no dia seguinte. Não havia mais quase nada aberto.

Se Alexis tivesse me deixado contar que já nos conhecíamos, eu teria mostrado a cidade a elas, garantindo que se divertissem. Teria levado as três para uma degustação de vinhos na fazenda do Doug, embora estivesse fechada na baixa temporada, talvez convencesse Brian a abrir o drive-in de novo. Mas Alexis não queria isso. Então me mantive afastado.

Após entregar o mapa, me retirei para a cozinha a fim de lhes dar privacidade, mas ainda conseguia ouvir a conversa no saguão.

Era cedo demais para julgar, mas eu não sabia se gostava das amigas de Alexis. A loura mais nova, Gabby, parecia um pouco superficial. Quando levei mais biscoitos, ela estava se gabando de ter demitido uma babá e do fato de a mulher ter chorado. Ela revirou os olhos ao dizer isso.

Jessica parecia odiar estar lá. Vivia andando carrancuda pela casa.

Quer dizer, acho que Doug não passaria no teste da primeira impressão. Era preciso conhecê-lo melhor para gostar dele, com certeza. Mas aquelas mulheres não combinavam com o que eu sabia sobre Alexis. Quer dizer, combinavam, mas ao mesmo tempo não. Elas se pareciam com ela. Pareciam vir do mesmo lugar. Mas não *agiam* como ela.

Voltei para o saguão quando as ouvi falando sobre ir até a cidade para jantar, só para conseguir mais um segundo com Alexis antes que elas saíssem. Fingi que precisava pegar algo no balcão.

As duas amigas tinham as bolsas penduradas no braço, mas Alexis estava sentada em uma cadeira massageando as têmporas.

Jessica checou o celular.

– Quer que a gente traga alguma coisa? – perguntou a Alexis, com tom entediado.

Espiei de trás do balcão.

Alexis balançou a cabeça.

– Não, não quero nada. Vou dormir cedo.

Ela ia ficar comigo. Tive que me esforçar para esconder o sorriso.

– Me desculpem – disse Alexis. – Não sei o que aconteceu comigo.

Jessica pressionou os lábios.

– Deve ser hormonal. As mulheres são três vezes mais propensas a dores de cabeça que os homens. – Então ela se virou para mim. – Deve ser bom ser homem. Os órgãos reprodutores femininos são como engrenagens enferrujadas e doloridas que a qualquer hora param de funcionar... se é que um dia funcionaram. Dê valor ao seu pênis.

Ela saiu e a outra foi atrás.

Quando a porta se fechou, Alexis olhou para mim e deu de ombros.

– Ela é divertida em festas, sabe...

Comecei a rir. Então a peguei pelos punhos e a levantei da cadeira, aconchegando-a em meu peito.

– A questão é: *você* quer dar valor ao meu pênis?

Ela mordeu o lábio.

– Ah, eu quero.

Ela sorriu e se aproximou para me beijar, mas eu afastei o rosto.

– Você não está mesmo com dor de cabeça, certo? Precisa de alguma coisa?

Ela riu.

– Não. Inventei a dor de cabeça para ficar com você.

Meu sorriso era enorme.

– Quando tempo acha que temos?

Ela franziu o nariz.

– Uma hora?

Deslizei as mãos por suas costas e agarrei sua bunda.

– Bom, então é melhor a gente começar…

Alexis

Já estávamos nos agarrando antes mesmo de fechar a porta do quarto dele.

No instante em que ele me tocou, a química explodiu como um air bag sendo acionado. Foi de zero a cem instantaneamente.

Eu *amava* o corpo dele. Os ombros largos e musculosos, o abdômen definido, a curva da clavícula onde eu aconchegava quando eu enfiava o nariz em seu pescoço. Seu cheiro era afrodisíaco.

Tirei as sandálias enquanto ele tirava a camisa.

Era incrível vê-lo se transformar do jovem educado de minutos antes no homem viril e faminto que estava na minha frente.

Aquilo não era um garoto. Era um *homem*. E era sexo puro, 1,80 metro de altura e uma ereção pressionando o zíper. Os olhos semicerrados me devoravam. Uma trilha grossa de pelos descendo até sua calça…

Eu amava a sensação que as mãos dele provocavam na minha pele. Não me importava se tivessem cortes ou picadas de inseto, elas faziam com que eu me sentisse selvagem. Era como eu me sentia quando ficávamos sozinhos, como se não conseguisse arrancar a roupa dele rápido o bastante.

De repente me perguntei se era assim que a maioria das pessoas se sentia durante o sexo. Devia ser esse o motivo de tanto alvoroço.

Não que eu não gostasse de transar. Eu gostava. Neil quase sempre me levava ao orgasmo – nunca tive problema em chegar lá. Mas não era aquele desejo arrebatador e desmedido que outras pessoas pareciam sentir.

Nunca entendi por que as pessoas brigavam por sexo ou traíam em busca dele ou terminavam um relacionamento porque a frequência não era suficiente. Sempre esteve em último lugar na minha lista de coisas importantes.

Mas *agora* eu entendia.

Se era *aquele* sexo que todos faziam, era compreensível. Porque era *incrível*. Era como se Daniel tivesse acionado um interruptor quebrado dentro de mim e agora todas as partes estavam funcionando bem e eu zumbia como uma engrenagem bem lubrificada.

Eu estava ficando viciada nele. E me perguntava quantas vezes a gente precisaria transar para saciar aquele desejo que ele despertava em mim. Eu meio que queria descobrir. Parecia um experimento divertido...

Estava tirando uma das alças do vestido quando ele chegou por trás.

– Não – disse, com a voz rouca. E começou a beijar a lateral do meu pescoço, a barba e a língua percorrendo minha pele nua. – Eu gosto do vestido.

Pressionei meu corpo contra o dele.

– Gosta, é?

Eu me enterrei nele, e senti sua respiração trêmula.

Então a mão dele subiu meu vestido até o quadril e desceu minha calcinha pelas coxas. A fivela do cinto tilintou, a calça caiu no chão e uma ereção quente tocou minha bunda...

O desejo me rasgou ao meio.

Ele me girou e me jogou na cama, estendendo a mão até a mesinha de cabeceira. Rasgou a embalagem da camisinha com os dentes, e eu o vi colocá-la. Então subiu em cima de mim.

E desacelerou...

Ele se flexionou sobre mim, apoiando-se nas mãos ao lado do meu corpo, me tocando apenas com os lábios, sua respiração em minha pele.

– Seu cheiro é tão bom – sussurrou em minha clavícula.

Enganchei um dos braços em seu pescoço para puxá-lo, mas ele manteve o corpo afastado e, como se tivesse previsto a reclamação, colou a boca na minha para que eu ficasse quieta.

O beijo foi tudo, mas ao mesmo tempo me torturava, porque eu queria mais que aquilo. Queria seu peso sobre mim. Ele estava tão perto, mas ainda tão longe. O calor de seu corpo atingiu o meu, mesmo através do vestido.

Até aquele momento, nunca na vida eu quis que alguém rasgasse minha roupa. Eu não queria que houvesse nada entre nós. Odiava a existência daquele tecido, queria sentir a pele dele na minha. Queria seu suor, seu coração acelerado, sua respiração ofegante. Era uma claustrofobia sexual. Eu estava começando a me sentir frenética.

Percorri seu peito com os dedos, seguindo a trilha de pelos, e tomei-o na mão, e ele puxou o ar com os lábios ainda nos meus. Fechou bem os olhos e deixou escapar um gemido trêmulo enquanto eu me mexia para cima e para baixo. Perdeu o controle e deitou em cima de mim.

Quando ele penetrou, *fogos de artifício* explodiram.

Ofeguei com o baque profundo. Fiquei desesperada por mais, como se quisesse agarrá-lo, trazê-lo mais para perto.

Ele cavalgou apertando minhas coxas com as mãos grossas, a língua mergulhando em minha boca e emergindo, meu vestido amontoado em volta do quadril. Tirei uma das alças, revelando um seio, e seus movimentos ficaram mais frenéticos.

Eu o excitava. Ele estava ávido por mim.

Sempre que estávamos juntos, ele me edificava. Ele me devolvia algo que Neil tinha me roubado.

Virei o quadril na posição exata e joguei a cabeça para trás, e em um movimento fluido ele deu uma última estocada entre minhas pernas. Senti-o pulsando lá dentro, e em meu delírio desejei que a camisinha não existisse.

Com Neil, eu odiava ter que me limpar. Mas, com Daniel, pensar nele me preenchendo, escorrendo por minhas coxas... como eu queria isso. E não *poderia* ter. Eu jamais faria sexo sem proteção com alguém que não fosse meu namorado. Já era inacreditável eu *estar transando* com alguém que não era meu namorado. Mas, meu Deus, pensar naquilo me fez estremecer.

Percebi que eu experimentaria coisas com ele que nunca tinha experimentado com mais ninguém. Ele fazia com que eu me sentisse desinibida... e segura.

Acho que a segurança era o principal, na verdade.

Ele parou, ainda dentro de mim, recuperando o fôlego. Seu coração batia contra meu peito nu como uma britadeira.

– Caralho... – falou, baixinho. – Você vai me fazer ter um ataque cardíaco.

– Bom, você parece um cara decente. Eu odiaria matá-lo.

Ele riu tanto, mergulhado em meu pescoço, que eu ri também.

Começou a me beijar de leve, ainda rindo, e joguei a cabeça para trás.

Eu odiava que só tivéssemos tempo para aquela rapidinha. A segunda vez seria mais longa. Tiraríamos toda a roupa. Brincaríamos um pouco. Aquilo tudo seria mais longo.

Aquela era a noite que eu queria. Era o *fim de semana* que eu queria. Queria poder ficar ali, ficar com ele. Não queria passar dois dias com Gabby e Jessica, quando poderia passar o tempo todo com Daniel. Não queria percorrer a trilha de bicicleta, sentar para ler um livro na varanda envidraçada nem fazer as unhas no único salão da cidade. Eu só queria aquilo. E era estranho porque, até chegar lá, eu estava animada para curtir com minhas amigas. Mas Daniel tinha subido até o topo da minha lista de prioridades, que estava mudando bem rápido.

Ahn...

Os beijos foram subindo pelo meu queixo.

– Eu não sabia seu sobrenome – comentou ele.

– Quê? – falei, distraída.

Ele me encarou, os olhos castanhos sinceros nos meus.

– Estava na reserva, mas eu não sabia que era você. – Ele fez uma pausa. – Nunca fiz isso com alguém que eu não conhecesse – disse ele, em voz baixa.

Ele falou isso de um jeito que fez com que eu me sentisse péssima. Como se eu o tivesse desvirtuado. Como se eu o tivesse feito ficar menos exigente com sua intimidade. Quer dizer, ele nunca perguntou meu sobrenome. Devia ter achado que eu não responderia. Sinceramente? Bem provável que eu não respondesse mesmo. Desde o início, eu mantive o pé atrás.

Mas eu não estava mais com o pé atrás agora...

Eu ia continuar me encontrando com ele. Pelo menos por enquanto. Ele não precisava conhecer a história da minha vida, mas eu poderia ceder um pouquinho mais.

Dei-lhe um beijo suave.

– Alexis Elizabeth Montgomery.

Ele sorriu tanto que seus olhos brilharam. Então se aproximou.

– Alexis. – Beijo. – Elizabeth. – Beijo. – Montgomery.

Eu não sabia que ouvir meu próprio nome pudesse me fazer rir tanto. Arqueei uma sobrancelha.

– Você vai pesquisar meu nome no Google agora?

– Não se você não quiser – respondeu ele. – Você me procurou no Google?

– Bom, procurei. E se você fosse um estuprador?

Ele pareceu achar aquilo engraçado.

– E aí? O que encontrou?

– Avaliações com cinco estrelas.

Ele riu.

Meu celular tocou no chão.

Daniel olhou por sobre o ombro.

– Vai ver quem é?

– Talvez eu devesse – respondi, passando as mãos pelo cabelo dele. – E se elas estiverem voltando?

Ele me deu um último beijo, pegou o aparelho no chão e me entregou. Então foi até o banheiro se limpar.

Vi a mensagem e sorri.

– Elas estão indo para o Bar dos Veteranos – falei alto. – Parece que vai ter uma noite de jogos.

Daniel sorriu ao sair do banheiro, fechando a calça.

– Vai até as dez.

– Então temos mais três horas?

Ele subiu na cama.

– Temos mais três horas.

Ele me envolveu em um abraço de urso enorme e doce, e mais uma vez fiquei maravilhada com o fato de ele ser, ao mesmo tempo, o garoto fofo e o cara que me fez perder os sentidos minutos antes.

Beijou meu pescoço, então se apoiou em um dos cotovelos e me encarou.

– O que seria um término muito difícil? – perguntou.

Franzi a testa.

– O quê?

– Seu último namorado. Você contou que foi um término muito difícil. Por quê?

Eu não tinha planejado conversar com Daniel sobre Neil. Não era uma informação de que ele precisasse. Mas, como Neil era o motivo pelo qual eu estava fingindo não conhecer Daniel, parecia uma pergunta justa.

Respirei fundo e soltei o ar devagar.

– O relacionamento era… abusivo.

Ele abaixou as sobrancelhas.

– Ele batia em você?

Balancei a cabeça.

– Não. Ele era cruel.

Daniel me observou. Não consegui interpretar a expressão em seu rosto.

– O que foi?

Ele balançou a cabeça.

– Eu jamais seria cruel com você.

O comentário atingiu meu coração em cheio. Foi tão honesto.

Não. Eu não achava que ele fosse capaz de ser cruel comigo. Daniel não seria capaz de ser cruel com ninguém, na verdade.

Quem quer que ficasse com ele seria uma garota de muita sorte.

Não respondi, e ele olhou para o relógio.

– Eu não estava esperando companhia, então vou ter que ser criativo com o jantar – comentou. – Acho que preciso alimentar você.

Ele se levantou.

– Precisa de ajuda?

– Não. Mas você pode vir ficar comigo enquanto cozinho.

Daniel vestiu uma camisa, e eu desci atrás dele.

Ele tinha um bule com café na cozinha.

– Posso tomar um pouco? – perguntei, já pegando uma caneca.

– Eu posso passar um café fresquinho para você.

– Não, está ótimo – respondi, me servindo. – Eu me acostumei com café velho durante a residência. Agora até que gosto. Me faz lembrar o pouco tempo de descanso que eu tinha.

Ele ficou me observando beber um gole.

– Sem leite? Sem açúcar?

– Sem nada.

Ele balançou a cabeça.

– Como consegue beber isso?

– É café. A gente deveria sentir o gosto do café. O que não acontece quando colocamos leite e açúcar.

Ele me olhou desconfiado.

– É como dizer que não é possível sentir o gosto dos ovos porque colocamos sal e pimenta. – Tomou a caneca das minhas mãos e levou à boca. Estremeceu, devolvendo-a. – Tem gosto de pneu queimado.

Eu ri.

Ele pareceu achar engraçado.

– Acho que isso prova que café forte não faz a pessoa ficar máscula. Aliás, deixa eu dar uma conferida.

Ele puxou a frente do meu vestido com o dedo e eu ri, afastando-o com um tapinha.

Era incrível como eu estava me sentindo bem. Era como se meu corpo e minha mente tivessem sido totalmente restaurados. E eu não achava que era só o sexo. Estava feliz por estar ali.

Pensando bem, também tinha me sentido assim na noite anterior, quando desligamos o telefone. Dormi como não dormia havia meses.

Percebi que Daniel era como uma folga para mim, um descanso do meu próprio cérebro ou da minha realidade desagradável. Nossa conversa era fácil e fluida, daquele jeito que é tão raro encontrar. Era assim com Derek e Bri, mas nunca foi com Neil. Com Neil, eu sempre achava que precisava dizer algo importante ou inteligente ou nem valeria a pena abrir a boca. Passamos muitas refeições em silêncio.

Na época eu achava que isso significava que reagíamos bem a um silêncio confortável. Mas agora percebo que era outra coisa: uma dinâmica estranha, rígida, nada natural, com a qual lidei durante tanto tempo que eu nem sequer imaginava que não era normal. Não era um silêncio confortável, era só... silêncio.

Comecei a andar pela garagem, observando tudo, enquanto Daniel vasculhava a geladeira. Hunter caminhava comigo, encostando a cabeça na minha mão até eu passar a andar com a mão entre suas orelhas.

Vi a cabeceira em que Daniel estava trabalhando na noite anterior. Estava secando. Havia cadeiras penduradas nas paredes em várias fases de acabamento. Uma cômoda e um par de mesinhas de cabeceira estavam perto da porta.

Ele mantinha uma pilha de livros em um banquinho ao lado da estação de trabalho. Peguei o primeiro. *Incêndio no circo.*

Daniel olhou para mim.

– Esse é bom. Você já leu?

Balancei a cabeça, olhando para a capa.

– Não.

– É sobre o incêndio no Circo Ringling Bros. and Barnum & Bailey, em 1944. Acho que você vai gostar... queimaduras graves, situação de emergência, várias mortes. Seu tipo de coisa.

Eu ri.

– Pode pegar emprestado se quiser.

– Obrigada. Gostamos dos mesmos livros – falei, olhando para o restante da pilha.

Eu sabia que ele gostava de história, mas aqueles livros ali não eram grandes títulos. Publicações independentes sobre colonos do Alasca e histórias sobre nativos americanos. Um livro de memórias sobre um homem que praticava corrida de trenós puxados por cães na década de 1940.

Eu também gostava de livros menos conhecidos. Até tinha lido alguns da pilha. Era um tanto surpreendente. Não conhecia ninguém que tivesse exatamente o mesmo gosto que o meu.

– Qual foi o último livro que você leu? – perguntou ele, pegando uma frigideira.

– Bom, na verdade acabei de terminar este – falei, mostrando um dos livros da pilha. – Mas agora estou lendo *A grande gripe*, de John M. Barry.

– Ah, sim, eu li esse – contou ele, colocando cenouras, alho e cebola sobre o balcão. – Sobre a gripe espanhola de 1918. Sabe, meu trisavô Wilbur Grant salvou a cidade inteira dessa gripe.

– É mesmo? – indaguei. – Como?

– Derrubou árvores para bloquear os acessos a Wakan. Manteve todos os habitantes aqui dentro e o mundo inteiro do lado de fora. Não perdeu uma só pessoa. Ficaram muito irritados com ele na época.

– Ele também era o prefeito?

Daniel assentiu.

– Era. Há 125 anos, o prefeito sempre é um Grant.

– Uau. Sempre?

– Sempre.

– Quantos Grants vivem aqui agora?

Ele deu de ombros.

– Só eu. Sou o último.

Rá. Eu conhecia *bem* essa sensação.

– E se você for embora? – perguntei.

Ele riu.

– Por que eu iria?

Dei um sorriso discreto.

Ele pegou uma faca e uma tábua.

– Depois que Wilbur morreu, minha trisavó, Ruth Grant, assumiu. Ela montou uma operação ilegal de contrabando durante a Lei Seca no porão de casa. Os anos mais prósperos da história de Wakan. Batizaram um gim em homenagem a ela. Usamos para costurar pessoas com anzóis.

Eu ri.

Vi umas peças de madeira no canto da garagem. Eram três. Uma delas era um cavalo decorativo de parede, a crina voando atrás dele, ondulada na madeira nodosa. Havia um espelho com uma moldura floral entalhada, feita à mão. E uma cadeira de balanço personalizada. Ele tinha entalhado um desenho elaborado e caprichoso. Era de tirar o fôlego. Obras de arte.

– Você que fez esses aqui? – perguntei, apontando para a pequena coleção no canto.

Ele tirou os olhos das cenouras.

– Fiz.

– Para quem?

– Só para praticar.

– Você fez *isso* só para praticar?

Meu Deus.

Daniel era um artista. Era como se a madeira ganhasse vida em suas mãos.

Passei a mão na curva de uma rosa entalhada na moldura do espelho.

– Por quanto você vende essas peças?

Ele deu de ombros.

– Não sei. O material não é muito caro. Esse cavalo? A madeira veio de um celeiro velho que desmontamos. Consegui de graça. É mais questão de tempo.

– Bom, quanto tempo você demorou para fazer essa peça? – perguntei, apontando para o espelho.

Ele olhou para ela.

– Duas semanas? Não sei. Provavelmente eu cobraria uns 200 dólares.

– Você cobra muito pouco.

Ele riu como se eu tivesse contado uma piada.

– Está vendo a madeira que usei para o cavalo? Gostei dela por causa da cor. O celeiro tinha uns 100, 120 anos. A amônia da urina das vacas vai manchando a madeira com o tempo. Escurecendo. – Ele apontou para a peça com a cabeça. – Está vendo os fantasmas? Essas manchas mais claras no pescoço do cavalo? É onde ficavam os suportes de metal. A amônia não atingiu essa parte da madeira, por isso ficou mais clara. – Ele empurrou as cenouras cortadas para dentro de uma panela. – Gosto de trabalhar com coisas que têm história. Isso dá personalidade às peças. Nunca vai existir outra exatamente igual.

Minha expressão se suavizou. Ele era *mesmo* um artista.

Olhei para ele. Ele estava *muito* bonito com a camiseta preta da Casa Grant, de barba e com as covinhas aparecendo, uma parede de ferramentas como plano de fundo. Havia algo infinitamente sexy em um homem que construía coisas. *E* cozinhava. Quando ele começou a refogar a cebola e o alho, acho que me apaixonei um pouquinho.

Voltei para a área da cozinha e me sentei no banco de musculação para observá-lo. Hunter pousou a cabeça no meu colo.

– Por que não se dedica à carpintaria em tempo integral? – questionei, acariciando o cão. – Você é tão talentoso.

Ele deu de ombros.

– Não dá para viver disso. A cidade é muito pequena.

Eu sorri.

– Você poderia ampliar os horizontes. Enviar suas peças pelo correio. Conheço pessoas que pagariam milhares de dólares por elas, para mobiliar suas cabanas.

Percebi pelo sorriso que ele aceitou o elogio. Fiquei observando Daniel despejar molho de tomate caseiro na frigideira.

– É você que prepara o café da manhã da pousada? – indaguei.

– Sim. Venho tentando convencer você a ficar para o café da manhã. Parece que finalmente vou conseguir.

Ele deu um sorriso triunfal.

Nós dois estávamos sorrindo. Não tínhamos parado de sorrir desde o segundo em que ficamos completamente a sós.

– Esta foi a melhor surpresa – falei, quase para mim mesma.

Ele abriu um largo sorriso para a frigideira.

– Sabe, você pode vir sempre que quiser – disse ele. – Eu quero que venha.

– Sempre que eu quiser? – provoquei. – Não quero aparecer e descobrir que está acompanhado.

– Sempre vou estar sozinho quando você aparecer. Não estou saindo com mais ninguém.

Não respondi. Não era da minha conta se Daniel estava ou não saindo com outras pessoas... embora a ideia dele com alguém me incomodasse um pouquinho.

Era estranho eu me sentir incomodada? Deveria ser, não? Tentei pensar em outra coisa.

– Você vai entrar de fininho no meu quarto esta noite? – perguntei.

– Acho que é melhor você entrar de fininho no meu – respondeu ele, sem tirar os olhos da frigideira. – O banheiro de vocês é compartilhado. Além disso, podemos fazer mais barulho aqui.

Ele deu um sorrisinho torto.

– Por que você abriu a pousada? Não disse que fechava na baixa temporada?

Daniel ficou um bom tempo em silêncio.

– Tive que abrir. Amber, minha mãe, vai vender a casa.

Congelei.

– *O quê?*

– Vai vender – repetiu ele – para comprar uma loja de bicicletas na Flórida. Tenho o verão inteiro para juntar 50 mil dólares para dar a entrada na propriedade. Se eu não conseguir o dinheiro... – Ele fez uma pausa. – Eu tenho que juntar esse dinheiro. – Apontou para a garagem com a cabeça. – Preciso finalizar tudo isso para vender na feira. E tive que abrir a pousada mais cedo para convencê-la a esperar.

Balancei a cabeça.

– Mas... como ela pode fazer isso? É a casa da sua família.

Eu não conseguia nem imaginar o hospital sendo tirado da minha família.

De repente, vi a tensão em seus olhos. Ele devia estar sobrecarregado. Olhei para o acúmulo de móveis à minha volta. Era um armazém cheio, e nenhuma peça estava finalizada. Ele não conseguiria dar conta de tudo. Não tendo que administrar a pousada ao mesmo tempo.

– Sinto muito, Daniel.

Eu não sabia o que dizer além disso.

Ele apenas sorriu.

– Vai dar certo. Este fim de semana ajuda. Reservei quase todos os quartos. E ainda consegui ver *você*.

Passei a noite no apartamento de Daniel. Mandei mensagem para Gabby e Jessica falando para que elas não me procurassem quando voltassem, pois eu ia dormir. Então tranquei o quarto e voltei para a garagem, onde dormi com Daniel – bom, nossa versão do que é dormir, o que na verdade não envolvia quase nada de sono.

Quando ele se levantou às 5h45 para preparar o café da manhã da pousada, entrei de fininho com ele e fui para o meu quarto.

Eu amava ficar com ele, mesmo sem fazer nada. Era tão leve e divertido.

Ele não parecia ter a idade que tinha. Talvez tivesse sido obrigado a amadurecer logo, como eu.

Bom, eu amadureci rápido em alguns aspectos; em outros não. Aos 17 já estava na faculdade, mas só fui dar meu primeiro beijo aos 20. Perdi a virgindade aos 24. Não pude ser adolescente. Estava agindo como uma agora, saindo de fininho e tudo mais.

Encontrei as garotas na sala de jantar para o café da manhã às nove.

– Ah, meu Deus! – exclamou Gabby, já sentada à mesa, quando entrei. – Você perdeu. A gente se divertiu *tanto* ontem à noite.

Me servi de café na estação que Daniel tinha preparado no aparador que ficava encostado na parede.

– É mesmo? – *Eu também*.

– É. Fomos a um bar de veteranos, meio caído, mas era o único lugar aberto. Um cara começou a dar em cima da gente, pegou um violão e cantou "More Than Words"! Quase morri.

Engasguei com o café e cuspi de volta na caneca.

– Ele era bom? – perguntei, ainda rindo, limpando o queixo.

Jessica zombou.

– Ele era tão ruim quanto a comida do restaurante onde jantamos ontem – resmungou ela. – O que *você* comeu?

Sentei e dei de ombros.

– O cara me preparou um sanduíche.

Na verdade ele preparou um macarrão à bolonhesa com tomates que ele mesmo cultivou e conservou. Estava maravilhoso. Meu fim de semana estava sendo bem diferente do delas...

Daniel entrou equilibrando três pratos nos braços tatuados. Fizemos contato visual por uma fração de segundo antes de desviar o olhar.

A química entre nós era fora de série. Ele fazia meu corpo reagir apenas com sua presença, e me dei conta de que isso aconteceria mesmo que não tivéssemos nos tocado. Mesmo que eu tivesse ido lá passar um fim de semana com Neil e fosse a primeira vez em que nos víssemos, eu teria percebido. Era como a contração da pupila em contato com a luz, totalmente involuntário.

Ele começou a dispor rabanadas à nossa frente.

Meu Deus, como ele estava lindo. De avental. O cabelo meio bagunçado, de uma beleza sem esforço. Quando eu achava que não tinha como ele ficar mais bonito...

– E sua cabeça? – perguntou Jessica. – Parece que você passou a noite acordada.

– Passei mesmo – respondi, olhando para Daniel a tempo de ver o canto de seus lábios se contorcer.

Eu não estava maquiada. Jamais permitiria que Neil me visse daquele jeito pela manhã. Mas Daniel não se importava, e eu estava cansada demais da noite anterior para fazer esse esforço. Sinceramente, eu achava mesmo que ele não se importava. O homem era uma ereção perpétua perto de mim. Se minha aparência pela manhã o desanimava, seu pênis definitivamente não estava recebendo a informação.

Daniel limpou a garganta.

– Rabanadas assadas com um toque de baunilha de Madagascar, cobertas com frutas vermelhas maceradas, servidas com bacon caramelizado e melão fresco. Se precisarem de mais alguma coisa, estou à disposição.

Após um sorriso e um contato visual fugaz comigo, ele saiu.

Começamos a comer.

– Isto está *delicioso* – elogiou Gabby, gemendo.

Estava *mesmo*. Eu deveria ter tomado café da manhã com ele antes. Uau.

Eu estava começando a achar que deveria aceitar as ofertas de Daniel com mais frequência. Até então ele não tinha decepcionado – em nada.

Ouvi um rangido no saguão, e Hunter entrou. A porta devia estar entreaberta. Ele trotou até a mesa com um brinquedo de pelúcia na boca e colocou a cabeça em meu colo.

Eu sorri.

– Olá.

Limpei a boca com um guardanapo e estendi a mão para acariciar a cabeça dele.

Então o brinquedo de pelúcia se mexeu.

– Ah, meu Deus! – gritei, me afastando da mesa.

Fiquei olhando fixamente para aquela coisa na boca dele, horrorizada.

– Ele... ele está com um esquilo!

Gabby e Jessica quase caíram para trás ao levantar. Daniel devia ter ouvido o barulho, porque veio da cozinha correndo.

Hunter voltou até a entrada da sala, piscando, inocente, como se não entendesse qual era o problema.

A coisa pendia de sua boca, molenga. Então o rabo se contraiu. Ah, não, ele estava se fazendo de morto.

Daniel estendeu as mãos.

– Hunter... *não se mexa.*

Engoli em seco, encostada no aparador.

– Você poderia tentar levá-lo para fora? – sussurrei.

Daniel assentiu.

– Boa ideia – respondeu ele, em voz baixa.

Ele começou a ir em direção à porta, devagar.

O esquilo começou a se mexer e Hunter jogou-o para o alto.

Todas gritamos.

Ele pegou o esquilo de volta, como uma criança jogando uma bola de beisebol, e o balançou até sua orelha virar do avesso, então voltou a piscar para nós.

Estávamos prendendo a respiração, reféns daquela situação.

Daniel foi até a entrada. Abriu bem a porta e apontou.

– Hunter, *para fora*.

Hunter o encarou, confuso. Então abaixou a cabeça e colocou o animal aos pés de Daniel, com muita delicadeza. O esquilo imediatamente ganhou vida e correu para debaixo da mesa de jantar.

Caos *completo*.

Gritaria, cadeiras virando, vidro quebrado.

Gabby, que tinha se sentado na ponta, contra a parede, e agora estava presa por cadeiras caídas, subiu na mesa e se arrastou sobre os pratos de comida para fugir.

Hunter pareceu sorrir ao ver toda aquela atividade, orgulhoso de si mesmo.

Saímos correndo, deixando Daniel e o cachorro na casa.

Quando chegamos ao gramado, ficamos ali ofegantes. Jessica agarrava a frente da camisa como se estivesse sofrendo um ataque cardíaco, e Gabby tinha uma rabanada inteira enfiada no peito por ter rastejado em cima da mesa. O doce começou a cair, devagar, e se estatelou no gramado.

Ainda ofegantes, ficamos olhando para a rabanada no chão.

Então começamos a rir.

Uma risada incontrolável e libertadora.

Quando Daniel saiu alguns minutos depois para soltar o esquilo, estávamos chorando de tanto rir.

Hunter desceu os degraus e saltitou entre nós, abanando o rabo. Soltou um uivo longo. E comeu a rabanada.

Tive que enxugar as lágrimas do rosto.

Daniel veio até nós, com uma expressão de pesar.

– Me desculpem, ele tem a mordida suave – explicou ele, esfregando a nuca. – Isso é bom para um cão de caça. Significa que não vai atacar os pássaros que buscar. Também significa que não vai matar os animais que vier a pegar…

Jessica gargalhou. Acho que nunca a vi rir tanto. Ela era sempre tão séria.

Daniel apontou com o polegar por sobre o ombro.

– Posso servir tudo de novo se me derem uns minutinhos – disse, parecendo constrangido.

Jessica assentiu, enxugando embaixo dos olhos.

– Por favor.

Quando Daniel entrou na casa, Gabby balançou a cabeça.

– Este lugar vai ganhar uma estrela. Que show de horrores.

Ela riu.

Fiquei séria na hora.

– O quê? Não pode dar uma estrela.

Jessica balançou a cabeça, ainda rindo.

– Tenho certeza de que roedores vivos no café da manhã merecem uma estrela, Ali.

– Foi um acidente – argumentei.

– Hum, aquele cachorro nem deveria ficar perto dos hóspedes – disse Gabby. – Ele não é treinado.

– Ele foi *resgatado*. Ainda está aprendendo.

Gabby franziu a testa.

– Como *você* sabe disso?

– O cara me contou. Sério. Não dê uma estrela para esta pousada. Vai prejudicar o negócio.

Gabby zombou:

– Então um roedor no café da manhã merece o quê? Uma avaliação elogiosa?

Balancei a cabeça.

– Não. Você não precisa mentir. É só não avaliar.

Ela cruzou os braços.

– Se eu tratasse meus pacientes como esse cara administra esta pousada, seria processada por negligência.

– Não é tão sério assim, Gabby – retruquei. – Todas nós rimos.

Jessica pareceu irritada.

– Ali, Gabby teve que subir na *mesa*. Sua camisa nova está destruída. E aquele cachorro quase derrubou você ontem. Ele deveria, no mínimo, estar preso. É muita irresponsabilidade.

Uma bolota caiu do carvalho atrás dela e fez um som abafado ao atingir o gramado.

– Vocês não acham que estão sendo duras demais com ele? – perguntei, olhando de uma para a outra. – Uma estrela por causa do *cachorro*?

– Sinceramente, não – respondeu Jessica, afugentando uma libélula. – Acho que é justo.

Ficamos paradas ali em um silêncio tenso.

Elas não sabiam.

Não sabiam que Daniel não era um desconhecido para mim. A luta dele não era uma ideia abstrata, porque *ele* importava para mim. Elas não sabiam porque eu não podia – *não ia* – contar.

Se contasse, ele teria minha proteção. Elas não fariam a avaliação negativa porque meu pedido bastaria. Se eu dissesse *Olha só, é com ele que eu estou saindo. Por favor, não façam isso*, elas não fariam.

Mas eu não poderia fazer isso. Porque estaria entregando Daniel a Neil.

E isso era pior.

Sequei os olhos.

– A misericórdia não custa nada.

E entrei.

Daniel

Eu estava na sala de jantar limpando a bagunça quando Alexis entrou na casa e Hunter veio atrás dela.

A sala de jantar estava destruída. Simplesmente destruída. Havia uma rabanada grudada na parede, café no tapete persa embaixo da mesa, suco de laranja espalhado pela cristaleira, vidro quebrado.

– Acho que vou ter que levar vocês para a varanda – falei para ela, balançando a cabeça.

Graças a Deus eu sempre preparava comida suficiente caso os hóspedes quisessem repetir.

Hunter empurrou a cabeça contra a mão de Alexis e encostou o corpo em sua perna.

– Não gostei do presente, Hunter – murmurou Alexis.

Olhei para a cabeça desgrenhada dele.

– Talvez meu cachorro esteja apaixonado por você. E de castigo – resmunguei. – Ele definitivamente está de castigo.

Ela deu uma risada seca.

Eu balancei a cabeça.

– Qual é o problema dele? Ele *não escuta*. Raramente consigo fazê-lo sentar. Quer dizer, sei que cães de caça são teimosos, mas... caramba.

– Ele é surdo.

Fiquei olhando para ela.

– O quê?

– Ele é surdo, Daniel. Talvez não totalmente, mas... quase.

Pisquei com força.

– O qu... Como você sabe?

Ela deu de ombros.

– Observando? Quando você faz sinal com a mão, ele obedece. Quando você fala, ele ignora.

Olhei para meu cachorro.

– Hunter, senta.

Ele olhou para mim sem expressão.

– Senta, Hunter – repeti.

Nada.

Levantei o dedo indicador, que era o sinal do comando.

Hunter sentou.

– Uau. – Soltei um suspiro. – Isso explica tanta coisa! – exclamei, admirado.

Ela riu sem vontade.

Passei a mão pela barba.

– Deve ser por causa dos tiros. Eles atiram acima da cabeça dos cães. Deve ter sido por isso que o aposentaram, ele não ouve.

– Então ele é um bom garoto, afinal – disse ela, parecendo cansada.

– Todos os cachorros são bons garotos – falei. – Até ele. – Olhei para a sala mais uma vez e soltei o ar devagar. – Eu sirvo o café da manhã em quinze minutos. Pode avisá-las?

– Aviso. O quarto delas é assombrado?

Eu ri.

– Como assim?

– Você colocou as duas em quartos mal-assombrados? Se não, será que podemos fazer uma sessão? Convocar uns demônios? Porque eu não acharia ruim se um armário se abrisse na frente delas jorrando sangue.

– Está brava com elas? – perguntei.

– Estou um pouco irritada com elas, sim.

– Fiquei sabendo que Doug cantou "More Than Words" para elas ontem – contei. – Não é castigo suficiente?

– Não.

– Ouvi o que elas falaram sobre o Jane's – retruquei. – Doreen faz tudo artesanalmente. As receitas são da avó dela. É uma pena elas não terem gostado.

– Estou começando a achar que elas não gostam de nada – resmungou ela.

Eu estava rindo quando ouvimos gritos vindos lá de fora. Alexis e eu nos entreolhamos por uma fração de segundo, então corri até a janela e olhei para o quintal.

– O que diabos...?

– O que aconteceu? – perguntou Alexis, vindo atrás de mim.

– Acho que são... *bolotas*?

Jessica e Gabby correram até a porta, cobrindo a cabeça com as mãos para se defender do ataque. Os carvalhos da entrada estavam lançando bolotas como se fossem granizo – o que era estranho, porque isso só acontecia no outono...

Abri a porta para elas e, assim que entraram, a enxurrada parou de repente.

– *Inacreditável* – disse Jessica, irritada.

Ela tinha vergões vermelhos nos braços.

Gabby tirava bolotas do cabelo.

Alexis piscou sem parar ao olhar para elas, chocada.

– O que aconteceu?

– A porra das árvores! – gritou Jessica, ríspida.

Saí e desci a escada correndo. Parei sob o primeiro carvalho e peguei um dos projéteis.

Bolota.

Muito estranho... Virei o fruto nos dedos. Olhei para a árvore, protegendo os olhos. Não havia nenhuma bolota nos galhos. Talvez todas tivessem caído? Mas elas só caíam em setembro. E, mesmo quando caem, não é desse jeito. Talvez o ninho de um esquilo tivesse sido derrubado?

Virei, analisando a bagunça. Acho que havia umas mil bolotas no gramado.

Alexis saiu logo depois, parecendo cansada.

– Elas vão comer no Jane's e depois alugar bicicletas.

Olhei para ela, piscando freneticamente.

– Ah. Elas não querem mais tomar café da manhã?

– Não aqui – respondeu ela, desanimada.

Meu estômago se revirou.

Não era como eu queria que o fim de semana se desenrolasse. Nem para as hóspedes, nem para mim, e especialmente não para Alexis. Eu queria impressioná-la.

Passei a mão pelo cabelo.

– Desculpe. Não sei como o dia virou do avesso desse jeito.

– Tudo bem – disse ela, enfiando as mãos nos bolsos.

– A que horas você vai voltar? – perguntei.

– Eu não vou.

Franzi a testa.

– Não vai passear com suas amigas?

– Não quero a companhia delas no momento. Vou ajudar você a limpar tudo isso.

Eu estava feliz por passar mais tempo com ela, mas balancei a cabeça.

– Você não precisa fazer isso.

– Eu quero. Posso usar a vassoura. Quer dizer, eu… eu não limpo nem minha própria casa. Nunca fiz isso.

– Você nunca limpou a casa?

Ela pareceu constrangida.

– Não. Para falar a verdade, não.

Pisquei freneticamente.

– Quer dizer, eu coloco os pratos no lava-louça. Deixo as roupas no cesto…

– Você sabe lavar roupa?

Ela fez uma pausa, então balançou a cabeça.

Não sei por quê, mas isso fez com que eu me sentisse muito melhor.

Ela cruzou os braços.

– Não tire sarro de mim.

– Não estou tirando sarro de você.

– Você está sorrindo.

– Estou sorrindo porque, neste fim de semana, eu tive a impressão de que sou péssimo em tudo, e é bom saber que talvez você também seja péssima em alguma coisa.

Ela bufou.

– Daniel, você é bom em tudo. Acredite.

– É, bom, sexo não conta.

– Hum, na verdade conta, sim. E não estou só falando de sexo. Você faz móveis, é ótimo na cozinha…

Aquilo não se equiparava exatamente a um diploma de medicina, mas eu aceitei. Àquela altura, precisava de toda a ajuda que conseguisse.

– Você não precisa limpar nada – falei. – Só me faça companhia.

Mas ela balançou a cabeça.

– Eu *quero* ajudar. Você me ensina?

Eu sorri.

– Claro.

Alexis

Passei o dia ajudando Daniel no trabalho – e de fato era *trabalho*. Limpamos o desastre do café da manhã, depois fomos para os quartos. Arrumamos as camas, limpamos os banheiros. Eu nunca tinha faxinado um banheiro. Era exaustivo.

E ele fazia aquilo *todos os dias.*

Passei a dar mais valor a minha faxineira.

Bri gostava de dizer que dava para ver que eu nunca tinha trabalhado no comércio ou em um restaurante. Ela dizia que deveria ser obrigatório que todos trabalhassem em um fast-food por seis meses porque a experiência é transformadora, e acho que era disso que ela estava falando.

Aquilo me fez pensar em todas as vezes que deixei um lenço sujo de maquiagem em cima da pia ou larguei o sapato no chão e outra pessoa teve que guardar. Eu me dei conta de que devo parecer muito grosseira.

Quando Jessica e Gabby voltaram do passeio de bicicleta, eu já tinha me acalmado um pouco.

Fui jantar no Jane's com elas. Daniel me contou que Liz não estava trabalhando, graças a Deus, então ninguém lá me reconheceu. E a comida era boa. Não sei do que elas estavam falando. Eu gostei. Doreen estava lá e disse que compravam tudo de produtores locais. Os ovos e o leite vinham da fazenda de Doug.

Voltamos depois do jantar e ficamos algumas horas no coreto à beira do rio, bebendo vinho e conversando. Era sábado, então Daniel estava cantando o bingo no Bar dos Veteranos, e não o vi na pousada. Eu preferiria estar no bar com ele a ficar naquela casa com Gabby e Jessica.

Ainda não estava feliz com nenhuma delas. Mas Gabby prometeu que não faria nenhuma avaliação, então pelo menos Daniel seria poupado.

Entrei de fininho para dormir com ele depois que elas finalmente foram para a cama à meia-noite. Acordamos às 5h45, e voltei para o meu quarto. E foi isso. O fim de semana tinha acabado.

O último café da manhã no domingo foi tranquilo – e estava muito bom. Gabby pediu a receita dos crepes de mirtilo que Daniel preparou, e ele lhe entregou uma receita em papel timbrado e plastificado da Casa Grant que já tinha providenciado para essas ocasiões.

Ele foi um anfitrião perfeito. Eu tinha certeza de que, apesar do desastre com o esquilo e as bolotas, ele tinha se redimido aos olhos das minhas amigas.

Eu não precisava que ele se redimisse de nada. Estava *muito* feliz com o serviço que tinha recebido. O fim de semana inteiro. Sete vezes.

Estávamos guardando as malas no carro para ir para casa, e um sentimento de tristeza invadiu meu peito.

Eu não queria ir embora. Não queria voltar para o mundo real e para a situação desagradável com Neil.

E havia outra coisa: eu sentia que não tinha passado tempo suficiente com Daniel.

Comecei a pensar em quando voltaria, e percebi que já estava cancelando outros planos para arranjar tempo para ele. Comecei com a certeza de que nunca mais o veria e agora só tinha uma única vontade: vê-lo.

Em algum lugar no fundo do meu cérebro, um sinal de alerta se acendeu.

Eu estava me divertindo mais do que imaginava. Desejava passar mais tempo com ele do que esperava – e isso não era bom. Parecia bom, mas não era.

Eu não podia desenvolver uma dependência amorosa em relação a alguém com quem não viria a ter uma relação de longo prazo. E Daniel e eu *não* teríamos uma relação de longo prazo.

Apesar da química e de tudo o que tínhamos em comum, Daniel nunca se encaixaria na minha vida. Ele era jovem demais, morava longe demais.

Ele era diferente demais...

Eu sabia disso. Mas estava colocando o carro na frente dos bois. Aquilo tudo era só o entusiasmo da novidade. Os sentimentos iriam arrefecer. Em alguns meses, cansaríamos um do outro, e tudo acabaria naturalmente. Nós dois seguiríamos em frente. Não havia nada com que me preocupar.

Deixei a mala no porta-malas e fui até a lateral da SUV onde Gabby estava escorada, olhando para a tela.

O TripAdvisor estava aberto. Havia uma avaliação com uma estrela no topo da página.

Quando me viu, ela enfiou o celular na bolsa.

– O que está fazendo? – perguntei, cruzando os braços.

– Nada – respondeu ela, rápido.

– Você estava avaliando a Casa Grant?

Jessica soltou um grunhido, jogando a bolsa no banco de trás.

– E daí?

– Ela prometeu que não ia fazer isso – argumentei, ríspida.

Gabby olhou para mim.

– Ali, as pessoas dependem das minhas avaliações. Essa foi minha experiência sincera.

Pressionei os lábios.

– Olha, eu fui gentil, ok? E fiz questão de mencionar que ele não cobrou pela estadia…

– Espera. Ele *o quê*?

Ela deu de ombros.

– Ele não cobrou pela estadia.

Balancei a cabeça.

– *Por quê?*

Ela me encarou como se eu estivesse falando outra língua.

– Ahn… porque eu reclamei?

– Por que você faria isso? Ele foi perfeitamente educado.

Ela levou uma das mãos à cintura.

– Por favor, Ali. Um cachorro *atacou* você. Um maldito esquilo entrou na casa. Ontem não tomamos o café da manhã que estava incluído na diária. Jessica ainda está com marcas vermelhas nos braços por causa das bolotas.

– Você o avaliou mal por causa da droga das árvores?

Ela cruzou os braços.

– Sim. Se as bolotas caem com força suficiente para machucar as pessoas, as árvores não deveriam estar onde os hóspedes passam. Uma de nós podia ter perdido um olho. Ele deveria pelo menos colocar avisos. Qual é o seu problema?

Bufei pelo nariz.

Eu estava furiosa.

Vi Daniel levantar às 5h45 só para garantir que haveria café caso estivéssemos acordadas pela casa. Eu sabia que o queijo que ele serviu como petisco todas as noites foi comprado na fazenda de Doug, para ajudá-lo a manter seu negócio, por isso iria ficar no prejuízo, já que nem pagamos pela estadia.

Agora não só a avaliação da pousada iria cair, como ele também iria perder dinheiro por nos receber. E ele *precisava* do dinheiro.

Eu odiei ter ido até lá com elas. Estava com vergonha alheia. Será que elas sempre foram assim? Ou só agora é que comecei a achar aquele comportamento inaceitável?

Será que *eu* já fui assim?

E a resposta a essa pergunta também me deixou com vergonha.

Soltei o ar por entre os lábios tensos, tentando me acalmar.

Gabby nunca ia ceder. Quanto mais eu insistisse, mais ela rebateria. Ela era mimada demais.

Mas tive outra ideia.

– Tudo bem. Você tem razão. É a sua experiência – concordei. – Ei, querem ver uma coisa legal? – perguntei.

Jessica consultou o relógio e soltou o ar, impaciente.

– Ok. Mas pode ser rápido?

Assenti.

– Claro. Venham. Por aqui.

Levei-as até a garagem e segurei o trinco, virando para elas.

– Eu vi isso ontem enquanto vocês andavam de bicicleta. – Bati e olhei lá para dentro. Daniel estava na bancada de trabalho. – Posso mostrar a elas aqueles seus projetos?

Ele me encarou, piscando rápido.

– Claro.

Abri para elas e as levei até as peças que ele mantinha no canto da garagem.

– Uau… – Gabby suspirou.

– Não são bonitos? – perguntei. – Ele é da sexta geração de carpinteiros da família. Foi o tataravô dele que construiu a casa onde ficamos.

– Ele vende essas peças? – indagou Gabby.

Assenti.

– Vende, sim.

Jessica estava examinando o espelho.

– Este aqui ficaria ótimo no escritório do Marcus na cabana. Não comprei nada para ele de aniversário. Quanto é? – Ela olhou para Daniel.

– Três mil – falei, antes que ele pudesse responder. – Eu perguntei ontem. Foram mais de cem horas de trabalho. A madeira é... Qual você disse que era mesmo? – Eu me dirigi a ele.

Daniel não parava de piscar, olhando para mim.

– Nogueira preta?

– Nogueira preta – repeti, me virando para ela. – É uma peça única.

– Vou levar – disse Jessica. – Você aceita transferência?

– Ahn... Aceito – respondeu Daniel, parecendo chocado.

Apontei para o cavalo.

– Acho que esta ia ficar ótima na sala da sua casa – comentei com Gabby. – Custa 3.500 dólares. É uma viga de um celeiro de um século talhada à mão. Está vendo a cor? A amônia da urina dos animais mancha a madeira – expliquei, repetindo o que ele tinha me contado. – Aqui ficava o suporte de metal... nessa mancha mais clara, sabe?

Ela se agachou para ver a peça.

– Ele pode colocar no carro? – perguntou ela. – Parece pesado.

Recebi uma mensagem no celular quando estávamos saindo de Wakan, meia hora depois. Eu estava escrevendo uma avaliação de cinco estrelas para a Casa Grant.

DANIEL: O QUE FOI ISSO?

Eu sorri.

EU: Sinto muito pelo comportamento delas. Você não devia ter deixado de cobrar pela estadia.

Vi que ele estava digitando. Os três pontinhos saltando na tela.

DANIEL: Era a coisa certa a fazer. A estadia não correspondeu ao meu padrão de atendimento ao cliente.

EU: Elas pagaram caro demais pelas peças. Você não deveria ter dito que custavam tanto.

Eu ri baixinho. Aquilo não era nada para elas. Assim como não era nada para mim.

Eu brinquei com um porco enquanto usava um vestido de 2 mil dólares. Pisei em cocô de cachorro com um sapato que custava a diária tripla que Daniel tinha deixado de cobrar, e simplesmente larguei o sapato lá. Não valia o tempo que levaria para limpá-lo. Fiz essas coisas sem nem *pensar*. Aqueles objetos eram insignificantes para mim.

Eu flutuava por um universo que estava começando a entender que não era o da maioria das pessoas. Certamente não era o de Daniel.

Eu não gostava da facilidade com que alguém como Gabby, em sua posição de privilégio, exercia autoridade sobre os demais. Não gostava *nada* disso.

Era uma dinâmica de poder muito injusta. Ela parecia uma criança empunhando suas avaliações de uma estrela como um brinquedo, por diversão. Só que não era um jogo. Era a vida de alguém.

E Daniel fez o que achou que era certo, não cobrou pelo fim de semana. Ele estava na pior posição para ser generoso, mas foi. E ela estava na melhor posição para demonstrar misericórdia, e não o fez. E não teria lhe custado nada.

Essa era a diferença fundamental entre eles.

Digitei minha resposta.

EU: Você mereceu por causa da babaquice delas. Acredite.

Então parei e pensei no que gostaria de dizer.

EU: Reconheça seu valor, Daniel.

Eu queria que tivesse sido fácil reconhecer o meu.

Daniel

Alexis não vinha me ver desde o fim de semana em que viajou com as amigas, mas conversamos durante horas todos os dias.

Eu gostava dela. Gostava tanto que não tinha nem graça.

O sexo era surreal, ela era inteligente e linda, e eu amava conversar com ela. Fazia muito tempo que não me sentia assim, nem conseguia me lembrar da última vez que fiquei tão a fim de alguém. Talvez nunca tivesse ficado.

Minha vida inteira agora se resumia a duas coisas: juntar dinheiro para comprar a casa e tentar convencer Alexis a vir me ver. Eu iria até ela se não fosse pela primeira dessas duas coisas.

Eu estava trabalhando demais.

Quando não estava atendendo os hóspedes ou fazendo os reparos que tinha prometido a Amber, tentava finalizar as peças da garagem. Eu andava exausto.

Era a primeira vez na semana que me permitia uma folga, tomando um café da manhã que não tinha sido preparado por mim mesmo antes de ir ajudar Doug na fazenda. Eu devia ter desistido e dito a ele que tinha muitas coisas para fazer na casa – e tinha mesmo –, mas precisava fazer algo diferente. E estar ao ar livre com meus amigos seria uma folga boa, mesmo que houvesse trabalho braçal o tempo todo.

Eu tinha ido até o Jane's e esperava por eles. Cheguei um pouco cedo, então liguei para Alexis. Ela atendeu no segundo toque.

– Daniel, não posso falar agora, estou no meio de uma emergência.

Ela parecia estar chorando.

Eu me ajeitei no banco.

– Você está bem?

Ela fungou.

– Não. Não muito. Acabou a luz, então a cafeteira não funciona.

Soltei uma risada.

– Não tem graça! Já faz duas horas, e eu preciso ir para o trabalho.

– Ok. É muito sério. Você deveria beber toda a vodca antes que estrague.

– Daniel!

Eu ri.

– Ok, ok. Acho que posso ajudar. Seu forno é a gás ou elétrico?

– Acho que é a gás.

– Você *acha*?

– Eu não cozinhooooo – disse ela, arrasada.

Dei um sorrisinho torto.

– Se for a gás, deve funcionar, mesmo sem luz. Ferva a água e use uma prensa francesa, se tiver uma.

– Só tenho cafeteira elétrica.

– Não pode pegar o carro e ir até um café?

– Eu já tentei. A porta da garagem não abre. Não tem energia – comentou ela, derrotada. – Estou presa.

O modo como ela suspirou a última palavra me fez afastar o celular da boca para soltar uma risada.

– Puxe a alça de emergência.

– Tem uma alça de emergência?

Pressionei a ponte do nariz, tentando não gargalhar.

– Tem. Vá até lá que eu explico como abrir.

– É assim que a gente morre em um apocalipse zumbi – disse ela, com espanto. – Sempre pensei que seria por uma mordida infeccionada ou algo do tipo, mas é assim. A gente fica com dor de cabeça por falta de cafeína no primeiro dia, perde a vontade de viver, vai se deitar, e eles nos comem vivos.

Eu ri.

– Se acontecer um apocalipse zumbi, prometo não deixar que comam você.

– Como? Você não está aqui.

– Eu iria te buscar. Organizaria uma equipe de resgate. Você é médica. É uma aquisição valiosa. Doug apostou 100 pratas que eu não conseguiria o melhor Esquadrão Antizumbi, então preciso de você.

Ela deu uma risadinha fraca.

Ouvi uma porta se abrir.

– Pronto, estou aqui.

– Certo. Talvez você precise de uma escada. Procure o motor. É uma caixinha no teto, no meio da garagem. Está preso a uma corrediça de metal que puxa a porta para cima. Tem uma cordinha pendurada. Achou?

– Achei.

– Puxe a cordinha, então vai poder levantar a porta por baixo e abrir.

Uma pausa silenciosa.

– Daniel, você é meu herói.

– Bom, obrigado. Mas acho que as expectativas estão meio baixas.

Ela fez uma pausa.

– Eu odeio não saber as coisas.

– Quantos ossos tem o corpo humano?

– Duzentos e seis – respondeu ela, automaticamente.

– Qual é o seu favorito?

– Gosto do osso hioide. Ele fica ali praticamente flutuando e ninguém fala dele. – Ela fungou. – É muito subestimado.

Eu sorri.

– É, acho que você está indo bem.

Ela riu, e ouvi a porta da garagem se abrir.

– Por que a luz acabou? – perguntei, cumprimentando Popeye com um aceno de cabeça quando ele entrou.

Não sei.

– Faltou no quarteirão inteiro?

– Gabby e Jessica não estão em casa, então não sei.

– Já deu uma olhada no disjuntor? – indaguei.

– O que é isso?

Balancei a cabeça com um sorriso. Meu Deus, era a cara dela. Ela era um enigma. Impressionante em todos os sentidos, não sabia o que era um disjuntor nem lavar roupas brancas ou arrumar uma cama. Acho que faço faxina desde que tinha idade suficiente para andar. Uma das fotos favoritas da minha avó era eu, aos 3 anos, segurando um limpador de vaso sanitário.

– Deve haver uma caixa de distribuição na garagem – falei. – Procure.

– Ok. Espere aí.

– É de metal – descrevi, levando a caneca de café aos lábios. – Provavelmente cinza. Deve ter uns interruptores.

– Tipo interruptor de luz?

– Você encontrou uma coisa que é tipo um interruptor de luz? – perguntei, achando graça.

– Encontrei.

– Me mande uma foto.

Ouvi um barulho abafado. Então recebi uma foto. Aproximei a imagem.

– O disjuntor geral está desligado.

Ela ficou em silêncio do outro lado da linha por um bom tempo.

– Como isso acontece?

– Não acontece. Quando um circuito sobrecarrega, um disjuntor pode desligar. Mas seria só de uma parte da casa, não da casa inteira.

– Então…

– Então é provável que alguém tenha desligado. Algum eletricista apareceu aí?

Ela ficou em silêncio mais uma vez.

– Apareceu. Deve ter sido ele.

– É só ligar de novo. A luz vai voltar – assegurei.

Ouvi o interruptor, e ela soltou um barulhinho de alívio. Eu sorri.

– Vou ver você esta semana? – indaguei.

Ouvi a porta do carro bater.

– Não sei.

Meu sorriso se desfez. Eu ia insistir, mas ouvi a porta do restaurante se abrir. Brian e Doug entraram.

– Os caras acabaram de chegar. Vou deixar você ir tomar seu café. Ligo mais tarde.

Desligamos quando eles se sentaram.

– E aí?

Liz apareceu e colocou cardápios sobre a mesa.

– Oi, meninos. Café?

Os dois assentiram, e Brian sorriu para ela, um pouco alegre demais.

O jeito como ele olhou para ela me fez desviar o olhar, como se eu estivesse invadindo um momento íntimo.

Brian era apaixonado por Liz desde que éramos crianças. Na época ela não morava na cidade. Passava apenas o verão por lá. Brian ficava o ano todo ansioso. Ele passava tanto tempo lá em casa que minha avó brincava que ele era um neto honorário.

Então, numa dessas vezes, um novo xerife chegou à cidade – e Liz conheceu *Jake*.

Vi Liz servir café para Brian. Ela estava com uma tala no dedinho. Meu maxilar se retesou.

Jake estava batendo em Liz. *De novo.*

Ele nunca fazia isso na frente dos outros. Sempre que estavam em público, ele fazia uma cena de merda para que todos achassem que ele era um marido dedicado. Mentira deslavada.

Alguns anos antes, quase nocauteei Jake após Liz entrar no Bar dos Veteranos com o lábio machucado no Dia de São Patrício. Ele negou que tivesse encostado nela, e quase fui preso – e depois ela ficou brava *comigo*. Passou semanas sem me dirigir a palavra.

Às vezes, quando eu via esses ferimentos, insistia em perguntar, mesmo sabendo que ela não me contaria. Ela dizia que tinha caído ou prendido em uma porta ou algo do tipo, e o pior era que dizia isso olhando nos meus olhos. Eu detestava isso.

Ele também a traía, mais uma coisa sobre a qual ninguém comentava porque ela nunca fazia nada em relação ao assunto, e falar só a deixava mal. Ele amava pegar as turistas. Não sei por que ela aguentava. Merecia coisa muito melhor.

Desviei os olhos da mão dela.

– Está conseguindo juntar a grana? – perguntou Brian.

– Estou – respondi. – Ainda não fui até a feira, mas vendi algumas peças para as amigas da Alexis. Isso ajudou.

Ajudou *muito*.

Na verdade, eu vinha pensando naquilo. Aquelas mulheres nem pestanejaram. Perguntaram o preço e compraram logo de cara. Talvez Alexis tivesse razão, talvez eu precisasse ampliar meus horizontes. Montar um site, uma página no Instagram. Talvez deixar algumas das peças menores nas lojas de suvenires que abririam no verão e ver o que aconteceria.

Alexis me fazia querer alçar voos mais altos.

Se não tivesse que administrar a pousada, acho que conseguiria fazer mais coisas. Talvez me dedicasse à carpintaria em tempo integral. Nunca tive a oportunidade de explorá-la de verdade porque meus avós morreram e eu tive que me adaptar antes de descobrir se conseguiria ganhar a vida me dedicando a ela.

Talvez nunca descobrisse...

Se eu comprasse a casa, teria que manter a pousada para pagar a hipoteca. E não como vinha fazendo até então. Teria que abri-la o ano inteiro para cobrir esse tipo de pagamento.

Faria isso pelo resto da vida.

Não que não fosse um bom negócio. Mas não era o que eu queria fazer. Acho que não era o que eu estava *destinado* a fazer.

A sensação era a de que eu estava vendendo minha alma. De que abrir mão da casa poderia me destruir, mas mantê-la também.

Doug levou a caneca de café à boca.

– E a namorada? – perguntou.

– Ela não é minha namorada – resmunguei.

Ela não era minha namorada porque não queria ser. Eu *agarraria* a chance de ser namorado de Alexis na mesma hora. Mas sabia que isso não aconteceria.

Ela nunca fez com que eu sentisse que não era bom o bastante para ela, mas não precisava. Era óbvio. Eu tinha aceitado isso com uma compreensão resignada da minha posição e decidido que não ia pensar a respeito, principalmente porque não havia nada a fazer para mudar a situação. Eu não podia estalar os dedos e me transformar em um cirurgião. Não podia ser nada mais do que eu era.

– Por que ela não é sua namorada? – questionou Doug.

– Eu não tenho nada a oferecer a uma mulher como ela.

Doug largou a caneca.

– Já ouviu falar das pedras de amor dos pinguins?

– Do quê?

– Das pedras de amor dos pinguins. Quando um macho gosta de uma fêmea, ele encontra uma pedra perfeita e leva até ela. Se ela gostar da pedra, coloca em seu ninho, e pronto. Eles ficam juntos para sempre.

Brian ficou observando Liz anotar o pedido de outra mesa enquanto falava com a gente:

– E o que você quer dizer com isso?

– O que eu quero dizer é que a fêmea não escolhe o parceiro porque ele tem a melhor pedra. Pode parecer que é por isso, mas não é. Ela aceita a pedra porque o macho que ela mais deseja está oferecendo. Às vezes, o que temos a oferecer é o suficiente. Mesmo que seja uma pedra, não um diamante.

Soltei o ar devagar. Ah, se isso fosse verdade.

Tomamos café da manhã. Doug estava de bom humor, o que era bom. Sua depressão sempre amenizava na primavera. Mais sol, mais tempo ao ar livre, turistas começando a voltar. Ele teve a ideia de instalar um forno a lenha na fazenda para oferecer harmonização de pizza e vinho durante o verão, ampliando os negócios para além do zoológico e dos casamentos no celeiro.

Brian ouvia a conversa e observava Liz. Sempre que ela tirava um prato, ele olhava para a tala e seu maxilar se retesava. Aquela merda de situação com Jake era difícil para todos nós, mas acho que era ainda mais infernal para ele.

Quando estávamos terminando, meu celular tocou. Dei um sorrisinho torto. Alexis.

– Preciso atender – falei, me levantando.

Empurrei a porta e atendi ao sair.

– Oi. Conseguiu o café? – perguntei sorrindo.

– O café gelado fica *muuuuito* mais gostoso quando estamos atrasados para o trabalho – disse Alexis, já com seu humor típico.

Eu ri.

– Fico feliz por ter ajudado.

– Preciso ir já, já, só queria que você ouvisse uma coisa. Vou colocar no viva-voz, mas não fale, ok?

– Ok…

– Uma pessoa está cantando ópera no pronto-socorro – disse ela.

Ouvi o som estridente dos sapatos em um piso encerado como se ela estivesse me levando a algum lugar.

– Ópera?

– Apareceram umas meninas de uma despedida de solteira aqui. A noiva passou mal e as amigas a trouxeram. Todas estão bêbadas. Uma delas é soprano, e está cantando. É incrível. Pronto?

– Pronto.

Ela colocou no viva-voz, e ouvi uma porta se abrir. A voz de um anjo começou a soar. "Ave Maria."

Era lindo. Etéreo. Meus olhos se encheram de lágrimas, parado ali na calçada. Parecia um presente, aquela beleza inesperada no meio de uma manhã qualquer.

Alexis me levava para um mundo diferente. Ela era uma mulher incrível, que trabalhava em um hospital a duas horas de distância, onde estava atendendo uma paciente cuja amiga cantava em latim. Em sua rotina costumeira, Alexis levava uma vida mil vezes mais interessante e culta que a minha – e queria me incluir nela.

Esse gesto despertou em mim uma gratidão que eu não saberia explicar. Ela estava me oferecendo mais de si mesma, ainda que fosse apenas um vislumbre de um instante de seu dia.

Quando a cantoria acabou, Alexis sussurrou ao telefone:

– Tenho que ir.

E desligou.

Eu sorri, enxugando as lágrimas dos olhos. Fiquei ali parado, olhando para a tela, com um sorrisinho bobo nos lábios.

Eu queria mais.

Queria ver seu mundo com meus próprios olhos, não só aqueles vislumbres por trás da cortina. Queria fazer parte dele.

Mas só poderia se fosse convidado. E duvidava que isso acontecesse.

Estava me preparando para entrar no restaurante outra vez quando meu celular tocou de novo.

Dessa vez era Amber. Meu bom humor se desintegrou. Deixei que tocasse três vezes antes de levar o aparelho à orelha, relutante.

– Sim?

– Oi. Ahn, eu ainda não recebi o depósito esta semana…?

Esfreguei o rosto com a mão.

– Não faz nem sete dias que eu reabri a casa. E não pude cobrar a estadia das hóspedes do fim de semana.

– Hum, ok, por quê?

– Por bobagem. Caíram bolotas das árvores nelas e…

– E daí, Daniel? Não tenho nada a ver com isso. – Ela parecia nervosa. – Você me garantiu que eu receberia toda semana.

Soltei o ar, tentando me acalmar.

– A casa está cheia até domingo – falei, com cautela. – Posso mandar o dinheiro na segunda.

– Quanto? – perguntou ela, depressa.

Franzi as sobrancelhas.

– Está tudo bem? Você parece… tensa.

Na verdade, ela parecia ligada. Parecia *drogada*.

Amber drogada não seria exatamente uma novidade. Ela tinha melhorado naqueles últimos anos. Mas, se estava voltando às drogas, não me agradava que isso estivesse acontecendo logo com o dinheiro da venda da casa.

– Estou bem – respondeu ela, um pouco seca. – Só preciso do dinheiro. Se não puder mandar dinheiro toda semana, o acordo está cancelado.

Assenti.

– Tudo bem. Semana passada foi uma exceção. Não vai se repetir.

– E não deixe de cobrar os hóspedes. Qual é o seu problema? – indagou ela, ríspida.

Ignorei. Não valia a pena discutir. Tirando aquele fim de semana, eu era muito bom no que fazia. Não precisava dos conselhos ou das críticas dela. Não precisava de nada que viesse da minha mãe.

Não existia amor entre mim e Amber. Eu não queria que nada de mau acontecesse com ela, mas também sabia que não poderia fazer nada se acontecesse.

As crises de Amber voltavam em ciclos. E ela sempre mordia a mão que a alimentava. Se sugerisse que ela fosse para Wakan para se desintoxicar, como minha avó sempre fazia, eu me arrependeria. Provavelmente me veria sustando cheques desaparecidos e procurando relíquias da família em casas de penhores em Rochester, em vez de salvá-la de si mesma. Então precisava me esforçar para resguardar a casa.

– Faço o depósito na segunda – garanti.

– Ótimo.

Ela desligou.

Fiquei lá fora por um instante, olhando para o mural na lateral da farmácia. Eu não teria seis meses. Com sorte, Amber me daria seis semanas. O melhor que eu podia esperar era que tivesse o máximo de tempo possível.

Em uma temporada, de um jeito ou de outro, minha vida nunca mais seria a mesma.

Alexis

Era a segunda manhã seguida que eu acordava com Neil estragando meu dia. No dia anterior, ele tinha desligado a energia da casa; naquele, estava na minha cozinha.

Estava sentado à mesa, tomando um expresso, de calça cinza e camisa polo branca.

Dava vontade de gritar.

– Bom dia – disse, sorrindo. – Fiz aquela quiche que você gosta.

Ele apontou para o balcão, onde havia uma fatia da minha quiche favorita, de espinafre e brócolis, com um copo de suco de laranja espremido na hora em uma bandeja. Havia também uma tigela de frutas vermelhas e um vasinho com uma única flor.

Eu amava aquela quiche. Ele preparava em ocasiões especiais, como meu aniversário.

E agora ele estava fazendo aquilo.

Aquilo que Neil *sempre* fazia: tentava um gesto gentil como se nada tivesse acontecido. Como se seu mau comportamento fosse uma cena cortada de um filme, algo que nunca aconteceu. Como se eu fosse esquecer de repente que ele tinha desligado de propósito a energia da casa no dia anterior ou que estava morando lá contra minha vontade depois de anos de abuso emocional. Como se eu fosse simplesmente me sentar para um café da manhã agradável e trivial com ele. Na verdade, ele devia estar apostando nisso.

Só que eu não era mais a mesma mulher.

Eu ficava tão exausta com as oscilações de humor e desesperada por qualquer migalha de gentileza que acabava cedendo. Eu relevava, permitia que ele se safasse. Agradecia pelas flores ou agia como se estivesse entusiasmada com a viagem cara que ele tinha planejado em vez de pedir perdão. Eu comia a quiche.

Dane-se a quiche.

Ignorei-o e fui até a geladeira pegar meu shake de proteína.

Ele passava bastante tempo fora. Era cirurgião-chefe, então trabalhava oitenta horas por semana, além dos plantões. Seriam raras as manhãs em que eu teria que lidar com aquilo... mas eu *teria* que lidar com aquilo. Porque eu *jamais* deixaria que Neil tomasse a casa de mim.

Ele provavelmente acreditava que aquele golpe de "estou morando aqui" me faria ceder como sempre acontecia quando ele me intimidava.

Mas chega de ser intimidada. *Chega.*

Tive uma longa conversa com minha terapeuta sobre aquela situação. Neil não era uma pessoa violenta – era só um babaca. Eu não temia pela minha segurança; se temesse, já teria desistido da casa, por mais que a quisesse. O que mais preocupava minha terapeuta era se eu seria capaz de suportar o desgaste mental e emocional de ir até o fim.

E a resposta era sim.

Eu achava que não seria capaz de suportar o desgaste de *não* ir até o fim.

Deixar que ele escapasse impune seria como me permitir ser vitimizada outra vez.

Ele queria me desalojar, queria que a casa que eu merecia e que me esforcei para comprar fosse tirada de mim como uma espécie de punição doentia por ter ousado não aceitá-lo de volta. Eu jamais lhe daria essa satisfação.

Algo em mim havia mudado nas últimas semanas. Parecia que, quanto mais eu me distanciava daquele relacionamento, mais eu me fortalecia, e enfrentá-lo também estava ficando cada vez mais fácil. Eu estava disposta a suportar sua presença e me manter firme em troca da oportunidade de finalmente mostrar a ele do que eu era capaz.

Minha advogada disse que a questão da casa teria que seguir para a mediação. Quando isso desse errado, porque daria, acabaríamos diante de um juiz. A casa seria avaliada, e eu precisaria reunir um histórico financeiro. De três a seis meses. Eu só tinha que lidar com aquilo por mais três a seis meses e, de um jeito ou de outro, tudo chegaria ao fim. Um de nós ficaria com a casa. Pelo menos, quando o pesadelo terminasse, eu não teria deixado que ele ganhasse, mais uma vez, sem lutar.

Eu sentia Neil olhando para mim da mesa. Precisava colocar uma geladeira no meu quarto.

Ouvi Neil levantar.

– Ali...

– Não – interrompi, ríspida, lançando um olhar para ele.

Ele estava com as palmas das mãos abertas sobre a mesa.

– Se você se recusar a falar comigo, os próximos meses vão ser longos.

– Os próximos meses vão ser longos de qualquer forma. Os incomodados que *se mudem* – respondi, devolvendo sua fala de dias antes.

A campainha tocou, e aproveitei a deixa para sair da cozinha.

Quando abri a porta, dei de cara com meus pais.

Encarei-os, piscando rápido.

– Eu não sabia que vocês viriam – comentei quando eles entraram.

Meus pais estavam na casa dos 70, mas tinham a energia de 50. Os dois trabalharam como condenados até se aposentarem, em março. Meu pai só se aposentou porque seus olhos já não funcionavam tão bem, o que dificultava as cirurgias. Minha mãe desenvolveu artrite. Do contrário, era provável que trabalhassem até caírem duros no hospital.

Meu pai vestia uma camisa polo azul e calças brancas, o cabelo grisalho penteado para trás com elegância. A roupa da minha mãe combinava com a dele, como se tivessem escolhido as mesmas cores, e seu cabelo grisalho estava preso em uma viseira branca.

Meu pai beijou meu rosto.

– Vamos jogar golfe com Neil. Ele está pronto?

– Vocês vão... – Balancei a cabeça. – Pai, Neil e eu nos separamos – falei, indo atrás deles até a sala.

Minha mãe se sentou na poltrona e meu pai no sofá.

– E daí?

Cruzei os braços.

– E daí que não é adequado que vocês joguem golfe com meu ex.

– Alexis, Neil e eu éramos amigos muito antes de ele namorar *você* – disse meu pai.

Umedeci os lábios.

– Pai... Ele me *traiu*...

Ele ergueu a mão.

– Não vou me envolver na discussão de vocês. Casais se desentendem. Vocês vão se acertar... ou não. De qualquer forma, eu não vou me intrometer.

Pestanejei.

– Bom, você deveria saber que ele está morando aqui contra minha vontade.

– A casa é tão dele quanto sua. E, francamente, você deveria ceder. Você é quem quer terminar o relacionamento. Além disso, com os turnos dele, é melhor que ele more perto do hospital. A não ser que você esteja pensando em assumir uma carga maior de trabalho, não entendo como pode achar que tem mais direito à casa do que ele.

Eu o encarei, em choque.

Minha mãe me lançou um de seus olhares que diziam "é inútil resistir, deixe para lá". Pressionei os lábios.

Meu pai balançou a cabeça.

– Eu não entendo por que você não cogita a terapia de casal. Relacionamentos dão trabalho, Alexis. Não se vai embora assim que as coisas ficam difíceis.

Minha mãe colocou a mão no joelho dele.

– Cecil, acho que deveríamos deixar que eles resolvam as coisas no tempo deles, não acha? Os dois estão muito ocupados...

– Aliás – disse meu pai, interrompendo-a –, fui informado de que o Dr. Gibson vai se aposentar em alguns meses, então a chefia da emergência ficará vaga. Você vai se candidatar. Já a recomendamos ao conselho. Sua mãe e eu toleramos sua falta de ambição por tempo suficiente. Se você queria ser uma paramédica de luxo, devia ter economizado os 300 mil dólares que pagamos pela faculdade de medicina.

Senti meu coração acelerar.

Passei a língua pelos lábios.

– Só porque não sou cirurgiã não quer dizer que meu trabalho não seja importante – falei, com cautela.

Mas era inútil. Porque para o meu pai era *exatamente* isso.

Meu pai e minha mãe eram cirurgiões. Ele queria que eu fosse neurocirurgiã. Preferia que Derek tivesse seguido a especialidade de um deles em vez da cirurgia plástica, mas meu irmão logo provou que a área tinha fama suficiente para convencê-lo. Eu não.

O que eu tinha era *Neil.*

Neil elevava meu nível. Meu pai não gostava da minha área, mas deixou de lado a campanha pela neurocirurgia porque Derek estava lá para segurar o rojão e *eu* conquistei o cirurgião-chefe. Para ele, namorar Neil era uma conquista por si só. Mas sozinha eu não bastava. Principalmente naquele momento.

Percebi que Neil seria um Montgomery muito melhor que eu. Na verdade, naquele instante, acho que meu pai o via mais como filho do que a mim.

Naquele momento desejei que isso fosse verdade – que Neil fosse filho do meu pai e eu fosse só a ex-namorada dele, uma mulher qualquer, sem importância, que poderia terminar o relacionamento com ele e seguir em frente. Teria sido tão fácil para o universo.

Mas o universo não se importava.

Neil entrou tranquilo, e eu lutei contra as lágrimas que se acumulavam. Ele certamente tinha ouvido tudo.

– Cecil! Jennifer! – exclamou, com um sorriso radiante. – Prontos para acertar uns buracos?

Ele balançou um taco invisível.

Vi a expressão de meu pai se iluminar. Ele se levantou, apoiando as mãos nos joelhos, e cumprimentou Neil. Então se virou para mim.

– Alexis, precisamos falar sobre seu discurso para o aniversário do hospital. Vá almoçar conosco no clube ao meio-dia e meia.

Fiquei olhando para ele, boquiaberta.

– O qu... *Não!* Eu não vou almoçar com *ele!*

Meu pai me lançou um olhar severo.

– Mocinha...

Neil colocou a mão em seu ombro.

– Ali tem um dia cheio hoje, C. Conversamos com ela outra hora – disse.

Vi meu pai desistir imediatamente. Se Neil aceitava, meu pai aceitava.

O fato de que Neil tinha me salvado daquela situação só me deixava mais irritada.

Meu pai me lançou mais um olhar de reprovação. E saiu em direção à porta.

Minha mãe parou e me abraçou.

– Você sabe como ele é – sussurrou ela. – Ele te ama muito e só quer que você conquiste tudo que é capaz de conquistar. Eu te amo, querida.

Ela beijou meu rosto, acariciou minhas costas e saiu.

Neil ficou para trás, e quando meus pais estavam longe o bastante para não ouvir, ele se aproximou, falando em voz baixa:

– Ele está lidando com muito estresse, Ali. Seu irmão se casou com uma estrela pop vulgar e foi embora do país. E nossa separação está sendo muito difícil para ele. Pegue leve.

Olhei para ele, piscando rápido.

– Meu pai contou sobre ela? Ele assinou um termo de confidencialidade.

– É *claro* que ele me contou. – Ele fez uma pausa, me olhando de um jeito que eu não soube decifrar. – Podemos conversar depois? Por favor?

Apertei os lábios, minha respiração trêmula.

Ele esperou, mas eu não respondi. Não podia responder. Porque, se tivesse que falar, eu ia gritar.

– A gente se vê hoje à noite – disse ele, obviamente tomando meu silêncio como um sim.

E saiu.

No instante em que a porta se fechou, perdi a cabeça. Raiva, indignação e histeria borbulhavam dentro de mim, e soltei o ar com as mãos no rosto.

Eu odiava aquilo. Eu odiava *tudo*.

Odiava o fato de Derek ter me deixado na mão. Odiava o fato de meu pai não ter nenhuma integridade. Odiava o fato de eu ser uma decepção, de nunca ter desejado ser cirurgiã, de considerar entediante a ideia de ficar em pé em uma sala de cirurgia por horas a fio. Eu me ressentia da minha existência e de tudo o que tinha me levado até ali. Odiava o Dr. Charles Montgomery, o primeiro da minha linhagem familiar a trabalhar no Royaume. Odiava cada Montgomery que tinha contribuído para o legado, fortalecendo-o a ponto de eu não poder rompê-lo e, apesar de todo o bem que o hospital causava, de todas as vidas que eu *sabia* que salvava, naquele instante eu pedi a Deus que ele não existisse.

Mas eu odiava principalmente Neil. Se ele não tivesse se tornado um ser humano tão desprezível, talvez eu fosse feliz. Talvez eu me casasse com ele, e ele adotaria meu nome e *ele* seria O Escolhido no meu lugar. E todo mundo ficaria feliz. Porque, naquele instante, o único jeito de deixar todos felizes significava eu ser infeliz.

De repente, me senti claustrofóbica, como se a casa estivesse encolhendo ao meu redor. Não conseguia respirar.

Um desejo primitivo de correr atravessou meu corpo. Disparei até a garagem e soube exatamente para onde estava indo.

Eu queria ver Daniel.

Queria que seu cachorro sujo de lama pulasse em cima de mim, queria brincar com a cabrita, queria estar em um lugar cheio de móveis aconchegantes e deixar que um homem tranquilo e bom me abraçasse em uma cidade que não exigia nada de mim.

Calcei as galochas que tinha deixado ao lado do portão e entrei no carro sem nem pegar minha mala de mão.

Passei todo o trajeto ouvindo o quarto disco da Lola em um volume ensurdecedor. Ela devia estar com o mesmo humor que eu quando compôs o álbum, porque era bem no estilo de "You Oughta Know", da Alanis Morissette – o que era perfeito, pois combinava com minha fúria.

Não liguei para Daniel avisando que estava a caminho.

Primeiro, porque passei a viagem inteira choramingando, e não queria despejar tudo aquilo nele no instante em que atendesse ao telefone. Eu precisava me recompor antes de conversar com ele... ou com qualquer outra pessoa.

Mas em segundo lugar? Eu queria simplesmente aparecer lá. Queria ver se ele estava sozinho e como reagiria se eu chegasse sem avisar.

Era irracional e infantil. Eu não tinha nenhum direito sobre ele. Mas ele disse que não estava saindo com mais ninguém, por isso quis pegá-lo no flagra. Eu quase *queria* que Daniel me decepcionasse. Precisava ver se ele era quem dizia ser, se era honesto. Se eu chegasse lá e ele estivesse com outra mulher, pelo menos eu descobriria a verdade desde o início, e não tarde demais como aconteceu com Neil.

Quando parei o carro, Daniel estava no jardim. Vi quando ele ergueu a cabeça e um sorrisinho torto se espalhou em seu rosto, e meu humor melhorou na hora. Saí do carro, e Hunter veio saltitando, Chloe correndo atrás dele com o pijama cor-de-rosa. Segurei o cachorro, sorrindo, e ele soltou seu uivo característico enquanto Daniel se aproximava.

– Você está aqui.

Ele sorriu por sobre o cachorro.

– Estou.

Daniel nem hesitou. Ele me envolveu em seus braços, se inclinou e me beijou, e foi como se parte do meu cérebro desligasse. A parte estressada, preocupada e irritada.

Ele se afastou um pouquinho e sussurrou quase encostando em meus lábios.

– Mas você deveria ter ligado antes.

Todas aquelas partes voltaram a funcionar.

Dei um passo para trás, abaixando as mãos que estavam em seu peito.

– Ah. Certo. Desculpe. Eu não deveria ter aparecido assim.

Ele sorriu.

– Eu amei que você apareceu assim. Só me avise para que eu possa tomar um banho. – Ele apontou para as roupas sujas. – E preparar algo para você comer.

O alívio devia ter transparecido em meu rosto, porque ele franziu as sobrancelhas.

– Por que você *achou* que eu queria que você ligasse antes?

Não respondi.

Sua expressão foi tomada pela constatação da verdade.

– Você... você pensou que eu estaria com uma garota aqui ou coisa do tipo? Eu lhe disse que não estou saindo com mais ninguém.

Cruzei os braços.

– Isso não é da minha conta...

– Não estou saindo com mais ninguém – afirmou ele.

Os cantos dos meus lábios se contorceram.

Então sua expressão divertida se fechou.

– *Você* está saindo com outras pessoas?

Balancei a cabeça.

– Não.

Ele deu um sorrisinho.

– Ótimo.

Ele se aproximou para me beijar de novo, mas eu virei o rosto.

– Se você quisesse sair com outras pessoas, não teria problema.

Seu sorriso se desfez.

– Por que eu ia querer isso?

Prendi o cabelo atrás da orelha.

– Sabe, a gente nunca conversou de verdade sobre isso, Daniel. Talvez devêssemos estabelecer algumas regras.

Ele analisou meu rosto.

– Tudo bem.

– Então, quais são as regras que você quer estabelecer? – perguntei.

– Quer mesmo saber?

– Quero.

– Eu quero ser seu namorado.

Foi como um soco no meu coração, e meu estômago se revirou. Só que meu cérebro tomou conta.

Ele quer ser meu namorado. Por quê? Sou muito velha. Pelo menos para ele. Moro muito longe, nossas vidas são muito diferentes.

O que ele queria *comigo*?

Era tão gentil que parecia inocente. Como quando uma criança diz que quer ser astronauta ou bailarina quando crescer. E é óbvio que quando crescemos acabamos escolhendo uma profissão mais comum e tradicional.

Talvez ele só quisesse dizer que não queria que dormíssemos com outras pessoas? Que queria exclusividade? *Isso* eu entendia.

Percebi, quase no mesmo instante, que também não queria que ele saísse com outras mulheres. Só de pensar nele abraçando outra pessoa tive um ataque interno de ciúme tão repentino que me deixou chocada.

Se eu tivesse aparecido lá e o flagrasse com outra mulher, teria ficado arrasada. Nem havia percebido isso até *aquele* momento. Observando seu rosto sincero, sentindo seus braços quentes à minha volta, algo dentro de mim gritou: "É MEU!"

Mas não era justo querer que ele fosse meu. Porque eu nunca poderia ser *dele*.

Um namorado vinha com expectativas. Ele ia querer conhecer minha família, estar comigo nos feriados, no meu aniversário, no dele. Ia querer frequentar minha casa, conhecer meus amigos. E eu não poderia permitir nada disso. Nunca. Parecia injusto deixar que ele decidisse não sair com mais ninguém se aquilo nunca ia avançar.

– Daniel, não quero um namorado agora – falei. – Não há espaço para um relacionamento sério na minha vida.

Pensei ter visto uma pontada de decepção atravessar seu rosto, mas ele sorriu.

– Tudo bem. Não precisamos de rótulos. Podemos só concordar que teremos exclusividade e não faremos nada mais que isso aqui. Não tenho tempo para mais nada mesmo.

Eu assenti.

– Tudo bem.

Ele sorriu.

– Tudo bem.

Eu deveria estar feliz por conseguir o que queria – monogamia sem compromisso –, mas por algum motivo ainda estava decepcionada.

Daniel se aproximou e me beijou, e todos os meus pensamentos evaporaram.

Ele tomou meu rosto em suas mãos ásperas, e senti um gosto frutado em sua boca. Ele queria ter tomado banho, mas eu estava feliz assim. Aquele era o cheiro de Daniel. Uma mistura da terra fresca que ele estava cavando com o cedro da carpintaria e o suor.

Ele quis se afastar, mas então pareceu concluir que ainda não tinha terminado e me beijou mais uma vez.

Ah, esse garoto. Eu queria morar dentro dele, fundir meu corpo com o dele.

Daniel me transportava. Tudo que envolvia estar ali e com ele era uma folga da realidade. Ele fechava as abas abertas no computador do meu cérebro, uma de cada vez, até sobrar apenas ele na tela. Senti Neil, meu pai, o Royaume caírem nas bordas do esquecimento da minha mente e desaparecerem com um bipe.

Era incrível que um homem tão diferente tivesse essa capacidade. Apesar da nossa incompatibilidade, ele exercia esse efeito em mim. Eu me perguntava se nos conhecíamos de outra vida e tínhamos nos encontrado de novo. Se era por isso que ele parecia tão familiar...

Só que nesta vida eu tinha nascido cedo demais e em um nível do sistema de castas que ele não teria como escalar. Isso me deixava um pouco triste.

Meu relacionamento com Daniel nunca evoluiria. Nunca incluiria os amigos ou quem estivesse à nossa volta. Nunca se preencheria com as pessoas da minha vida.

Seria só aquilo. Apenas aquilo.

E não ia durar.

Ele se afastou sorrindo.

– Vou tomar um banho. Aí vamos comer alguma coisa. Quer dar a mamadeira para a Chloe enquanto isso?

Assenti enquanto quase tocava os lábios dele com os meus, sem fôlego.

Quando ele saiu do banho, não fomos até o Jane's como eu imaginava que iríamos. Fomos até a pequena mercearia.

No caminho percebi que na verdade eu estava tranquila com a ideia de comer no Jane's com Daniel, com a cidade inteira como testemunha. Em parte porque a culpa era minha por não ter permitido que ele fizesse outros planos. Mas também porque, embora tecnicamente Daniel fosse só um cara com quem eu estava transando, naquelas últimas semanas a relação tinha evoluído para algo menos escandaloso. Acho que parecia mais que estávamos curtindo juntos, não só transando.

Com um rangido, ele segurou a porta da mercearia para mim. Acenou para Brian, que estava entregando as compras para um cliente, e se virou no minha direção.

– Certo. Você não me deu tempo para planejar nada, então teremos que ser criativos. Proponho um jogo.

Arqueei uma sobrancelha.

– Um jogo?

– Isso. Um jogo *muito* sério. As regras são bem rígidas.

– Rígidas, é?

– Rígidas. Regra número um. – Ele fez uma pausa dramática. – Nunca se envolva em uma guerra terrestre na Ásia.

– Daniel!

Ele riu.

– Estou brincando! – Ele contou as regras nos dedos. – Proibido substituir, proibido desistir e você tem que experimentar *tudo* o que comprarmos. Essas são as regras. Aceita?

Estreitei os olhos.

– Não sei… Acho que preciso de mais informações.

Ele cruzou os braços.

– Só posso falar mais se você aceitar as regras.

Eu sorri. Ele ficava tão fofo quando brincava de estar sério.

– Ok. Eu aceito.

Ele esfregou as mãos uma na outra.

– Beleza, funciona assim: a gente se reveza atravessando cada um dos corredores com os braços desse jeito. – Ele formou um T com os braços, com os dedos apontando para cada um dos lados de um corredor. – O outro diz "pare", e a pessoa que está com os braços estendidos tem que pegar o que os dedos estão apontando. O que a gente pegar vai ser nosso jantar.

Eu ri.

– Você está falando sério?

– Muito sério. E não pode reclamar. Essa é a regra. No fim, podemos escolher mais três itens para montar a refeição. Se precisar, podemos usar também o que tenho em casa, desde que usemos tudo o que conseguirmos com o jogo.

Eu sorri.

– Ok. Vamos lá.

– Certo. Começamos com o entretenimento.

Ele pegou um carrinho e me levou até o corredor nos fundos da loja onde havia revistas e materiais artísticos. Havia um cesto com DVDs por 2,99 dólares.

– Pronta? – perguntou ele, ao lado do cesto. – Eu vou primeiro.

– Pronta.

Ele mergulhou a mão no cesto e começou a mexer. Esperei uns trinta segundos e exclamei:

– Pare!

Ele pegou o filme mais próximo de sua mão e olhou para a capa.

– *Para sempre Cinderela*. Drew Barrymore.

– *Obaaaa!* É muito bom.

Ele colocou o DVD no carrinho com um sorriso.

– Sua vez.

Fomos até o corredor de biscoitos e estendi os braços.

Ele esperou um segundo.

– Vai!

Comecei a andar.

– Pare! – gritou ele, quando eu estava no meio.

Olhei para as opções dos dois lados.

– Pretzels de mostarda e mel – anunciei, enrugando o nariz ao pegar o pacote. – E biscoito de manteiga de amendoim. Nada mau.

Fomos até a seção das carnes, onde acabamos pegando coxas de frango. Na de frutas e legumes, pegamos alho-poró e batata asterix. No corredor de laticínios, creme de leite fresco. Para a sobremesa, acabamos com picolés coloridos que pegamos no congelador. Daniel pegou caldo de galinha, aipo e uma baguete na cota dos três itens livres.

Foi muito divertido – e *simples*. Exatamente o tipo de coisa que Daniel fazia bem.

Ele era tão diferente de Neil. Era revigorante. Neil sempre se esforçava muito em nossos encontros. Só que era mais para benefício próprio, não para o meu. Ingressos na primeira fileira, restaurantes exclusivos – o que saísse melhor em suas publicações nas redes sociais. Depois de um tempo, esses encontros perderam a graça. Perderam o brilho. Principalmente porque ele passava boa parte do tempo olhando o celular ou falando de si mesmo.

Meu Deus. Como não percebi nada disso antes?

Na verdade eu sabia como. Eu tinha sido criada por um homem que valorizava mais o prestígio do que a integridade e a honestidade. Comportamentos assim eram normais para mim.

Meu irmão era uma pessoa muito melhor do que o exemplo que recebera. Derek se libertou da gaiola em que fomos criados. Eu me perguntei se a responsável por isso era Lola, se ela é que tinha lhe mostrado um caminho diferente.

Se bem que ele aceitou o trabalho voluntário em parte porque seria bom para seu currículo. Mas, no fim, ficou porque sabia que poderia ajudar.

Isso era contrário a tudo o que tinham nos ensinado. O voluntariado não deixaria Derek rico nem o ajudaria a vencer na carreira. Não ajudaria o Royaume nem impressionaria nosso pai. Na verdade, aconteceria o oposto.

Senti um orgulho tardio dele. Acho que não tinha processado de verdade o fato de ele querer continuar o trabalho que vinha fazendo. Fiquei tão focada em como a ausência dele afetaria minha vida que não pensei na transformação interna do meu irmão.

E entendi outra coisa. Entendi por que ele não voltou para cá com Lola. Ele não trouxe a esposa junto porque não havia sentido nenhum. Meu pai nunca a aceitaria. Nunca. Assim como nunca aceitaria alguém como Daniel. Então Derek nem se deu ao trabalho. Ele protegeu a esposa da rejeição e abriu mão da vida *dele*.

Era um gesto tão bonito e altruísta – ainda que, ao fazer isso, ele tivesse *me* condenado.

Mas eu não o culpava por isso. Estava feliz por um de nós ter conseguido sair da gaiola. Ele desistiu do trono para se casar com uma plebeia. Pelo menos era assim que meu pai enxergava tudo aquilo. Ele abriu mão de toda a sua herança.

Mas nem tudo o que reluz é ouro…

Pagamos e voltamos para a garagem.

Sentei em uma banqueta na cozinha, e Hunter se acomodou ao meu lado.

– E aí, o que você vai preparar?

– *Nós* vamos cozinhar – retrucou Daniel, tirando as compras das sacolas.

– Nós? Eu não sei cozinhar.

– Bom, eu vou te ensinar – disse ele, dispondo as compras sobre o balcão. – Preparar a refeição juntos faz parte da atividade.

Olhei para ele desconfiada.

Ele sorriu.

– Vem cá.

Levantei da banqueta e fiquei ao lado dele em frente ao balcão.

– Vamos preparar uma sopa – anunciou ele.

– Uma sopa? – Apontei para a pilha. – Com essas coisas?

– Sopa é fácil. Dá para fazer sopa com qualquer coisa.

Ele foi até o armário que servia de despensa e pegou farinha e uma cebola. Então abriu a geladeira e retirou alho e manteiga e espalhou tudo em cima do balcão.

Havia uma libélula na garagem. Ela aterrissou na borda de uma panela que estava em cima do fogão. Elas estavam por toda parte.

Vi Daniel pegar uma tábua e uma faca.

– Você descasca as batatas e eu corto a cebola – disse.

Nem me mexi, porque não sabia por onde começar.

Ele percebeu que eu estava paralisada.

– O que foi?

Umedeci os lábios.

– Não sei descascar batata – admiti. – Nunca fiz isso.

Ele me encarou seriamente.

– Você nunca descascou uma batata?

– Não. A gente tinha um chef de cozinha... Nunca precisei descascar batatas.

Neil adorava destacar quando eu não sabia fazer alguma coisa que a maioria das pessoas considerava básica. Só que eu não fui criada para achar que aquele tipo de habilidade era importante. Meus pais me prepararam para um estilo de vida bem específico. Eu falava três idiomas. Tinha um diploma de medicina de Stanford e um doutorado em Berkeley. Mas nunca aprendi a lavar a roupa. Não limpava minha própria casa. Antes de Daniel me ensinar, eu nem sabia fazer isso.

Percebi que era uma das maneiras como Neil mantinha o controle sobre mim. Só *ele* poderia cuidar da casa. Como eu sobreviveria sem ele? Eu nem sabia cozinhar.

Eu pedia delivery de comida ou esquentava o jantar no micro-ondas se fosse necessário. Preparava um sanduíche ou uma salada. Mas era como se Neil alimentasse a ilusão de que eu dependia dele, de que não podia ficar sozinha. Eu precisava de alguém para cuidar de mim. Eu não sabia administrar uma casa. Eu nunca mais comeria aquela quiche a não ser que *ele* preparasse para mim.

Olhei para Daniel, esperando que ele me constrangesse por minha falta de habilidades culinárias, como Neil costumava fazer. Mas ele só deu de ombros.

– Ok, deixa eu lhe mostrar.

Senti o alívio tomar conta de mim.

– Como você aprendeu a cozinhar? – perguntei.

Ele sorriu.

– É preciso saber cozinhar aqui. Nem sempre temos dinheiro para comer fora. Muito bem – disse ele, ficando ombro a ombro comigo depois que lavei as mãos. – Você vai descascar as batatas assim. Quando terminar, corte-as em cubos. Assim. – Ele pegou a faca e me mostrou. – Vamos cortar em cubos para que cozinhem mais rápido. Como vamos preparar sopa, é melhor tirar a casca, mas gosto de deixar quando faço purê...

Ele foi me explicando tudo desse jeito. Não só como fazer, mas por quê. Gostei da tática. Era como eu treinava meus residentes.

Ele era tão paciente – e ficava sempre o mais perto possível de mim. Meu corpo sentia essa proximidade, e isso me distraía *muito*.

Seu aroma fresco inebriou meus sentidos, e me peguei me aproximando dele quando devia estar trabalhando.

Ele devia ter percebido, porque virou para me olhar e de repente ficou com o rosto bem próximo do meu – e dentro de mim aconteceu uma coisa que não acontecia havia *muito* tempo.

Fiquei com *frio na barriga*.

– O que foi? – perguntou ele, sorrindo.

Engoli em seco e só pisquei para ele.

Ele me cutucou.

– Hein?

Dei de ombros.

– Não sei. Você me distrai, só isso.

Voltei a olhar para a tábua, um pouco trêmula. Como se estivesse acontecendo algo importante e totalmente incontrolável.

Eu não sentia frio na barriga. Era *velha* demais para sentir frio na barriga. Eu já não deveria ter superado as paixonites adolescentes?

Percebi que ele estava sorrindo, embora não estivesse vendo o seu rosto.

– Você vai conseguir se concentrar nesta tarefa, doutora? – indagou ele, me provocando, enfiando o nariz no meu cabelo. – Porque eu vou precisar de toda a sua atenção e você parece um pouco distraída – sussurrou.

Frio na barriga *de novo*.

Ah, meu Deus, não. Eu *não* ia conseguir me concentrar.

Olhei para cima e deixei que ele me desse um beijo, um pouco insegura com tudo que estava sentindo.

Ele era tão encantador. E tão bonito. Devastadoramente bonito. Era o tipo de homem que me deixava sem fôlego – e isso acontecia porque ele era *bom*. Gentil, atencioso e paciente. Generoso. E tão *fácil* de lidar. Não havia nada de complexo em Daniel.

Neil era como uma boneca russa cujas qualidades diminuíam quanto mais você o conhecia. Com Daniel era o contrário. Quanto mais eu o conhecia, melhor ele ficava.

Eu gostava do fato de ele cuidar de Popeye. E entendia por que a cidade o escolhera como prefeito – não porque ele era um Grant, mas porque eu tinha a sensação de que a família Grant era composta por pessoas diplomáticas e queridas. E eu sabia disso não porque ele tinha dito, mas pela maneira como os outros o tratavam.

Liz falou muito bem dele no dia em que nos conhecemos. Brian passou duas horas sentado na sala de projeção de um drive-in fechado só para que Daniel me levasse para assistir a um filme. Doreen recorreu a ele porque sabia que ele iria dar uma olhada em Pops. E ele acabou levando Pops ao médico em Rochester após a queda e instalando um corrimão em sua banheira.

Quanto a Neil, talvez você chegasse à mesma conclusão, a de que ele era uma pessoa muito querida. Neil sempre tinha um lugar de destaque à mesa. A diferença, no entanto, era que ninguém *confiava* em Neil como as pessoas confiavam em Daniel. Todos os relacionamentos de Neil se baseavam em uma conexão superficial de sinalização de status. Ninguém nunca precisava de nada dele, a não ser da graça de sua presença e de seu falso ar de fanfarrão.

Se Neil fosse à sua festa, isso queria dizer que você era importante. Você era alguém com quem ele queria ser visto. Mas, se um dia precisasse dele, teria uma grande decepção.

Se Daniel fosse à sua festa, isso queria dizer que você era uma pessoa boa. Que você era uma pessoa que tinha conquistado seu afeto. E eu estava começando a perceber que seu afeto trazia um nível de devoção que eu nunca tinha visto, a não ser talvez em Bri e Derek. E essa devoção parecia envolver a cidade inteira. Como se aquele manto de lealdade fosse grande o bastante para cobrir todo mundo.

Então percebi, quase admirada, que, de alguma forma, *eu* também devia ter conquistado seu afeto. Ele devia gostar de mim, e não só por causa do sexo; do contrário, por que perderia tanto tempo ao telefone comigo ou por que ia querer ser meu namorado?

Hum.

Comecei a morder o lábio inferior enquanto descascava as batatas.

Eu lembro que me senti muito importante quando o cirurgião-chefe demonstrou gostar de mim. Acho que fiquei tão deslumbrada com isso e com o falso charme de Neil que não enxerguei os alertas que piscaram bem na minha cara. Eu ignorava quando ele era rude com os funcionários ou quando os enfermeiros de sua equipe falavam mal dele.

Com Daniel era o contrário. Eu tinha tanta certeza de que não me impressionaria com ele que quase fiquei surpresa ao descobrir que *estava* impressionada.

O celular dele começou a tocar, e ele largou a faca para atender.

– Sério? – Olhei para ele com uma sobrancelha arqueada. – Seu celular não está no silencioso? Você de fato liga para as pessoas *e* não deixa o celular no silencioso? – provoquei.

Ele riu.

– Como vou saber que alguém está me ligando? Não é para isso que serve o toque do telefone?

Ele pegou o aparelho.

– É a Liz. – Ele atendeu. – Oi, o que... – Ele ficou parado ouvindo. Suas sobrancelhas se franziram. – Ela está aqui. Tudo bem. Tudo bem, espere.

Ele acionou o viva-voz.

– Alexis? – disse Liz.

Olhei para Daniel, confusa.

– Oi, Liz...

– Então, é que a Hannah vai ter o bebê e eles queriam levá-la ao hospital, mas as contrações começaram a avançar muito rápido e eles não conseguiram colocá-la no carro e...

Grito e vidro quebrando.

– Vocês poderiam vir aqui? – perguntou ela, em pânico.

Assenti para Daniel, e corremos até a porta.

Liz estava ofegante.

– Estamos em uma videochamada com uma enfermeira do hospital. Doug está aqui tentando ajudar, mas Hannah não o deixa tocar nela. A ambulância ainda vai demorar quarenta minutos, e acho que ela não tem esse tempo todo.

– Está coroando? – perguntei. – Você está vendo a cabeça?

Já estávamos entrando na caminhonete do Daniel.

– Eu... eu não sei. Tem bastante fluido. Sangue e outras coisas. Acho que a bolsa estourou.

– Tudo bem, estamos a caminho. Escute, ferva um pouco de água e reúna todas as toalhas limpas que encontrar. Preciso de luvas descartáveis, tesoura e grampos. Sabe aqueles que usamos para fechar pacotes de biscoitos? Pegue um copo, encha com álcool e coloque os grampos dentro. Deixe tudo pronto para quando eu chegar.

– Ok. Ok, pode deixar.

– Vou ficar na linha até chegarmos – falei, com calma. – Não se desespere.

Daniel já estava na rua que levava para o norte.

– Três minutos – avisou ele.

Quando paramos em frente à casa, parecia que metade da cidade estava no gramado. Ouvi gritos e berros vindos lá de dentro.

Atravessamos a sala correndo e entramos no caos do quarto.

Havia meia dúzia de pessoas ali. Liz estava de pé ao lado da mesa de cabeceira, com um celular no ouvido e outro na videochamada. Doug estava na soleira da porta, e uma Hannah gravidíssima estava sentada na cama, suada e com o rosto vermelho.

Doug parecia frustrado.

– Hannah, me deixe dar uma olhada!

Ela o fulminou com o olhar.

– Doug, eu vou segurar este bebê aqui dentro até aparecer qualquer pessoa que não seja você para fazer o parto. Você *não* vai ver minha vagina hoje. Não é assim que isso vai terminar.

– Eu sou médico, Hannah!

– Você não fez partos no Exército!

– Eu já fiz partos de cabras!

– SAIA DAQUI!

Ela pegou um despertador e atirou pelo quarto. Doug se virou na hora, e o aparelho acertou a parede ao lado dele com estrondo, estilhaços caindo em uma pilha de objetos quebrados.

Hannah agarrou o cobertor e urrou de dor.

Liz me viu.

– A médica chegou!

Doug olhou para mim, aliviado.

– Graças a Deus! – Ele enfiou uma caixa de luvas descartáveis na minha mão. Voltou a olhar para a paciente. – Ver sua xoxota também não é muito divertido para mim, Hannah! – Ele se virou para mim. – Estou indo. Me ligue se precisar de ajuda – resmungou ele, passando por nós.

Lavei as mãos e os antebraços no banheiro e fui até a cama, calçando as luvas.

– Hannah, sou a Dra. Alexis. Sabe me dizer qual é o intervalo das contrações?

Ela balançou a cabeça, os olhos bem fechados.

Virei para Daniel.

– Só os pais devem ficar no quarto.

Uma mulher sentada na beirada da cama, parecendo preocupada, levantou a mão.

– Sou a esposa da Hannah.

– Qual é o seu nome? – perguntei.

– Emelia.

– Emelia, você fica. Liz, conseguiu as coisas que pedi?

Ela assentiu e apontou para as toalhas.

– A água está fervendo. Doug já tinha colocado no fogo quando você pediu.

– Certo, preciso que ferva a tesoura para mim por cinco minutos. Traga assim que terminar. Cuidado, ela vai estar quente. Coloque em um prato limpo para esfriar.

Ela assentiu, entregou para Emelia o celular que estava na videochamada e saiu do quarto. Quando ouvi a porta se fechar, levantei o lençol.

– Vou dar uma olhada na sua dilatação, está bem?

Hannah abriu um olho e assentiu, mordendo o lábio em mais uma contração. Esperei até que passasse para começar a examiná-la.

– Alguma complicação durante a gravidez? – indaguei.

Emelia balançou a cabeça.

– Não.

– Diabetes gestacional? Pressão alta?

– Não. Ela está saudável. O bebê também – respondeu Emelia, os olhos bem abertos.

Hannah estava com 10 centímetros de dilatação e o colo do útero bem fino.

– Muito bem. Hannah? Não vamos poder esperar a ambulância – anunciei. – Na próxima contração, você vai fazer força.

Hannah balançou a cabeça.

– Não. Não, não, não, não, não foi assim que planejamos. Eu tenho um plano de parto. Eu tenho um... Eu vou tomar uma epidural!

– Eu sei – respondi, com calma. – O importante agora é o bebê sair com segurança. E como não é possível monitorá-lo, não podemos esperar. O bebê pode estar sofrendo, e precisamos tirá-lo para que eu possa examiná-lo, está bem?

Ela parecia apavorada, mas assentiu.

– Onde você quer que Emelia fique, Hannah? Segurando sua mão? Ou assistindo ao parto?

Hannah estava chorando.

– Quero que ela assista.

Assenti.

– Tudo bem. Emelia, você pode ficar aqui comigo.

Emelia deu a volta, ainda segurando o celular da videochamada com a enfermeira de triagem.

– Vocês sabem o sexo do bebê? – perguntei, em tom casual.

Hannah balançou a cabeça.

Comecei a estender toalhas embaixo dela.

– Que nomes escolheram?

A voz de Emelia saiu trêmula.

– Hum, Kaleb se for menino e Lily se for menina.

– Lindos nomes. – Eu sorri. – Estão prontas para conhecer Kaleb ou Lily?

Hannah assentiu.

Vi seu corpo se enrijecer com mais uma contração.

– Ok, pronta? Vamos lá. Respire fundo e segure, e vamos empurrar durante dez segundos. Um, dois, três... ótimo... quatro, cinco... estamos progredindo bem... sete, oito, nove. Issoooo.

Hannah ofegava com a dor.

– Eu sei que dói – falei. – Mas, pense, agora você sabe como um homem se sente quando está resfriado.

Era a piada de parto favorita de Jessica.

Elas riram, e a tensão aliviou um pouco.

Ela fez força durante mais três contrações antes de a cabeça do bebê aparecer.

O cordão estava enrolado no pescoço.

– Hannah, tente não empurrar e só respire fundo algumas vezes – instruí com a voz firme.

Tentei desenrolar o cordão, mas estava dando duas voltas bem apertadas. Não consegui soltar.

As duas voltas ao redor do pescoço encurtavam o cordão. Eu não conseguia ver o que estava acontecendo lá dentro ou quantos centímetros tínhamos, mas, se estivesse muito curto, o cordão se apertaria quando o bebê saísse, cortando o suprimento de oxigênio. Talvez eu não conseguisse tirar a tempo ou prendê-lo e cortá-lo em segurança e com antecedência, principalmente sem os instrumentos adequados.

Eu precisaria fazer uma manobra para concluir o parto. Teria que empurrar a cabeça do bebê na direção da perna de Hannah em vez de puxá-lo para baixo. Isso permitiria que os ombros e o restante do corpo saíssem em uma cambalhota, mantendo o pescoço próximo do canal para que o cordão não esticasse e apertasse mais.

Todo esse raciocínio atravessou minha mente em uma fração de segundo de calma. Anos de experiência, treinamento e instinto assumiram o controle. Eu não tinha monitores nem enfermeiros. Não tinha nem apoio de pé. Mas sabia o que fazer.

Estabeleci um contato visual confiante com Hannah.

– Vamos empurrar uma última vez, e vai ser das boas.

Comecei a contagem regressiva. Inclinei os ombros do bebê com habilidade e, em uma descarga de fluidos e sangue, virei o bebê em uma cambalhota perfeita.

Era uma menina. E meus instintos estavam certos. O cordão permitiria apenas aquela manobra. Não era suficiente para que ela saísse direto – e, se eu não estivesse ali, era assim que ela ia sair. Principalmente se Hannah não deixasse Doug ajudá-la.

O cordão teria se esticado, e talvez eles não conseguissem tirá-la a tempo. A bebê poderia sofrer danos cerebrais. Paralisia, epilepsia, deficiência intelectual ou de desenvolvimento. Ela poderia ter morrido.

Mas não morreu porque *eu* estava lá.

Era por *isso* que eu fazia o que fazia.

Em momentos como aquele, eu sabia que estava cumprindo minha missão. Em momentos como aquele eu sabia que, independentemente do que meu pai dissesse, havia honra em minha especialidade – ainda que não houvesse glória.

Desenrolei o cordão do pescoço rapidamente, coloquei a bebê de bruços na barriga de Hannah e comecei a esfregar suas costas. Ela chorou. Um choro forte, bom.

Eu sorri.

– Conheçam a Lily.

A ambulância chegou quinze minutos depois. Atualizei os paramédicos e transferi a paciente. Quando saí do quarto, a cidade inteira não estava mais no gramado, e sim na sala. Daniel se levantou ao me ver, e todos me encararam, cheios de expectativa.

Eu sorri e ergui as mãos.

– É uma menina.

A casa inteira rompeu em vivas. Fui abraçada por umas trinta pessoas antes que Daniel me resgatasse.

Ele me levou até um canto e me abraçou, sorrindo para mim.

– Então quer dizer que você não sabe descascar batata, mas sabe fazer um parto?

– Por quê? É difícil?

Ele riu e me deu um beijo. E eu não me incomodei por ter sido na frente de todos.

Hannah apareceu em uma maca, com uma Emelia radiante ao seu lado. E quando elas saíram, algo muito estranho aconteceu. As pessoas não foram embora. Elas se mobilizaram. Entraram no quarto e tiraram a roupa de cama, uma pessoa esvaziou o lava-louça, outra ligou um aspirador. O cheiro de limpa-vidros e desinfetante pairava no ar. A porta da frente ainda estava aberta, e vi meia dúzia arrancando ervas daninhas e cortando a grama. Várias outras chegaram com caçarolas cobertas com papel-alumínio, e alguém estava na cozinha, recebendo tudo e guardando no congelador.

– O que eles estão fazendo? – perguntei, observando a atividade.

– Estão fazendo o que nós fazemos – respondeu Daniel. – Cuidando uns dos outros.

A situação toda me deixou comovida. Era mais que apenas um punhado de amigos íntimos. Era a cidade inteira. A cidade inteira estava lá.

Não era apenas uma comunidade. Era uma família.

Popeye se aproximou, segurando uma caixa de ferramentas. Até ele estava ajudando.

– Olá. Como está se sentindo? – perguntei.

Ele me encarou com um dos olhos bem fechado.

– Que coincidência você por aqui, não é?

Ele não esperou pela resposta. Deu um aceno de cabeça para Daniel e foi mancando em direção à garagem, resmungando sozinho.

– O que foi *isso*? – questionei, olhando para Daniel.

– Ah, ele tem uma teoria sobre a cidade.

– Que teoria?

Ele pareceu achar divertido.

– Ele diz que a cidade tem um jeito de se proteger. Que ela consegue aquilo de que precisa. Ele acha que você está aqui hoje porque Hannah precisava de você.

Franzi a testa e pensei um pouco a respeito.

– Hum. De fato eu não tinha planos de vir para cá hoje.

– Ah, é? E o que fez você mudar de ideia?

Meus pais foram jogar golfe com meu ex?

– O tempo estava bom – respondi. Inclinei a cabeça para o lado. – Ei, você sabe fazer quiche?

Ele olhou para mim.

– Quiche? Sei.

– Pode me ensinar?

Ele deu de ombros.

– Claro. Podemos preparar uma hoje à noite e comer no café da manhã.

Eu sorri.

– Acho que vou querer que você me ensine muitas coisas, Daniel. Tenho muito a aprender.

Daniel

Estávamos deitados na minha cama, no dia seguinte à chegada da bebê de Hannah. Eram onze horas da manhã. Eu tinha hóspedes para receber, mas só mais tarde. O check-in era às três, então pude ficar de cueca com Alexis até ela ir embora.

Estávamos cochilando – tínhamos passado a noite acordados.

Eu me aconcheguei nela, aninhando meu nariz em sua nuca. Ela soltou um gemidinho feliz e se virou, assim seus lábios ficaram ao meu alcance e eu a beijei.

Tínhamos exclusividade.

Eu não conseguia parar de sorrir.

Sabia que ter exclusividade não era tudo. Não era um rótulo. Não era namorado, namorada. Mas significava que eu não estava competindo com ninguém, nem por sua atenção nem por seu tempo. Talvez significasse que ela viria mais vezes – talvez até me convidasse para visitá-la.

Acima de tudo, eu estava feliz por não haver mais ninguém, porque eu perdia a cabeça só de pensar nisso. Percebi como me senti aliviado quando o combinado estava feito. Acho que até então eu não me permitia pensar muito no fato de que ela poderia estar saindo com outras pessoas porque acreditava que não estava no direito de pedir isso a ela.

Eu imaginava o tipo de cara que devia dar em cima dela. Mais velho, bem-sucedido... rico. Com carros caros, levando-a a lugares que eu jamais poderia pagar. Parecia impossível que eu tivesse convencido Alexis. Mas a cavalo dado não se olha os dentes. Eu aceitaria, agradeceria e *sairia correndo*.

Ouvi uma bufada, e olhamos na direção do barulho. Hunter tinha pousado a cabeça na cama para nos observar, balançando o rabo. Seu lábio estava curvado, revelando um único dente torto, e suas sobrancelhas peludas se mexiam quando ele olhava de um para o outro. O cachorro amava Alexis.

Alexis riu, então sorriu para mim.

– Você sabia que os cachorros desenvolveram os músculos das sobrancelhas para nos manipular?

Eu me apoiei em um dos cotovelos.

– É mesmo?

– É. Os lobos não têm essa característica. Cachorros mais expressivos conseguiam estabelecer uma conexão mais profunda com seus donos. Então eles evoluíram. – Ela apontou para Hunter com a cabeça. – Para isso.

Hunter se afastou e soltou um longo uivo.

Eu ri e deslizei a mão por sua coxa para colocar sua perna em volta da minha cintura. Ela foi além e subiu em cima de mim, montando em meu quadril. A camiseta que eu tinha lhe emprestado subiu. Ela colocou as mãos em meu peito nu e se inclinou para me beijar, seu cabelo caindo em meu rosto como uma cortina.

Eu tinha um milhão de coisas para fazer. Trabalhar nas peças inacabadas na garagem, preparar a casa para os hóspedes, arrumar o degrau solto na varanda envidraçada… mas não estava preocupado com nada disso. Eu trabalharia mais pesado e mais rápido para compensar o tempo perdido, aceitaria o golpe, porque valia a pena. Valia muito a pena.

Estava muito orgulhoso porque a cidade inteira me viu com ela no dia anterior. Estava orgulhoso do que ela fez por Lily, estava orgulhoso pelo simples fato de conhecê-la.

Acho que ela não se dá conta de quanto é excepcional. Tive a sensação de que ninguém lhe dizia isso, o que era estranho.

Ela remexeu o quadril em cima da ereção que estava causando. Nossa respiração acelerou e o beijo se aprofundou. Em um movimento fluido, virei-a de costas e passei a mão sobre a calcinha de renda. Ela estava molhada, e pensar que ela estava molhada por *minha causa* me deixou ainda mais duro.

Caramba, ela me excitava.

Esfreguei dois dedos ali e sua respiração ficou ofegante com a carícia. Ela mordeu o lábio.

– *Como* você faz isso? – perguntou com um suspiro.

– Isso o quê? – murmurei, a voz rouca.

– Como sabe onde me tocar?

– Eu presto atenção nas suas reações – respondi, beijando sua clavícula com delicadeza. – O que você sente é importante para mim.

Algo mudou em seu corpo. Ergui a cabeça para ver o que era. Havia algo em sua expressão que eu não consegui decifrar – e talvez ela não quisesse que eu decifrasse porque me puxou de volta e me beijou.

Eu estava feliz porque ia ficar com a camiseta que Ali estava vestindo quando ela fosse embora. Algo que tinha seu perfume, que tinha seu cheiro.

Quando ela foi embora, a única prova de que estivera ali ou até de que existia foi a saudade que eu estava começando a sentir.

Alexis

Era início de maio, alguns dias depois do parto em Wakan, e minha mãe e eu estávamos comemorando o Dia das Mães.

Ela passava tanto tempo de plantão quando eu era criança que quase nunca conseguíamos celebrar no dia exato, então começamos uma tradição de comemorar antes. Dessa vez fomos à Casa de Chá do Chapeleiro Maluco, em Anoka. Era uma mansão histórica no rio Rum que lembrava muito a Casa Grant. Tinha sido construída por um médico em 1857. Ir até lá era um dos meus programas preferidos com minha mãe.

Ela ficava melhor quando meu pai não estava por perto. Mais... *ela*.

Estava com um vestido de renda branco e um chapéu com penas também brancas, além das pérolas da minha avó e as luvas de cetim que iam até o cotovelo. Sua maquiagem era delicada e natural. Parecia pertencer a outra época.

Minha mãe era elegante, sempre perfeitamente arrumada. E fazia isso parecer fácil, embora eu soubesse que não era.

Ela era a responsável pelo sucesso do Royaume nos últimos quarenta anos. Junto com meu pai formava um casal poderoso.

Ele aparecia nos periódicos de medicina e posava para capas de revista, enquanto minha mãe atraía o dinheiro e o talento. Ela encantava doadores e médicos, e contratava profissionais talentosos do mundo inteiro.

Era *esse* o lugar que eu teria que ocupar.

Eu não sabia ser meu pai. Também não me imaginava no lugar da minha mãe. Não saberia como ocupá-lo.

Eu não sabia o que fazer naquele novo papel.

O caminho de Derek era óbvio. Ele era um pouco de tudo. Tinha um pouco do meu pai e um pouco da minha mãe. Charmoso e carismático, motivado e bem-sucedido. Ele provavelmente acabaria em um reality show na TV ou algo do tipo. Então usaria a plataforma para atrair doadores e continuar a exaltar o hospital.

Eu não fazia a menor ideia de qual papel caberia a *mim*. Odiava fazer networking. Minha área não permitia notoriedade. Eu não suportava a ideia de aparecer na televisão.

Eu teria os recursos do hospital ao meu alcance. Poderia dar início a uma pesquisa clínica ou apoiar outra iniciativa. O conselho aprovaria qualquer coisa que eu quisesse. Mas o quê? Qual era a minha paixão? Nem eu sabia.

E isso me deixava apavorada.

Eu estava com medo de deixar a peteca cair e se desfazer e nunca mais conseguir reconstituí-la.

O garçom trouxe um bule com o chá de bergamota da casa. Alguns minutos depois, nossa bandeja chegou, com sanduichinhos e *petit-fours*.

Coloquei um cubo de açúcar na minha xícara.

– E aí, está curtindo a aposentadoria? – perguntei à minha mãe.

Ela soltou um suspiro.

– Não. Sinto falta do trabalho. Estou feliz por poder ajudar nos preparativos da festa, por ter alguma coisa para fazer.

Minha mãe ia me treinar para o discurso que eu faria no evento. Falar em público também não era meu forte, mas eu não teria como fugir.

Ela passou geleia em um bolinho.

– Me conte, o que você anda fazendo?

Mexi meu chá.

– Nada.

Eu odiava não poder contar a ela sobre Daniel. Odiava.

Enquanto esperávamos pela mesa, minha mãe e eu subimos até a loja de presentes, onde comprei uma sacola de coisas para ele. Misturas para bolo e coalhada de limão caseira e seis sabores diferentes de chá. Ela perguntou para quem eram os presentes, e tive que mentir dizendo que eram para Bri.

Minha mãe era abertamente Time Neil. E, mesmo que não fosse, ela contaria ao meu pai tudo o que eu compartilhasse, e depois ele encheria meus ouvidos. Não que eu tivesse alguma coisa para contar. Daniel não era nada sério. Mas eu não gostava de ter que esconder dela certas partes da minha vida.

Mas eu já não fazia exatamente isso quando estava com Neil?

Nunca contei a eles o que Neil fazia comigo, além de me trair. Era estranho, mas eu achava que eles me culpariam por tudo. Como se Neil ocupasse um lugar tão alto em seu pedestal que nem mesmo o abuso emocional com a própria filha deles seria capaz de derrubá-lo.

Mudei de assunto.

– Tem falado com Derek?

Ela fez uma pausa.

– Não falo com seu irmão desde que ele foi embora. – Havia algo em sua voz. – Como você está? – inverteu ela. – Sei que tem sido uma mudança e tanto para você. Derek indo embora… e Neil.

E meu pai.

Ele ficou pairando ali no silêncio.

Às vezes eu achava Neil e meu pai muito parecidos. Os dois tinham o mesmo ímpeto, a mesma personalidade exigente. Devia ser por isso que eles se davam tão bem.

– Alguma novidade sobre o cargo de chefia? – perguntou ela.

– Ainda não – respondi. – Ainda não falei com Gibson – acrescentei.

Sei que meu pai tinha basicamente me informado de que eu ficaria com o cargo, quisesse eu ou não. Felizmente eu *queria*. Sempre quis. Se não fosse meu relacionamento com Neil, provavelmente eu já exerceria um cargo de chefia. O assunto surgiu algumas vezes ao longo dos anos, mas ele sempre encontrou uma maneira de me dissuadir.

Acho que ele não *queria* que eu avançasse na carreira. Como se ele se sentisse ameaçado com a possibilidade de eu alcançá-lo profissionalmente. Talvez ele gostasse de desfilar com o troféu que era namorar uma Montgomery, desde que eu permanecesse abaixo dele na hierarquia.

Era engraçado ver que o que mais chateava meu pai – minha falta de ambição – era causado pelo mesmo homem com quem ele exigia que eu me reconciliasse.

– Acho que você vai ser uma excelente chefe, Alexis. – Minha mãe colocou a mão sobre a minha. – Sei quanto tudo isso pode ser avassalador, mas você vai conseguir progredir. Você poderá fazer tantas coisas no Royaume, principalmente em uma posição de liderança. Nunca vai encontrar esse nível de influência em outro lugar. Nunca vai mudar o mundo da mesma forma que mudará estando aqui. Mal posso esperar para ver tudo o que você vai realizar.

Dei um sorriso discreto.

Essa era a diferença entre minha mãe e meu pai. Meu pai não queria que eu o envergonhasse. Ele queria se gabar de mim e de minhas conquistas em jantares.

Minha mãe queria que eu fosse *eficiente*.

Ela queria ajudar as pessoas. E sabe de uma coisa? Eu também.

Não era só o que eu queria. Era o que eu tinha me proposto a fazer. E minha mãe tinha razão. Eu podia mesmo fazer coisas incríveis no Royaume.

Eu só precisava descobrir que coisas seriam essas.

Dois dias depois, Bri me encontrou no armário de suprimentos ao lado do escritório da chefia.

– O que está fazendo? – perguntou, olhando por cima do meu ombro na porta.

Analisei uma prateleira de fórmula infantil.

– Gibson disse que eu poderia pegar o que quisesse do estoque de amostras grátis. Acho que preciso de um kit de emergência para deixar no carro.

– Para quê?

Peguei uma lata de fórmula e comecei a ler o rótulo.

– Sempre acaba rolando um atendimento em Wakan. Fiz um parto semana passada, e eu nem tinha instrumentos direito.

– Você fez um parto... – repetiu ela, sem expressão.

– Fiz. Com circular cervical dupla. – Assenti olhando para uma máquina que estava acumulando pó em uma das prateleiras. – Será que Gibson me deixaria ficar com esse ECG portátil?

Ela deu de ombros.

– Não vejo por que não. Recebemos isso há dois anos para testar nas ambulâncias. Não estamos usando, e eles não querem de volta. – Ela observou a pilha que eu tinha começado a reunir. – O que mais você pegou?

– Gaze, atadura, escalpes, cola cirúrgica, agulhas, seringas, lidocaína... Sabia que eles costuram uns aos outros com anzol?

Ela bufou.

– Devem usar Super Bonder também.

Fiz uma pausa, segurando um colar cervical.

– Devem *mesmo*...

Ela começou a pegar coisas.

– O que vai fazer hoje à noite? Quer jantar comigo?

– Não posso. Vou jantar com meus pais. Eles querem falar sobre a festa de aniversário do hospital.

Ela pegou uma caixa de compressas instantâneas.

– Que tal amanhã? Ou você vai ao evento da Gabby?

Balancei a cabeça.

– Não tenho falado muito com elas ultimamente.

– Por quê? Por causa do lance do TripAdvisor?

Dei de ombros, jogando protetores oculares na pilha.

– Por isso também. Sei lá, acho que não temos tantas coisas em comum como eu imaginava. De qualquer forma, também não posso amanhã. Acho que vou ver Daniel.

Com certeza eu iria ver Daniel.

Eu tinha roubado outro moletom ao sair de lá. De uma loja de equipamentos de caça, pesca, acampamento. Era cinza e tinha chifres de veado na frente. Havia um hidratante labial de cereja no bolso que tinha o sabor da sua boca. Era um pequeno bônus, e eu adorei.

Ajustei o termostato para "congelante" na noite anterior só para dormir com o moletom. Fiquei deitada na cama conversando com ele até quase meia-noite. O simples fato de pensar nisso me fazia sorrir.

– Copiei sua tática de namoro esta semana – contou Bri. – Marquei um encontro com um cara do Tinder de 26 anos.

Arqueei uma sobrancelha.

– E?

– E o apartamento dele tinha apenas uma TV, um Xbox e uma poltrona reclinável na frente. O colchão ficava no chão. Ele só tinha um prato.

Dei risada.

– Daniel tem mais de um prato? Porque ele parece um cara que tem mais de um prato.

Sorri enquanto analisava as prateleiras.

– Ele tem muitos pratos. E são bonitos. Antigos.

– Aposto que ele dobra as toalhas do jeito certo também. Uma criatura mítica.

Ri outra vez.

– Você passou a noite com ele? Com o cara de 26 anos?

– Não. Me recusei a transar com alguém que não tem cabeceira. Não estou tão desesperada assim... ainda. Minha vagina está fechada há tanto tempo que tenho medo de que um espírito vá morar lá dentro.

Eu ri tanto que engasguei com a saliva.

Ela pegou uma caixa e deu uma batidinha nela com o dedo.

– Leve umas talas maleáveis caso alguém quebre um osso. Lençóis estéreis. Você tem oxímetro? Medidor de pressão arterial?

– Não.

– Vou pegar um para você. E uma caixa de nitroglicerina. Você vai precisar de aspirina, anti-histamínico, remédios para enjoo, epinefrina, atropina... Que divertido! É como se preparar para o apocalipse.

– Eles não têm nenhuma clínica lá. Pelo que Daniel contou, só vão até a cidade se o corpo do paciente estiver se desintegrando.

– Não é de admirar que aproveitem quando você está lá.

Assenti, olhando para as prateleiras.

– É. Mas acho que, se isso continuar acontecendo, é bom que eu tenha algumas coisas no carro.

– Então você vai continuar indo até lá, é?

Dei de ombros, examinando a gaze.

– Vou.

Senti o celular vibrar e peguei-o no bolso. Daniel. Uma foto de um pato e a legenda *Duck Norris*. Eu ri. Ele devia estar na casa de Doug.

– É ele? – perguntou Bri.

Sorri para ela.

– É.

– Ele está mandando mensagem?

Dei de ombros. Então meu celular vibrou de novo, e era uma selfie dele abraçando Chloe.

Meu coração *derreteu*.

Seus olhos cor de avelã reluziam. Ele estava de camiseta cinza e com um sorriso radiante. Chloe estava mordiscando sua barba. Levei uma das mãos ao peito.

Quase senti seu aroma fresco através da tela. Eu me imaginei envolvendo-o em meus braços e cheirando seu pomo de adão, enquanto ele me abraçava com aquele seu jeito aconchegante e tranquilo. Senti um calor só de pensar nisso.

Salvei a foto em uma pasta chamada "Daniel", e senti uma vontade peculiar de configurá-la como proteção de tela.

– O que foi? – perguntou ela, olhando para mim.

– Nada – respondi, sorrindo.

Bri balançou a cabeça.

– Meu Deus… você está *se apaixonando* por ele.

Virei a cabeça para ela de repente.

– O quê? Não.

Ela cruzou os braços.

– Ah, está, sim.

– Não, não. É só uma aventura.

Abanei a mão para ela, rejeitando aquela sugestão.

– Não é, não.

Levei o celular ao peito.

– *Não* estou me apaixonando. É só sexo.

– Quando é só sexo, é só sexo. A gente não sorri toda boba para o celular. A gente transa e vai embora e só manda mensagem perguntando se o pênis do cara está disponível. O que ele mandou? É uma foto íntima? Porque, se não for, vocês estão desviando do assunto.

– O quê? Não podemos falar sobre nada que não esteja relacionado a sexo?

Ela estendeu a mão.

– Quero ver seu celular.

– O quê? Não!

– Alexis, quero ver seu *celular*.

Nós nos encaramos em silêncio. Então enfiei o aparelho na mão dela. Ela ficou ali, olhando para a tela. Então arqueou uma sobrancelha.

– É ele?

– É.

Ela soltou um grunhido.

– Ah, puta merda.

Comecei a morder o dedo.

– O quê?

Ela olhou para mim.

– Ele é fofo – disse, como se aquilo fosse decepcionante.

– É. E daí?

– Fofo não é bom. A gente se apega.

Ela rolou a tela e me lançou um olhar severo.

– Isso é um *pato*.

– E?

– Onde está o *pinto*?

Cruzei os braços.

– Ele não manda esse tipo de coisa. E, se mandasse, eu não deixaria você ver.

Ela abriu o registro de chamadas e estreitou os olhos ao analisar a tela.

– Você passou três horas conversando com ele ontem? Pelo telefone?!

Peguei o celular.

– Devolve.

Ela colocou as mãos na cintura.

– Você *gosta* dele. Vocês estão *namorando*.

– Eu demoro duas horas para chegar a Wakan – respondi, na defensiva. – Quando vou para lá, temos que fazer outras coisas. Não dá para ser só sexo.

Ela me olhou boquiaberta.

– Você está aí parada, *mentindo* para sua melhor amiga... A gente se conhece há *dez anos*. Está escrito na sua testa. – Ela gesticulou com a mão na frente do meu nariz. – Está montando um kit de emergência porque pretende passar bastante tempo lá, e quer me dizer que é só sexo?

Voltei a olhar para as ataduras para não ter que encará-la.

– Talvez eu goste dele mesmo. Um pouquinho. – Dei de ombros. – Ele é gentil.

E generoso, engraçado, atencioso…

Bri só balançava a cabeça.

– Você sabe que não pode ser sério, né? Você seria deserdada pelo seu pai.

Bufei.

– Ele está prestes a me deserdar de qualquer forma por não aceitar Neil de volta. Aliás, sabe o que Neil fez na semana passada? – Olhei para ela. – Desligou a energia da casa antes de sair para trabalhar.

– Ele fez *o quê*?

– Isso mesmo. Eu achei que tinha faltado luz.

– Por que diabos ele fez isso? Só de babaquice?

– É. Ele deve ter pensado que eu ligaria para ele pedindo ajuda. É aquela coisa bem passivo-agressiva de "você precisa de mim". Ele está puto porque achou que íamos conversar no outro dia, mas em vez disso eu fui para a casa do Daniel. Mandou mensagem a noite inteira perguntando onde eu estava. Foi como uma montanha-russa emocional: primeiro, ele ficou puto porque eu não apareci; depois, mandou vários pedidos de desculpa; depois, estava irritado de novo porque eu não respondi. Ele anda pela casa de mau humor, todo rabugento. Batendo portas e… – Esfreguei a sobrancelha. – Não vejo *a hora* de tudo isso acabar.

– Ele sabe sobre Daniel?

Balancei a cabeça.

– Não. Óbvio que não. Eu digo que estou na sua casa.

– Ótimo. Ele não é confiável. Nunca deixe que ele saiba. Se esse babaca desliga a energia da casa só para chamar sua atenção, nem quero saber o que faria com seu pau amigo. Daniel sabe sobre ele?

– Sabe o bastante.

– E o que ele diz?

Dei de ombros, pegando um cilindro de oxigênio.

– A gente não conversa sobre isso. Não preciso levar Neil comigo para Wakan. Eu vou para lá justamente para *não* pensar nele. – Revirei os olhos. – Sabe, Neil preparou uma quiche para mim uns dias atrás…

– Ecaaaa, você comeu?

– Não. De jeito nenhum. – Fiz uma careta. – Mas ele deixou lá na cozinha. Está criando fungos.

– Hum, que tal jogar fora?

– Ele que deixou lá, então *ele* que jogue fora. – Soltei o cilindro de oxigênio, que tilintou no chão. – Não *suporto* ficar naquela casa. É por isso que vou tanto para Wakan. Para sair de casa. E não estou me apaixonando por ele.

Ela não pareceu se convencer.

– Aham.

– O que foi? Eu sei que não tem futuro.

Ela inclinou a cabeça.

– Bom, talvez seja melhor parar, então.

Olhei para ela, piscando rápido.

– O quê?

– Melhor parar de ir vê-lo.

Fiquei quieta por um instante.

– Por quê?

– Porque eu conheço você, Ali. E não importa o que esteja dizendo a si mesma, estou vendo o que está acontecendo. Você só vai se machucar. E vai machucar Daniel *também*.

– Eu já avisei que não quero namorar. Ele aceitou. Estamos só nos divertindo.

Ela parecia estar quase com pena de mim.

– Ali, eu sei que Neil acabou com sua autoestima, então pode ser difícil acreditar, mas você é uma mulher incrível. E não tem como esse cara não se apaixonar por você, porque ele vai enxergar isso. Aí ou você manda sua família e o Royaume Northwestern para aquele lugar e se muda para o meio do nada para ficar com Daniel ou você vai acabar se magoando nessa história.

Pensei um pouco.

– Não vou me mudar. Não posso.

– Ele pode se mudar para cá? – perguntou ela.

Balancei a cabeça.

– A vida dele é aquela cidade. E ele está tentando comprar a casa da família.

Ela assentiu.

– Beleza. Vamos conversar sobre isso. O relacionamento continua. Vocês se apaixonam. Ele não pode vir para cá, e mesmo que pudesse, seu pai jamais o aceitaria e sua mãe sempre baixa a cabeça para o seu pai. Derek seria legal com ele, mas não está aqui. Neil o atacaria sempre que tivesse oportunidade. Você acha que Gabby e Jessica e seus maridos reprimidos iriam aceitá-lo de bom grado? Não, não iriam. Então ele fica onde está, e... que mais? Vocês se encontram uma vez por semana para o resto da vida? Você não pode ir morar com ele. Não pode viajar quatro horas todos os dias, não pode mudar de hospital. Então o que vai acontecer quando ele quiser se casar com você? Ou ter filhos? Vai fazer essas coisas com ele? Qual é o plano?

Umedeci os lábios.

– Não sei.

Ela assentiu.

– Ok. Você não sabe. Viu, é disso que estou falando. Você continua esse relacionamento e vai acabar mais perdida do que quando terminou com Neil. Era para ser apenas uma aventura. Sem sentimentos envolvidos. Você transou com o cara *porque* ele era alguém por quem você não poderia se apaixonar. E agora está apaixonada, e precisa terminar tudo antes que não consiga mais.

Engoli em seco. Pensar em terminar com Daniel era... era como se a única coisa que me fazia feliz estivesse prestes a acabar.

Mas acho que isso não importava, porque eu não teria mais tempo para ele. Naquela manhã eu oficializaria minha candidatura ao cargo de chefia.

Soltei um suspiro.

– Vai ter que acabar logo de qualquer forma. Vou me candidatar à chefia.

– Sério?

– Gibson vai sair em agosto. Ainda não foi anunciado, meu pai que me contou.

Ela deu um sorrisinho.

– Que incrível! Você vai ser minha chefe! Vou conseguir todos os dias de folga que quiser!

Eu ri um pouco.

– Cara, você é *perfeita* para a vaga – disse ela. – Mas é bastante trabalho mesmo.

– Eu sei. Mas estou animada. Acho que vai ser bom para mim. Vou ter mais influência no conselho. Vou conseguir fazer mais coisas.

– Pode ser que seu pai finalmente cale a boca.

Bufei.

– Meu Deus, espero que sim.

Só isso já faria tudo valer a pena.

Eu estava desanimada depois do trabalho. Neil fez questão de ficar rondando o pronto-socorro. Eu ignorei. Acima de tudo, não conseguia parar de pensar no que Bri tinha dito, sobre terminar tudo com Daniel.

A verdade é que eu estava *mesmo* me apegando. E não só pelo sexo.

Muitos pensamentos me rondavam a esse respeito. Nenhum deles era bom.

Ainda que a distância, a diferença de idade e o abismo social não existissem, seria inteligente entrar de cabeça em outro relacionamento três meses depois de terminar o anterior? Não era mais razoável ficar solteira por um tempo? Para se encontrar ou algo do tipo? Se eu entrasse de cabeça em outro relacionamento sério, o que isso significaria? Que eu sou emocionalmente dependente? Que não sei ficar sozinha?

Talvez eu *devesse* ficar sozinha.

Eu não estava em condições de namorar alguém naquele momento.

Bri tinha razão. Se eu estava me apegando, talvez devesse cortar o cordão de uma vez.

Mas só de pensar nisso tive falta de ar.

A ideia de não vê-lo mais era tão frustrante que eu nem era capaz de considerá-la. E isso me causava mais pânico porque me dava ainda mais certeza de que eu estava *mesmo* apegada, o que me fazia imaginar se ele estaria apegado *a mim*.

Quer dizer, ele queria ser meu namorado. Isso significava estar apegado? Envolvia *sentimentos*? Ou ele só não queria que eu transasse com mais ninguém?

Parte de mim torcia para que ele não estivesse apegado. Por que ficarmos ambos magoados no fim?

Mas a outra parte torcia para ser correspondida. A outra parte de mim torcia *desesperadamente* para ser correspondida. Porque a única coisa mais assustadora do que nunca mais ver Daniel era não ser correspondida.

Ah, meu Deus. Eu *estava mesmo* me apaixonando por ele.

Estava, sim. *Totalmente.*

ARGH.

Eu não tinha tempo para pensar nisso. Precisava sair para jantar com meus pais, e meu cérebro já estava sobrecarregado. Também não estava exatamente animada para encontrar meu pai. A única coisa boa era que eu poderia falar sobre o cargo de chefia e talvez ele aliviasse um pouco para o meu lado.

Tomei um banho e estava me maquiando diante da penteadeira quando meu celular tocou. Daniel.

– Oi – falei, sorrindo.

– O que está fazendo?

– De robe no banheiro me arrumando para jantar com meus pais.

– *Entããããoo* quer dizer que está nua?

Dava para ouvir o sorriso em sua voz.

– Estou de robe.

– *Entããããoo* você está nua debaixo do robe?

Eu sorri.

– *Siiiim.*

– Mande uma foto.

Arqueei uma sobrancelha.

– Você quer uma foto?

– Quero, por que não?

Dei um sorrisinho, levantei e fui até a cama.

– Mando se você mandar uma também – falei, deitando na cama.

– Não estou podendo tirar fotos neste momento – revelou ele.

– Mande depois.

– Ok. Que tipo de foto você quer? Preciso ouvir você dizer as palavras "Me mande uma foto íntima, Daniel" por motivos de consentimento.

Eu ri.

– Me mande uma foto íntima.

– Uma foto íntima saindo.

– Ahhhh, só uma?

Deu para perceber que ele estava sorrindo.

– Quer me dizer que tipo de foto *você* quer? – perguntei. – Por motivos de consentimento?

– Com você eu consinto tudo.

Eu ri.

– Sabe, só para constar, eu queria estar aí e não precisar de foto nenhuma… – afirmou ele.

Eu dei um sorrisinho irônico ao telefone.

– E o que você faria comigo se estivesse aqui?

– Hummmm. Vejamos – disse ele, a voz grave. – Primeiro, eu deitaria você na cama. Então deitaria por cima e beijaria seu pescoço.

Soltei um gemidinho baixo na garganta.

– Gosto disso…

– Colocaria a mão em seu rosto e olharia em seus olhos. Então diria que você é a mulher mais linda que eu já vi. Que acho você brilhante e gentil e que ver você é o ponto alto da minha semana. Que, quando você está vindo, eu já estou sofrendo porque vai embora, e que fico feliz quando estou com você.

Pisquei freneticamente. Não conseguia respirar.

– Daniel…

– Desculpa – disse ele, com a voz suave. – Sei que não é digno de preliminares.

Balancei a cabeça.

– É – respondi baixinho. – É, sim.

Percebi que ele estava sorrindo.

– Preciso ir. Tenho que servir os aperitivos. – Ele fez uma pausa. – Estou com saudade.

Essa parte foi um soco no coração. Ele nunca tinha dito isso.

Estávamos alcançando outro nível.

Os níveis eram: saudade; eu te amo; namorado, namorada; conhecer a família; morar juntos; noivado.

Casamento…

O problema era que nunca alcançaríamos a maioria desses níveis. Nunca chegaríamos nem perto.

Eu não conseguia nem imaginar sua caminhonete estacionada na entrada da minha casa. Provavelmente seria multada pela associação de moradores.

Pela primeira vez na vida eu me encontrava em uma situação na qual sabia que estava cometendo um erro terrível. Avançando em direção à morte certa em uma velocidade absurda. Mas não conseguia *parar*. Eu sabia que seria inútil seguir em frente com Daniel. Não haveria final feliz. Mas eu sentia sua falta. Ele sentia a minha falta. E eu queria que ele soubesse disso. Pelo menos naquela noite.

– Também estou com saudade.

Daniel

Alexis me mandou uma foto do pescoço para baixo. Robe de seda preto aberto na frente, lingerie de renda preta.

Voltei praticamente correndo para a garagem.

Nunca tinha tirado uma foto íntima. Estava me preparando quando meu celular tocou. Doug.

– Oi, não posso falar agora, estou no meio de algo importante – falei.

– De quê?

– Estou... estou tirando uma foto para Alexis.

Silêncio.

– Estou indo aí.

– O quê? Não. Não venha.

Ouvi a porta de tela de Doug batendo.

– Estou falando sério, Doug, eu não preciso de você.

– Deixa eu adivinhar. Você está tirando uma foto de cima para baixo, usando o flash, no banheiro de merda da sua garagem, dá para ver seu pé na foto e você está de meia.

Olhei para baixo.

Merda.

Ouvi o motor do carro dele.

– Foi o que pensei. Não faça nada enquanto eu não chegar.

– Doug...

– NÃO FAÇA NADA ENQUANTO EU NÃO CHEGAR.

Ele desligou.

Quinze minutos depois, Doug chegou. Com uma *ring light*.

– Não. – Balancei a cabeça. – Não vou usar essa merda.

Ele passou por mim e entrou na oficina.

– Ela vai mostrar para as amigas. Quer mandar uma foto de merda? É isso que você quer?

Fui atrás dele até minha estação de trabalho.

– Ela não vai mostrar para as amigas.

– Daniel? – Uma voz feminina soou do celular de Doug, no viva-voz. – É a Liz. É óbvio que ela vai mostrar para as amigas.

Joguei as mãos para o alto.

– Que inferno! Você ligou para a Liz?

Ele deu de ombros.

– Eu precisava da *ring light* emprestada.

Ouvi Liz dando risada e apertei a ponte do nariz.

– Que constrangedor – sussurrei.

– Constrangedor é mandar uma foto da qual todas as amigas dela vão tirar sarro. Isso é importante, caramba – argumentou ele, colocando o celular com Liz no viva-voz na minha mão. – Todo mundo que ela conhece vai ver suas partes, você não pode vacilar.

Balancei a cabeça.

– Você não vai me ajudar a tirar essa foto.

Ele me olhou como se eu estivesse falando outro idioma.

– Eu não vou tirar a droga da foto. Vou preparar tudo, dar todas as ferramentas, e *você* vai tirar a foto.

A voz de Liz soou na linha:

– Ok, escute, tem toda uma arte envolvida.

Joguei a cabeça para trás e encarei o teto.

– Você precisa segurá-lo – instruiu Liz. – Não o deixe caído, todo solitário.

– Segure pela base – disse Doug, demonstrando com a mão. – Mas não faça aquela coisa de apertar as bolas para parecer maior. Ela já viu, ela já sabe.

Bufei.

– Não dê close. É muito agressivo – avisou Liz. – Tente incluir seu abdômen na foto, talvez uma coxa ou uma bunda. As mulheres gostam disso. Veja como está o fundo. Nada de roupa suja ou uma TV ligada. De jeito nenhum tire essa foto só de camiseta. É muito bizarro. Pode estar de calça ou de cueca boxer meio arriada, mas sem camiseta. E não coloque uma régua ao lado.

Eu ri.

– Os homens colocam uma régua ao lado?

– Sem-pre – respondeu ela.

Doug balançou a cabeça.

– Erro de principiante. E apare os pelos – recomendou ele, montando a luz. – Vai parecer maior.

Soltei um suspiro.

– Mais alguma coisa? – perguntei, relutante.

Doug estava parado com um olho fechado, as mãos em frente ao corpo, emoldurando uma seção da minha parede de ferramentas.

– Acho que aqui vai ficar bom. Másculo. Ela vê as ferramentas no fundo, pensa em um bate-estaca.

Liz riu ao telefone.

– Vou desligar agora. Boa sorte!

E no fundo:

– BOA SORTE!

Ela estava no bar. Com todo mundo.

Tampei o rosto com as mãos.

Demorei vinte minutos, mas tirei a foto e mandei para Alexis. Ela ligou cinco minutos depois, sussurrando:

– Recebi no meio do jantar com meus pais.

– Ah, merda…

– Não, até agora foi o ponto alto da noite – sussurrou ela.

Eu ri.

– Onde você está?

– No banheiro.

Eu me recostei no assento e estendi as pernas e os braços.

– Você deveria trazê-los aqui.

– Quem?

– Seus pais.

Ela ficou em silêncio do outro lado da linha.

– Você não vai querer conhecer meus pais – respondeu ela. – Acredite em mim.

Havia um quê de "fim de papo" em seu tom. Deixei para lá.

– Então quando vou ver você? – perguntei.

– Posso ir amanhã depois do trabalho.

Dei um sorrisinho.

– Tudo bem. Você se importa se sairmos para comer?

– Você quer me levar para sair?

– Vai ter um evento no Bar dos Veteranos. Nada de mais. Só um espaguete para jantar. Liz e os rapazes vão estar lá. Se não se sentir à vontade, podemos ficar em casa mesmo.

– Eu gosto de espaguete – disse ela. – Parece divertido.

Afastei o celular para que ela não ouvisse minha risadinha.

– Ok. Está marcado nosso primeiro encontro – confirmei. – Ei, você não disse que é chata para comer?

– Sou, sim.

– Você come tudo o que eu te ofereço.

Ela soltou uma risada.

– Eu gosto de tudo que você me dá. Não gosto de comida de bar. De coisas fritas.

– Então se eu tivesse oferecido asas de frango apimentadas ou algo do tipo, você não teria vindo para casa comigo naquela noite? Foi a simples promessa vaga de um queijo-quente que fez a balança pender para o meu lado?

– Eu teria ido com você qualquer que fosse o prato que você oferecesse naquela noite.

– Por causa da cabrita?

– Não. Por sua causa. – Deu para ouvir o sorriso em sua voz. – Tenho que desligar.

Eu não conseguia tirar o sorriso do rosto. Desliguei o telefone, radiante.

Ela não disse que não era um encontro – o que queria dizer que *era*. Ela ia sair comigo em público, encontrar meus amigos. Também falou que estava com saudade de mim.

Eu estava com medo de ter esperança em ser correspondido. Parecia impossível que uma mulher como Alexis tivesse qualquer interesse por mim além do sexo. Mas agora eu ousava ter esperanças.

O progresso era lento, mas existia. Pequenas vitórias da minha parte.

Ela estava permitindo que eu me aproximasse. Talvez não quisesse que eu conhecesse seus pais, mas eu jogava essas ideias no ar para ver se colaria. O pior que poderia acontecer era ela dizer não – e às vezes ela dizia *sim*.

Ela disse sim para a exclusividade. Disse sim para o espaguete com meus amigos – que eu minimizei um pouco. Seria mais que um jantar casual. Mas todos queriam que fosse surpresa, e eu é que não ia estragar isso.

Eu sentia que, se continuasse me aproximando, talvez um milagre pudesse acontecer.

Talvez chegasse o dia em que ela só diria sim.

Alexis

Desliguei, retoquei o batom e voltei para o jantar com meus pais.

Tínhamos acabado de fazer o pedido, e nossas bebidas chegaram enquanto eu estava no banheiro. Estávamos no restaurante Sycamore, em Mineápolis. Uma churrascaria sofisticada que parecia o interior da primeira classe do *Titanic*. A iluminação era suave, as toalhas de mesa de linho, imaculadas, e quadros imponentes de homens brancos importantes adornavam as paredes.

Isso sempre me irritou, o fato de os quadros imponentes sempre serem de homens brancos. Até mesmo no Royaume, os corredores estavam cheios deles. Todos os homens que fizeram contribuições importantes no decorrer da história do hospital. A maioria da família Montgomery, mas ainda assim.

Eu ia solicitar quadros imponentes de todas as pessoas marginalizadas que tinham contribuído para o sucesso do hospital nos últimos 125 anos.

Andava pensando muito em qual seria minha contribuição para o Royaume. Talvez eu inaugurasse uma clínica gratuita para pacientes de baixa renda, convencesse alguns doadores a contribuir para programas novos de ajuda financeira.

Essas coisas nunca tinham parecido tão importantes para mim quanto naquele momento.

Sempre que um paciente chegava ao pronto-socorro com o próprio carro ou adiava algum tratamento até o estado ficar crítico a ponto de ir parar na emergência, eu pensava em Daniel.

A maioria das pessoas em Wakan mal conseguia pagar as contas, uma internação arruinaria suas vidas.

Eu sempre tentava ajudar meus pacientes quando eles não podiam pagar pelo tratamento.

Na semana anterior, chegou um homem com o tímpano perfurado, coisa simples, e eu o atendi na sala de espera e passei uma receita para que ele não tivesse que pagar pelo atendimento no pronto-socorro. Quando eu podia, registrava procedimentos de modo que se encaixassem em uma consulta de rotina ou encaminhava pacientes para a medicina de família, onde pagariam menos em vez de administrar um tratamento que podia esperar. Mas estava começando a achar que não era suficiente. Estava começando a achar que deveria fazer mais. E agora eu estava numa posição em que poderia fazer mais.

Definitivamente havia vantagens em ser uma Montgomery. Talvez eu devesse começar a usá-las.

Meus pais pararam de falar quando eu me sentei e estendi o guardanapo no colo. Meu pai olhou bem em meus olhos.

– Então, qual é o anúncio que você tem a fazer?

Minha mãe esperava, paciente.

Eu que tinha marcado o jantar. Eles estavam esperando para conversar comigo sobre o aniversário do hospital, e eu recusava todos os seus convites, principalmente porque todos incluíam Neil. Então eu mesma fiz a reserva e disse a eles que poderíamos conversar sobre o evento durante o jantar, e acrescentei que tinha uma novidade.

Dei um sorriso.

– Eu me candidatei ao cargo de chefia.

As sobrancelhas do meu pai se franziram.

– É claro que você se candidatou ao cargo de chefia, eu mandei você fazer isso, com todas as letras. Que tipo de anúncio é esse? E Neil? – perguntou ele, parecendo confuso.

– O que tem ele? – indaguei, olhando de um para o outro.

– Você não vai voltar com Neil? – retrucou minha mãe, e olhou para meu pai, nervosa.

– O quê? Não...

– Ah, pelo amor de Deus, Alexis! – exclamou meu pai. – Para que este jantar, então?

Olhei para ele, piscando freneticamente.

– Eu... eu achei que você ficaria feliz. Com a notícia da chefia. Você queria que eu me candidatasse. Eu me candidatei. Oficialmente.

– Marcar um jantar e nos trazer até aqui para dizer que vai fazer exatamente o que já deveria estar fazendo desde o início não é digno de um anúncio – disse ele.

Minha mãe umedeceu os lábios.

– Querida, achamos que você fosse voltar com Neil.

Pressionei a boca e soltei o ar bem devagar pelo nariz.

– Mãe? Pai? – Coloquei as mãos em cima da mesa. – Eu *nunca* vou voltar com Neil.

– E por que não? – perguntou meu pai, ríspido.

A voz dele soou tão alta que as pessoas das outras mesas se viraram para olhar na nossa direção. Encarei-o boquiaberta, em choque.

Ele apontou o dedo para mim.

– Você se dedicou a esse relacionamento tanto quanto se dedicou à sua carreira. Não faz mais do que o mínimo, e se pergunta por que não é bem-sucedida.

Minha mãe colocou a mão no ombro dele.

– Cecil...

– Não, Jennifer, ela precisa ouvir isso.

O rosto do meu pai estava vermelho.

– Aquele homem merece seu *respeito*. Você não responde nem às mensagens dele. Ele tentou de todas as formas obter o seu perdão... e se você não quer perdoar, é problema seu. Mas enquanto não tentar terapia de casal não fique aí agindo como se não fosse parte do problema.

Senti meu rosto ficar quente.

– Pai, ele foi *abusivo*...

– Ele bateu em você? – perguntou ele. – Xingou você?

Um caroço estava se formando em minha garganta.

– Não...

– Aquele homem encostou *um dedo* em você?

Lágrimas enchiam meus olhos.

– Não. – Engoli em seco. – Ele era cruel, pai. Ele *continua* sendo cruel. Ele muda o comportamento quando vocês não estão por perto...

– Ele deve estar apenas frustrado, e, para falar a verdade, eu não o culpo. Sinceramente, não sei o que fizemos para merecer filhos assim. Não sei mesmo.

Minha mãe estava massageando o ombro dele.

– Vamos nos acalmar...

– São dois mimados, Jennifer. Eles nunca tiveram que batalhar por nada. São dois preguiçosos.

Fiquei boquiaberta.

– Eu fui *oradora da turma*. Fui a primeira da minha turma em Stanford. Tive que ralar muito...

Meu pai apontou um dedo para mim.

– Não *ouse* usar esse tom comigo, mocinha. Eu já cansei desta conversa. Juro que vou deserdar você como deserdei seu irmão. Tenho tolerância zero com esse desrespeito.

Olhei para ele, piscando rápido.

– Como assim, deserdou meu irmão...?

– Seu irmão fez a escolha dele – disse meu pai. – Ele não será mais bem-vindo enquanto não se livrar daquela mulher com quem se envolveu.

Fiquei olhando para ele, boquiaberta.

– Aquela mulher é *esposa* dele!

As narinas do meu pai dilataram.

– Aquela lá não é minha nora. E é bom que você se lembre disso. Esta família não é um pé-sujo em que corremos o risco de encontrar um drogado tatuado qualquer. Não aceito que nosso nome seja associado a... o que quer que aquela mulher seja.

Minha mãe não conseguia nem me encarar.

Balancei a cabeça, incrédula.

– Você deserdou seu filho porque não gosta da esposa dele... – concluí devagar – ... que você *nem conhece*.

Ele se inclinou para a frente.

– Eu não preciso conhecê-la. A reputação a precede. Ela teve suas intimidades vazadas, pelo amor de Deus.

A injustiça dessa fala me fez retesar o maxilar. A intimidade vazada de Lola Simone não era muito diferente das fotos que Daniel e eu tínhamos acabado de enviar um para o outro.

– Ela confiou em uma pessoa e foi traída – expliquei. – Não foi culpa dela.

– Prefiro ir para o túmulo sem nunca mais dirigir uma palavra ao seu irmão a ter que reconhecer aquele constrangimento que ele convidou a entrar nesta família. Ele deve um pedido de desculpas a cada um de nós. O casamento deve ser algo honrado. *Neil* é honrado. Você pode não ter se casado com ele de papel passado, mas foi casada na prática, e é bom que comece a agir de acordo.

O garçom trouxe nossa comida, e meu pai parou de falar e se recostou na cadeira com o maxilar retesado. Ficamos sentados ali em silêncio enquanto os pratos eram servidos.

Quando o garçom saiu, meu pai começou a comer, cortando o filé com raiva, como se tivesse desistido de me convencer e só quisesse acabar com aquele jantar para poder ir embora.

Precisei me esforçar ao máximo para conter a vontade de chorar.

Minha mãe pegou um garfo e o segurou acima do prato, olhando para ele. Reconheci aquele olhar. Em mim mesma. É o olhar de quando estamos cansadas demais para continuar lutando.

É como a gente se sente logo antes de aceitar a quiche.

Levantei e corri até o banheiro. Minha mãe veio atrás de mim logo depois.

Entrei em uma das cabines e arranquei um pedaço de papel higiênico do rolo.

– Como você pôde permitir que ele fizesse isso com Derek? – Enxuguei os olhos. – Ele é seu *filho*.

– E o que *eu* poderia ter feito, Alexis? – Ela ergueu as mãos. – Seu pai é assim. Eu teria mais sucesso tentando mover montanhas do que tentando convencer aquele homem. E seu irmão sabia *exatamente* o que estava fazendo. Sabia que seu pai jamais aprovaria, por isso se casou em segredo. Você pode me culpar quanto quiser, mas seu irmão é um homem adulto, que tomou as próprias decisões sabendo muito bem quais seriam as consequências.

Minha mãe se virou devagar e se jogou em uma poltrona no canto do banheiro como se seu corpo pesasse um milhão de quilos.

– Eu sou uma mulher de 73 anos, e estou *cansada*. Eu amo seu pai. Ele é brilhante e maravilhoso em tantos aspectos, mas é um homem difícil, e isso *nunca* vai mudar. Ou aceitamos como ele é ou ficamos sem nada. Seu irmão escolheu ficar sem nada… mas foi uma *escolha*.

Funguei e desviei o olhar.

– Alexis, seu pai perdeu tudo o que era importante para ele nos últimos dois meses – disse ela. – Sua carreira terminou, e sua visão está se deteriorando. O futuro do legado é incerto, Derek foi embora, você terminou com Neil. Ele tem quase 80 anos, e sua vida inteira está fora do eixo.

Fechei bem os olhos e me apoiei na pia.

– Ele já está velho. Não sei quanto tempo ainda teremos com ele. Tente ceder um pouco – implorou ela. – *Por favor*. O que são algumas sessões de terapia com Neil? Você não tem como saber se tem conserto se não tentar. E se não der certo, não deu.

Abri os olhos e a encarei. Incrédula.

– Você não me ouviu dizer que ele era abusivo?

Ela ergueu as mãos.

– O que vai acontecer se um terapeuta ficar sentado lá vendo vocês falarem? Pelo amor de Deus, talvez Neil aprenda alguma coisa. É só uma hora por semana. Dê ao seu pai o que ele quer, para que ele possa esquecer isso e seguir *em frente*. Mostre que respeita a opinião dele. Ele precisa disso neste momento.

Engoli o nó em minha garganta. Ela não estava pedindo que eu fizesse aquilo por meu pai, mas por si mesma. Porque meu pai ficaria insuportável se eu não aceitasse. Ele provavelmente já estava.

Nem consegui responder. Não levaria a nada. Ela tinha razão. Meu pai era assim.

Derek...

Ele nunca mais estaria presente no Dia de Ação de Graças. Nem no Natal. Não estaria nas festas de aniversário de nossos pais. Era provável que nunca mais visse a casa onde cresceu.

Nem por um segundo eu duvidava da capacidade que meu pai tinha de se agarrar ao ódio até o fim. Ele teve um desentendimento mesquinho com a irmã cinquenta anos antes e nunca mais falou com ela. Nem mesmo em seu leito de morte.

Eu estava de coração partido por meu irmão e minha mãe. E por mim também.

Acho que não tinha processado efetivamente a impossibilidade do meu relacionamento com Daniel até aquele instante. Não de verdade. Eu sabia, em teoria, que jamais daria certo. Só pela distância. Mas agora a incompatibilidade de nossas vidas se destacava de todos os ângulos. De cima, de baixo, e além.

Daniel queria conhecer meus pais, como qualquer namorado desejaria. Mas ele jamais poderia se sentar à mesa para jantar com eles. Nem em um milhão de anos.

Meu pai não só não gostaria dele. Ele me *proibiria* de ficar com ele. E minha mãe era fraca demais para discordar.

Daniel seria minha Lola. Ele não poderia ser meu acompanhante no evento de aniversário do hospital. Não poderia ir a um churrasco da família ou ao brunch de aniversário que preparavam para mim todos os anos.

Meu pai não poderia nem saber que ele existia. Meu pai nunca ficaria feliz com qualquer um que não fosse *Neil*.

Não me era permitido nem mesmo ficar sozinha. Decidir ficar solteira em vez de manter o relacionamento com Neil seria jogar sal na ferida.

Daniel estaria sob ataque constante assim que entrasse em meu mundo. E aquele jantar era prova disso. Estar ali já era difícil para *mim*, e *eu* fazia parte da família.

Então para que arrastar Daniel para aquilo? Para me apegar mais? Para que dizer *estou com saudade*, como se isso fosse fazer diferença no fim das contas? Bri tinha razão. Eu deveria libertá-lo. Deveria deixá-lo encontrar alguém que pudesse estar presente como ele merecia. Alguém cujos pais ficariam felizes em conhecê-lo – porque eram essas coisas que importavam. Importavam para ele e para mim também.

Daniel era maravilhoso. Ele só não era maravilhoso o suficiente para *minha família*.

Não quis ir para casa depois do jantar. Tinha a sensação de que Neil sabia que eu havia caído em uma armadilha e uma segunda emboscada estaria à minha espera, como se ele e meu pai tivessem coordenado seus ataques.

Então fui até a casa de Bri.

Ela já abriu a porta falando, embora eu não tivesse dito que ia.

– Ih, eu estava te mandando uma mensagem agora mesmo. Que diabos é *isto*?

Ela mostrou o celular, com uma revista de fofocas na tela. Na capa, uma foto de Lola Simone e meu irmão com a manchete "Casamento secreto!".

Bom, acho que era por isso que o pavio do meu pai estava tão curto no jantar…

Revirei os olhos.

– Pelo menos usaram uma foto em que ele está bonito – resmunguei. – Ele vai ficar feliz.

Passei de lado por ela e entrei na sala.

– Então é verdade? – perguntou ela. – Foi por isso aquele negócio do termo de confidencialidade?

– Foi – respondi cansada, me jogando no sofá.

Ela examinou a foto mais uma vez.

– Caramba. Não me admira ele ter saído do país. Seu pai deve ter colocado um matador de aluguel atrás dele. Ou *dela*.

Eu nem estava surpresa com o vazamento da história. Do jeito que meu pai andava falando de Lola por aí, era só questão de tempo. Pelo menos o casal feliz teve algumas semanas de privacidade antes que a notícia chegasse à imprensa.

Ela jogou o celular no sofá e se sentou ao lado.

– E o que você está fazendo aqui? O jantar não foi bom?

Fechei bem os olhos.

– Meu pai deserdou o Derek.

Ela ficou olhando para mim, piscando.

– Tipo, de verdade?

Soltei um longo suspiro.

– Em todos os sentidos da palavra. Derek morreu para ele.

Ela se recostou no sofá.

– Uau – disse baixinho. – Que coisa mais medieval.

– E acho que vou ter que fazer terapia de casal com Neil.

– Ecaaa, *por quê*?

Ela pareceu horrorizada.

– Porque, se eu não fizer isso, meu pai não vai desistir dessa história.

Ela bufou.

– Ele não vai desistir de qualquer jeito. Nada que não seja voltar com Neil vai ser suficiente. Seu pai só vai arranjar novas exigências. Vai ser "bom, não foi tempo suficiente" ou "você não levou a sério". Seu pai é um monstro. Por que você não recusa de uma vez?

– Não posso. Só iria piorar as coisas para minha mãe.

Iria piorar as coisas até mesmo para *mim*.

– E daí? Nunca ocorreu a você que seu pai é tão abusivo quanto Neil? Que talvez você tenha aprendido a suportar Neil porque desde o início lhe ensinaram que, para ser amada, precisa acalmar os nervos de um babaca?

– Ele é meu pai, Bri.

Balancei a cabeça, olhando para o nada.

– Imagine nunca mais ver seus pais porque você se apaixonou por alguém – falei calmamente.

– Você acha que Derek sabia que isso ia acontecer? – perguntou ela.

Assenti.

– Sim. Acho que ele se casou com Lola sabendo *exatamente* do que estaria abrindo *mão*. – Soltei um suspiro. – Você tem razão. Preciso parar de ver Daniel.

Ela me analisou.

– Você está bem?

Balancei a cabeça.

– Não. Na verdade não.

Ficamos em silêncio por um instante.

– Não sei o que dizer para fazer você se sentir melhor – declarou ela. – Todas as minhas ideias são assustadoras.

Soltei uma risada.

– Estou falando sério. Sou uma conselheira de guerra. Tudo o que eu tenho a oferecer são roteiros de vingança e álibis. Mas já vou avisando: se matarmos Neil, você é quem vai cavar a cova. Eu minto para defender você no tribunal, eu a ajudo a se livrar do corpo, mas não fiz faculdade de medicina para acabar escavando terra.

Dei uma risada mordaz.

– Ah, Daniel finalmente mandou uma foto íntima. Muito boa.

– *Ahhhh*, posso ver?

– Não, definitivamente não.

Ela apontou o dedo para mim.

– Está vendo?! Você gosta dele, *sim*! Isso foi um teste, e você foi reprovada.

– Como eu... Só porque não quero mostrar a foto que alguém me mandou porque confia em mim?

– As fotos íntimas dos caras são propriedade pública a não ser que você queira o cara só para você. Você colocou uma bandeirinha no pênis do Daniel, ela está balançando ao vento e diz *Ali*.

A essa altura eu estava rindo.

– Você pode ver *tooooodas* as fotos íntimas que recebi. Os caras distribuem como se dissessem "Um pênis para você, um para você e um para VOCÊ!".

Eu engasguei, e ficamos rindo por um tempo.

Então soltei um suspiro.

– Por que tudo é tão difícil?

– Porque você quer agradar a todo mundo.

– Rá-rá.

– Estou falando sério. Desista de agradar a algumas pessoas e veja como as coisas ficam mais fáceis. Você passa muito tempo pensando nos outros, e isso está te deixando arrasada.

Balancei a cabeça.

– Como posso não me importar se meus pais decidirem nunca mais falar comigo? Ou se meu pai acha que sou um desperdício de DNA? Eu já sou o elo mais fraco da história da família Montgomery. Eu *preciso* agradar. Não tenho escolha.

Ela balançou a cabeça.

– Imagine ser uma *médica* foda e sua família reclamar "por que você nos decepciona tanto"?

Soltei o ar, tensa.

– Quer dizer, as coisas com Daniel já não iam dar certo mesmo. Tudo o que você disse antes é verdade. *Eu* não posso me mudar, *ele* não pode se mudar. Meu pai é só a cereja do bolo. O fim é inevitável. Só não entendo por que é tão desagradável terminar algo já fadado a acabar.

– Porque não é você que está no comando. De nada disso.

Enxuguei embaixo dos olhos.

Ela zombou.

– Você vai *odiar* fazer terapia de casal com Neil.

Soltei um grunhido.

– Aposto mil dólares que ele vai enganar o terapeuta.

– Você deveria obrigá-lo a ir à sua terapeuta. Assim ela poderia apontar a fraude.

Ergui a cabeça e olhei para ela.

– Sabe de uma coisa? Isso é genial. – Eu sorri. – Acabei de ter uma ideia.

Ela deu um sorrisinho.

– Qual?

Peguei o celular e liguei para Neil.

Ele atendeu no primeiro toque.

– Ali?

Fiquei irritada com a esperança em sua voz.

– Oi, Neil. Vamos fazer um pequeno exercício de confiança.

– Ok… – respondeu ele.

– Durante os próximos quatro meses você vai fazer terapia. Com a *minha* terapeuta. Você. Sozinho. Mas vai dizer aos meus pais que estou indo junto…

– Por que eu diri…

– *Shhhhh!* Eu falo, você ouve. Vou permitir que ela converse com você sobre qualquer coisa que eu já tenha conversado com ela, então você vai ter todas as informações necessárias para entender por que não estamos juntos. Você vai contar aos meus pais que estamos fazendo terapia de casal. E, depois das dezesseis semanas, desde que não tenha me dedurado e tenha ido a todas as sessões, e eu vou precisar de *provas*, eu concordo em fazer terapia com você.

Ele ficou em silêncio.

– Se me quer tanto de volta, essa é sua grande chance. E também é minha oferta definitiva.

Mais silêncio.

– Tudo bem – respondeu ele. – Sim, eu topo. Obrigado.

– Ótimo.

Desliguei.

Bri me encarava com os olhos arregalados.

– UAU. Talvez *você* seja a conselheira de guerra. – Ela balançou a cabeça. – Não acredito que ele concordou.

– Ele tinha que concordar. Perdeu o controle da situação. Suas outras estratégias não estão funcionando – argumentei.

– Acha que ele vai cumprir o acordo? – perguntou ela.

– Não faço ideia. Estou inclinada a pensar que não.

– E se cumprir?

Dei de ombros.

Então minha mãe e eu vamos ter uma folga mental de quatro meses? E eu acabo fazendo o que acho que vou fazer de qualquer forma, fingir que estou me dedicando a salvar o relacionamento?

Ela soltou um suspiro resignado.

– Ai, Ali.

– Vai ser bom para Neil se cumprir a parte dele – falei. – Ele precisa fazer terapia.

– O que ele precisa é de Jesus.

Eu ri. Então meu sorriso se desfez.

– Sabe o que é estranho? Daniel tem apenas 28 anos e já está com a vida toda resolvida. *Eu* não deveria estar com a vida toda resolvida a esta altura? Deveria, né?

– Aposto que ele também não está com a vida toda resolvida. Ninguém está. Eu achava que estava, e *olha só no que deu.*

Olhei para ela. Ela estava fitando as próprias mãos, girando um anel no dedinho.

– Você está bem? – perguntei.

Ela deu de ombros.

– O que significa estar bem? Benny está piorando. Não posso fazer nada para ajudar. Meu casamento acabou, e não consigo nem encontrar um cara decente para fazer um sexo casual. Estou o tempo todo entediada e sozinha, morando na droga da casa da minha mãe.

Ela ficou um instante em silêncio.

– Eu só quero que uma de nós seja feliz. Por que não conseguimos ser felizes?

Soltei um suspiro.

– O que é a felicidade, Bri? Eu ando na linha e faço o que esperam de mim, desisto do Daniel, mas permaneço com minha família? Ou desisto de tudo, me torno a vergonha do legado Montgomery, perco meu pai, deixo minha mãe arrasada, mas fico com o cara de quem eu gosto? Qual dessas duas opções é a felicidade?

Ela deu de ombros.

– É fácil. A felicidade é aquela sem a qual você não conseguiria viver. – Ela me encarou com sinceridade. – Mas eu vou estar aqui quando precisar de mim. Eu sempre estarei aqui.

Analisei seu rosto com gratidão.

Bri era incrível. Ela não merecia o que tinha acontecido com seu ex ou o que estava acontecendo com o irmão. Merecia tudo de bom e mais um pouco.

– Talvez nós duas devêssemos desistir do Royaume – sugeri.

Ela riu.

– E dos homens também. Vamos morar juntas e começar um canal no YouTube em que bebemos e avaliamos pães.

Eu ri, me aproximando e abraçando-a.

– Eu te amo – sussurrei.

– Eu também te amo – disse ela, com o queixo em meu ombro. – Mas não vou cavar a cova.

Alexis

Quando vi Neil na cozinha naquela manhã, ele tentou deslizar o dedo em meu rosto com delicadeza, como se a oferta de terapia tivesse sido um momento significativo de perdão. Afastei sua mão com um tapa, peguei a cafeteira, fui até meu quarto e tranquei a porta.

Tive que voltar um minuto depois para enfiar cápsulas de café no bolso do robe, por isso a atitude anterior perdeu um pouco do impacto, mas acho que a mensagem foi clara. Se ele queria conversar comigo, isso aconteceria só depois dos quatro meses ultrapassando todos os obstáculos – o que eu não esperava muito que ele fizesse. Mas pelo menos tiraria meu pai do meu pé por tempo suficiente para que eu respirasse.

Já eram quase sete horas e estava escuro, e eu estava a vinte minutos de Wakan.

Eu tinha perdido um paciente.

Eu perdia pacientes o tempo todo. Faz parte do meu trabalho. Mas aquele especificamente me deixou mais triste que o normal.

Depois que aconteceu, eu me senti estranhamente entorpecida, como se aquilo tivesse afetado minha capacidade de processar acontecimentos ruins. O jantar com meus pais, Derek deserdado, a decisão de terminar tudo com Daniel, tudo era demais para mim. Eu esperava que a desconexão emocional durasse. Só queria passar por aquela última noite com Daniel e chorar até ensopar o travesseiro quando chegasse em casa.

No caminho, ouvi o quinto álbum da Lola. Era triste. A coisa toda me lembrou a canção "Foolish Games", da Jewel. Fiquei me perguntando pelo que Lola teria passado para compor aquelas músicas.

Às vezes eu tentava relacionar seus álbuns com o que conseguia encontrar a seu respeito na internet. Havia rumores de que ela estava namorando um dos dançarinos na época da gravação. Talvez tivesse a ver com ele.

Acho que Lola teve uma vida difícil. Eu torcia para que tivesse ficado mais fácil com meu irmão. Apostava que sim. Não... eu *sabia* que sim. Sabia como meu irmão a amava, pois, quando meu irmão amava alguém, ele se entregava por inteiro.

Eu não tinha conversado com Derek desde a sua partida. A diferença de fuso horário era de doze horas, e ele estava em uma área rural do país onde era difícil ter acesso a comunicação. Mas eu sentia meu irmão, e sabia que ele me sentia. E mandei muito amor para ele e para a esposa.

Se Derek disse que Lola valia a pena, era porque valia. Simples. Sua palavra era tudo de que eu precisava. Eu gostaria que fosse assim com nosso pai, que bastasse eu aparecer com alguém como Daniel para que meu pai soubesse que, se eu o levei para casa, ele devia ser excepcional.

Mas não era assim que meu pai avaliava as pessoas.

Era engraçado que uma pessoa horrível como Neil tivesse o respeito dele e uma pessoa boa como Daniel jamais o teria. Tudo porque ele não tinha a educação, o emprego ou a família certos.

A situação com meu irmão serviu como um alerta. Não quanto a desobedecer ao meu pai. Mas quanto a se apaixonar por alguém que ele não aprovaria, tornando a desobediência necessária.

Quando cheguei à Casa Grant, Daniel estava me esperando do lado de fora, como sempre. Não estava com Chloe no colo. Ela tinha voltado para a fazenda no dia anterior, pois não precisava mais da mamadeira.

Mudar era inevitável. Mas naquele dia mudar me deixava muito, muito triste.

Fiquei sentada no carro durante mais tempo do que de costume só para absorver aquela cena – porque seria a última vez que Daniel e Hunter estariam esperando por mim.

Quando saí, Hunter se jogou em cima de mim, então Daniel veio com a mesma energia, me envolvendo em um de seus abraços de urso. Os dois ficavam sempre muito animados ao me ver.

Neil nunca me cumprimentou assim. Talvez estivesse relacionado à maturidade. Lembrei que Bri disse que os homens eram como cachorrinhos naquela idade, e parecia ser verdade. Daniel demonstrava uma felicidade pura sempre que eu aparecia por lá.

Fechei os olhos, respirei fundo e me derreti em seu beijo.

Ele se afastou só um pouco e olhou para mim.

– Está pronta para o jantar? – perguntou. – Pensei em irmos andando. A noite está agradável.

Olhei para seu rosto sorridente e funguei.

– É. Vamos andar.

Ele inclinou a cabeça para o lado.

– O que aconteceu?

Balancei a cabeça.

– Nada.

Ele me encarou, os olhos castanhos calorosos vendo através da minha alma.

– Não parece ser nada.

– Perdi um paciente hoje.

Ele franziu suas sobrancelhas lindas.

– O que houve?

Parei por um instante.

– Era um garoto de 17 anos. O caiaque dele virou. Ele estava sem colete salva-vidas.

Daniel estudou meu rosto sem dizer uma palavra.

– Sabe qual é o maior perigo de um afogamento? – perguntei, olhando para ele. – É silencioso. A não ser que alguém esteja prestando muita atenção em você, ninguém vai aparecer para salvá-lo.

Ele tirou uma mecha de cabelo da minha testa.

– Eu presto atenção em você. Eu a salvaria se você estivesse se afogando.

Era gentil, mas não era verdade. Porque eu não estava me afogando ali com ele. Eu estava me afogando a duas horas de distância, sozinha.

– Vamos comer – falei, mudando de assunto.

Ele assentiu.

– Ok. Vou só colocar o Hunter para dentro, e já vamos.

Alguns minutos depois, entramos na trilha de bicicleta que levava à rua principal, e Daniel entrelaçou os dedos nos meus.

– Como foi seu dia? – perguntei, querendo falar sobre algo que não me envolvesse.

– Bem, vejamos – respondeu ele, olhando para a trilha à nossa frente. – Hunter comeu um protetor labial. Kevin Bacon fugiu de novo. Dessa vez, ele entrou na farmácia e comeu todos os chocolates que ficavam perto do caixa. A Sra. Pearson quase morreu de susto.

Dei uma risada fraca.

– Doug não vai comê-lo, vai?

Ele balançou a cabeça.

– Não. Doug é vegetariano.

Franzi a testa.

– Sério?

– É. Não bebe também. Kevin Bacon vai ter uma vida longa aterrorizando os moradores.

Eu ri.

– Depois fiquei um pouco no rio – contou ele.

– Nadou?

– Não. Ainda está muito frio. Na verdade, estava procurando uma coisa para você – revelou ele, soltando minha mão para pegar algo no bolso.

Daniel colocou um objeto na minha mão. Era uma pedra mais ou menos do tamanho de uma noz. Lisa e cinza.

– Tem formato de coração – disse ele. – Demorei duas horas para encontrar.

Meu coração se desintegrou. Partiu de dentro para fora e se despedaçou no meu peito.

Eu amei aquilo. Amei mais do que já tinha amado qualquer coisa.

Não era chamativo. Não tinha custado nada além de seu tempo – mas era este o presente. Daniel não *tinha* tempo. Tempo era algo valioso para ele naquele momento, e ele o tinha gastado para procurar aquilo para mim?

Meu queixo tremeu. Era a coisa mais doce que alguém já tinha feito para mim, o que era ridículo porque era só uma pedra.

Como eu não disse nada, ele falou:

– Desculpa. É idiota. Achei que você pudesse...

– Eu amei muito. Tanto que nem sei o que dizer.

Olhei para ele com lágrimas nos olhos.

Ele parecia quase esperançoso.

– Você gostou? Sério?

– Eu amei. Obrigada.

Ah, que garoto gentil, atencioso e doce...

Estendi os braços e o abracei, e ele me envolveu como sempre. Mas dessa vez seus braços pareciam quase raízes, como se ele estivesse tentando impedir que eu saísse à deriva.

Ou afundasse.

Eu ia guardar aquele presente para sempre. Mesmo que me casasse com outra pessoa. Guardaria até o dia da minha morte.

Tive uma premonição estranha com parentes vasculhando meus pertences após o meu velório, como tínhamos feito semanas antes com a tia Lil. Eles encontrariam aquela pedra e se perguntariam por que ela estava naquela única caixa de sapato que eu tinha levado para a casa de repouso.

E me perguntei quantos dos pequenos objetos que encontrei na caixa da tia Lil eram coisas assim. Resquícios de momentos em sua vida que ficaram com ela para sempre. Provas que marcaram sua alma.

É incrível como uma pessoa pode nos tocar, mesmo que a conheçamos pouco. Como uma pessoa pode nos mudar para sempre.

Com Daniel foi assim. Ele me mudou. Eu já era uma pessoa melhor por conhecê-lo. O que tornava tudo ainda mais difícil.

Eu me afastei e sequei os olhos, e Daniel olhou para mim com carinho antes de voltar a segurar minha mão.

Quando chegamos ao Bar dos Veteranos, havia uma faixa na entrada dizendo que o lugar estava fechado para uma festa particular. Daniel me fez parar à porta.

– Ok, eu preciso avisar uma coisa.

– O quê?

– Eu não fui totalmente sincero quanto ao motivo pelo qual viemos até aqui. Eles queriam que eu guardasse segredo. Tem uma coisinha para você lá dentro.

Virei o rosto.

– Que coisinha?

Ele não respondeu. Só abriu a porta e me levou para dentro.

O lugar estava lotado. Parecia que nem teríamos espaço para sentar. E quando me viram entrar, todos começaram a comemorar e aplaudir.

Havia uma faixa grande pendurada no bar: OBRIGADA, DRA. ALEXIS.

Olhei ao redor, piscando freneticamente e tapando a boca com as mãos.

– Daniel, o que é *isso*?

Liz, Doreen, Doug, Pops, todos estavam lá.

Então Emelia e Hannah atravessaram a multidão. Hannah estava com a bebê nos braços, e eu entendi tudo imediatamente.

Daniel se aproximou e cochichou em meu ouvido:

– Então quer dizer que o cordão estava enrolado no pescoço da bebê? Emelia estava com uma enfermeira ao celular durante o parto. Ela disse que você salvou Lily.

Meus olhos se encheram de lágrimas.

As pessoas costumavam me agradecer bastante pelo meu trabalho. Mas nunca uma cidade inteira.

Hannah sorriu ao se aproximar, e outras pessoas me davam tapinhas nas costas, sorriam e aplaudiam.

Aquilo preencheu meu coração. Era como se eles estivessem me devolvendo tudo o que meu pai e Neil tinham drenado de mim. Despejavam amor, afeto e reconhecimento em meu poço vazio, um sorriso e um agradecimento de cada vez.

– A gente só queria agradecer – disse Hannah, sorrindo. – Lily talvez não estivesse aqui se você não tivesse vindo.

Enxuguei os olhos.

– Foi um prazer.

– Quer segurá-la? – perguntou Emelia.

Funguei e assenti.

– Posso?

Hannah se aproximou e colocou a bebê em meus braços. Eu abaixei o cobertor e olhei para ela. Ela era perfeita.

Passei o dedo em seu rostinho rosado. Ela tinha quase duas semanas de vida. Logo tomaria as primeiras vacinas, e o coto umbilical estava quase caindo. Ela já tinha crescido.

Aquele era o único ponto negativo de trabalhar no pronto-socorro. A maioria dos pacientes – com exceção dos reincidentes, como o Cara do Nunchaku – entrava e saía do hospital, e eu nunca mais os via. Não sabia como eles estavam, se tinham melhorado, piorado. Meu trabalho era estabilizá-los e encaminhá-los ao profissional que trataria de seu problema específico.

Às vezes eu gostaria de revê-los. De vê-los crescer, de acompanhá-los no decorrer da vida e testemunhar suas mudanças.

– Você está amamentando? – perguntei a Hannah, ainda sorrindo para a bebê. – Eu trouxe fórmula se você precisar.

– Estou, sim – respondeu ela. Então baixou a voz: – Na verdade, eu queria conversar com você sobre isso. Meu peito está doendo muito e está meio quente... – Ela puxou a alça do sutiã, parecia desconfortável.

Eu sorri.

– Posso dar uma olhada depois.

Hannah pareceu aliviada.

– Obrigada.

Devolvi Lily para suas mães, e Daniel me levou até a mesa onde Doug estava sentado. Colocaram uma música para tocar e a festa começou. Era um bufê de espaguete, e Doreen tinha preparado um bolo de chocolate enorme com as palavras *Obrigada, Dra. Alexis*. Daniel se sentou ao meu lado e segurou minha mão.

Eu me senti tão... *amada*.

Por *todos* eles.

Eu tinha jantado com meus pais na noite anterior e não tinha me sentido querida desse jeito. Na verdade, eles fizeram com que eu me sentisse um lixo.

Alguém me trouxe uma porção grande de espaguete e uma salada. Daniel foi buscar uma taça de vinho e me beijou na lateral da cabeça quando voltou a se sentar. O lugar estava alegre, com risadas e garfos tilintando em pratos, rostos amigáveis olhando para mim e sorrindo.

Jake estava no bar. De uniforme, ele ria um pouco alto demais com alguém perto da mesa de sinuca. Algo nele me causou uma má impressão, mas eu não sabia dizer exatamente o quê.

Doug se aproximou enquanto eu observava Jake.

– Posso fazer uma pergunta?

Limpei a boca com um guardanapo.

– Claro.

– O que aconteceu? – indagou ele. – Disseram que o cordão estava enrolado no pescoço e você fez o parto do jeito certo. Como fez isso?

– Fiz a manobra da cambalhota para evitar que o cordão esticasse.

– Pode me mostrar como você fez? – perguntou ele.

– Você quer que eu mostre?

– Quero. Não gosto de pensar que eu poderia ter estragado tudo. Caso aconteça de novo, quero saber o que fazer.

Assenti.

– Tudo bem. Claro. Ah, falando nisso, eu trouxe um kit de sutura que quero deixar com você.

Seu rosto se iluminou.

– Sério? Um kit?

– Sim. Chega de anzol e gim.

Daniel riu, pegou minha mão e a beijou.

Liz veio com um refrigerante para Doug.

– Mais vinho? – perguntou para mim.

– Não, estou satisfeita. Obrigada. – Eu sorri.

Daniel apontou com a cabeça para a cadeira vazia ao lado de Doug.

– Sente-se com a gente.

– Não posso, estou trabalhando – respondeu ela. – Onde está o Brian? – perguntou, olhando ao redor.

– Em um encontro – disse Doug. – Em Rochester.

O sorriso de Liz se desfez na hora.

– Ah.

Daniel consultou o relógio.

– Ele já deveria ter voltado. O encontro deve estar rendendo.

– Entendi – disse Liz, desviando o olhar. – Bom, me avisem se precisarem de mais alguma coisa – continuou, apática.

Observei enquanto Liz voltava até o bar. Os outros pareceram não perceber a mudança.

– Liz e Brian já namoraram? – indaguei.

Doug zombou.

– Nah. Ele não faz o tipo dela. Ela gosta de babacas – explicou ele, fitando o refrigerante.

Vi Liz limpar o balcão, seu sorriso tinha desaparecido.

– Ninguém gosta de babacas – sussurrei. – Às vezes é o que a gente acha que merece.

Depois do jantar, mostrei a manobra da cambalhota para Doug usando uma blusa enrolada como bebê e o fio de um carregador de celular. Então examinei as mamas de Hannah no banheiro e prescrevi antibióticos. Com "prescrevi" quis dizer que informei a Hal, o farmacêutico, que estava comendo uma fatia de bolo na mesa ao lado, qual era o remédio necessário, e ele foi até a farmácia do outro lado da rua para buscá-lo.

Quando terminei, saí à procura de Daniel, que encontrei inclinado por cima do balcão conversando com Liz. Parei e o observei por um tempo, do outro lado do bar.

Foi ali que o conheci. Conheci *de verdade*. Eu estava sentada naquela banqueta. Ele estava em pé no mesmo lugar. Mas *tudo* era diferente agora.

O lugar não parecia mais velho e gasto. Eu nem prestava mais atenção nos assentos puídos e nas cadeiras que não combinavam. Percebi que aquele bar era o coração da comunidade. Era ali que eles comemoravam e se reuniam. E foi ali que descobri o nome dele. Toquei nele pela primeira vez. Até o cheiro estava me deixando nostálgica.

E Daniel não era mais só um cara aleatório em um bar.

Ele acabou se tornando a luz mais brilhante da minha vida, aquilo pelo qual eu ansiava todos os dias. O homem que passava duas horas à beira de um rio tentando encontrar a pedra perfeita para mim.

Ele me *enxergava*. E eu acreditava que ele não ia deixar que eu me afogasse.

Senti um aperto no peito.

E, mesmo assim, na manhã seguinte eu iria embora da cidade para nunca mais voltar. Eu não o veria novamente. Não veria nenhum deles nunca mais.

Daniel se virou e me viu. Quando seu olhar encontrou o meu, seu rosto se iluminou. Ele abriu um de seus sorrisinhos tortos encantadores, com covinha, os cantos dos olhos castanhos enrugados.

Meu coração se partiu ao meio.

Ele se afastou do balcão, percorreu a distância que havia entre nós e me abraçou pela cintura. Eu me sentia tão orgulhosa por ser a mulher que estava ali com ele naquela noite. Por ser a mulher que ele escolheu. Era uma honra. Não porque ele era o prefeito ou o cara mais bonito, mas porque ele era a *melhor pessoa*.

– Pronta para ir para casa? – perguntou ele.
Eu tive que engolir à força o nó em minha garganta.
Não. Eu ainda não estava pronta. Mas tinha que ir.

Nós nos despedimos e fomos caminhando de volta para a casa dele.

Antes de sairmos, Daniel deu uma volta pelo Bar dos Veteranos comigo, me mostrando as matérias amareladas emolduradas nas paredes com histórias das contribuições da família dele à cidade. Estavam ali o combate à gripe espanhola e a história da Lei Seca, que ele já tinha me contado. E havia também um recorte de jornal, do *Wakan Gazette*, sobre o bisavô de Daniel, John, que começou uma corrente humana para tirar as crianças da escola em segurança durante a nevasca mortal do Dia do Armistício de 1940. Sua esposa, Helen Grant, usou o forno a lenha da Casa Grant para assar cem pães, que o marido distribuiu montado em um trenó, junto com alguns medicamentos e lenha, para todas as casas da cidade. Nenhum dos dois dormiu durante três dias. Sobreviventes relatavam lágrimas de alegria ao ver John chegar com o socorro. Wakan não perdeu nenhum habitante.

Havia uma reportagem sobre o avô de Daniel, William, que entrou em ação em 1975 quando um incêndio florestal que se alastrava com velocidade ameaçou atingir a cidade. Ele coordenou uma equipe e trabalhou durante a madrugada para criar um aceiro que salvou Wakan antes que o fogo chegasse. Linda, sua avó, liderou os esforços de evacuação e garantiu que todos estivessem em segurança. Os Grants foram os últimos a deixar o local.

Após o tornado de escala F2 de 1991, William e Linda Grant instalaram um gerador e uma cozinha comunitária no Bar dos Veteranos para garantir que todos fossem alimentados durante a limpeza da cidade. E fizeram um abaixo-assinado e venceram quando o governo quis desviar uma rodovia em um projeto que teria dizimado o turismo de verão. Eles mantinham a cidade limpa, orgulhosa e segura. Era a primeira e a última linha de defesa de Wakan, em todos os aspectos.

Havia muitas histórias.

Percebi que os Grants eram zeladores. Uma realeza humilde. Cuidavam de Wakan e de seus habitantes com a mesma atenção que Daniel dedicava ao jardim e à sua casa. Isso o alimentava, assim como a medicina me alimentava. Seu reino era menor e seu legado era diferente, mas ele estava envolvido em seu patrimônio familiar como eu estava no meu.

Era engraçado pensar que durante 125 anos nossas famílias coexistiram, fazendo as mesmas coisas que faziam naquele momento. Os Grants dedicavam a vida a Wakan e os Montgomerys ao Royaume.

Aposto que nunca passou pela cabeça de Daniel abandonar sua vocação.

Eu me senti culpada ao desejar não ser quem eu era. Sabia como o legado Montgomery era importante. Sabia o que eu poderia fazer com ele, quantas pessoas tinham sido salvas por ele, e a diferença que fazíamos na vida daqueles a quem servíamos. Mas desejava que não fosse o *meu* legado. Desejava que fosse de outra pessoa que soubesse usá-lo. Eu não sabia, e não conseguiria honrá-lo como deveria.

Todos esperavam que eu me tornasse alguém excepcional, que realizasse algo grandioso, que deixasse minha marca. E eu não tinha ideia de como fazer isso.

Eu tinha a sensação de que nunca saberia.

– Ei, quer ver uma coisa? – perguntou Daniel, interrompendo meus pensamentos.

– Claro.

Atravessamos o parque que ficava à beira do rio e paramos em frente à estátua de um homem no meio da praça. Daniel acenou com a cabeça.

– Este é meu tataravô. Ele fundou a cidade.

Olhei para a estátua majestosa de bronze. A placa dizia JOSEPH GRANT.

A semelhança com Daniel era muito grande. Os mesmos olhos gentis e o olhar firme.

Daniel ficou ali, olhando para a estátua, e eu fiquei observando seu rosto de perfil.

Daniel tinha que estar ali quando a cidade precisasse dele. Um dia ele seria necessário, como todos os seus ascendentes. Porque tempos difíceis são inevitáveis, e ninguém se importava tanto com Wakan quanto sua família. Por isso sempre correspondiam. E por isso um deles sempre deveria estar ali.

Ele tinha que estar ali. E tinha que estar naquela casa.

No fundo do meu coração, eu sabia que aquilo era parte do que lhe dava forças para fazer o que ele precisava fazer. Um Montgomery trabalhando em qualquer outro hospital continua sendo um Montgomery, mas isso nos enfraquecia, diminuía nossa influência. Eu tinha que estar no Royaume, e ele *tinha* que estar na Casa Grant.

Comecei a falar antes mesmo de pensar no que estava dizendo.

– Se você precisa do dinheiro, eu posso emprestar – sugeri.

Ele se virou para mim e franziu as sobrancelhas.

– O quê?

– Os 50 mil dólares. Eu posso emprestar.

Ele piscou.

– Você tem esse dinheiro? – retrucou.

Assenti.

– Tenho, sim.

E não seria um empréstimo. Seria um presente. Um presente de despedida.

Se soubesse que eu não queria o dinheiro de volta, ele não aceitaria. Era honrado demais. Mas eu queria fazer aquilo por ele.

Talvez aquele tivesse sido o *real* motivo pelo qual eu passei pela cidade semanas antes. O motivo pelo qual o guaxinim cruzou a estrada na minha frente e um estranho charmoso me resgatou. Talvez Popeye tivesse razão quando dizia que a cidade conseguia aquilo de que precisava. E a cidade precisava de Daniel. Eu não suportaria vê-lo perder sua fortaleza, e poderia garantir que isso não acontecesse. Provavelmente eu era a única pessoa possível.

Mas ele balançou a cabeça.

– Alexis, eu agradeço a oferta. De verdade. Mas não posso aceitar.

– Por quê? Você está trabalhando tanto. Eu tenho o dinheiro. Me deixe ajudar.

Ele soltou um longo suspiro e desviou o olhar. Quando seus olhos voltaram a me encarar, estavam firmes.

– Você não é um banco, Alexis. – Ele diminuiu a distância entre nós e me abraçou pela cintura. – Mas obrigado por oferecer. É muito importante para mim.

Balancei a cabeça.

– Outras pessoas me ajudaram a chegar aonde cheguei, e agora eu posso ajudar você. Queria que me deixasse fazer isso.

Mas ele tinha uma expressão decidida.

Pressionei os lábios.

– Prometa que, se não conseguir o dinheiro, vai me deixar emprestá-lo. Não perca sua casa.

Ele soltou um suspiro resignado.

– Tudo bem. Eu prometo.

Mas eu sabia que ele não deixaria. Ele não deixaria porque não aceitaria nada de mim se não estivéssemos juntos.

E depois daquele dia não estaríamos.

Ele me abraçou. Então começou a dar uma risadinha.

Eu me afastei.

– O que foi?

Ele balançou a cabeça.

– Nada de mais. É que eu lhe dei uma pedra e você me ofereceu 50 mil dólares.

Revirei os olhos.

– Vamos.

Ele riu outra vez.

Então entrelaçou os dedos nos meus, e saímos do parque para a ciclovia iluminada pelo luar que levava à Casa Grant.

A noite estava linda. A trilha estava ladeada de macieiras em flor. Milhares de flores brancas se curvavam sobre o caminho e nos envolviam em sua leve fragrância. Era maravilhoso e surreal. Caminhamos devagar, olhando para cima, as mãos entrelaçadas.

Daniel parou.

– Ei, veja aquilo.

Ele apontou com a cabeça para uma fenda entre as árvores, revelando a lua cheia, emoldurada pelos galhos de macieira enevoados. Parecia maior que de costume. Mais próxima. Olhei para ela, e uma brisa quente soprou por entre a copa das árvores, lançando uma tempestade de pétalas ao nosso redor.

Era como se o universo tivesse virado um globo de neve. Mas as pétalas não caíam. Elas flutuavam como grãos de poeira. Um pó de flores, reluzindo ao luar.

– Está vendo isso? – perguntei, maravilhada.

Daniel estava olhando em volta, boquiaberto.

– Parece... mágica.

Era doce, etéreo e suave, elas pairavam ao nosso redor, se movimentando em câmera lenta. Daniel levantou um dedo para tocar uma delas, e o deslocamento de ar fez as pétalas girarem como flocos de neve em uma rajada.

– Você já viu algo tão perfeito? – perguntei com um suspiro.

Eu me virei para Daniel. Mas ele não estava mais observando as pétalas. Estava olhando para mim.

– Já... – respondeu baixinho, sustentando meu olhar. – Você.

Então ele colocou as mãos quentes em meu rosto e, diante da lua e do céu e da magia que rodopiava ao nosso redor, me beijou.

O mundo parou de girar.

Ficamos suspensos em uma animação congelada no tempo. Um momento tão perfeito que não podia ser real.

Foi quando percebi que era tarde demais.

Eu estava muito envolvida. A hora de partir tinha passado. Acho que passou no mesmo instante em que tudo começou.

Wakan e Daniel estavam plantados dentro de mim e cresciam ali, como um jardim ganhando vida. As raízes se aprofundando e me ancorando, trepadeiras se contorcendo e flores brotando da terra e florescendo em minha alma, me preenchendo.

E eu não queria ir embora nunca mais.

Nem pensar em terminar. Eu não conseguia nem me imaginar entrando no carro para voltar para casa. Qualquer outro aspecto da minha vida parecia vazio e sem sentido. Eu não poderia ser a pessoa a colocar um ponto-final.

Teria que ser ele.

Eu só precisaria dizer a ele que aquele relacionamento era um beco sem saída e deixá-lo decidir se queria seguir em frente. Pensei em tudo isso na fração de segundo em que os lábios do Daniel tocaram os meus. *Tudo* mudou.

Ele se afastou, sem fôlego, e me encarou com aqueles olhos castanhos. Molhou os lábios, e abriu a boca como se quisesse dizer alguma coisa... quando pneus derrapando na pista nos fizeram despertar. Uma viatura da polícia parou de repente no fim do quarteirão perto de nós.

As pétalas viraram pedra e caíram.

Liz estava no banco do passageiro. Jake a segurava pela nuca.

Meu estômago embrulhou.

Testemunhamos, horrorizados, quando ele a empurrou, abriu a porta com força e deu a volta até a porta do passageiro. Ele a arrancou do carro pelo braço, e ela caiu de joelhos.

– Vá andando para casa, porra – rosnou ele, levantando-a e arrastando-a até o acostamento.

Ele a jogou no meio-fio e a deixou ali.

Tudo isso aconteceu em menos de trinta segundos, e quando ele arrancou com o carro, nós já estávamos correndo.

Daniel voou até ela.

– Liz!

Ele a ergueu enquanto o barulho dos pneus no asfalto se distanciava.

Ela tremia descontroladamente, engasgando de tanto soluçar.

– Me deixe dar uma olhada – falei, me agachando diante dela.

Daniel balançou a cabeça.

– Meu Deus do céu, Liz. Ele vai matar você, porra! – exclamou ele, a voz falhando.

– Ele já fez isso alguma vez? – perguntei.

Liz não conseguia responder. Estava tentando recuperar o fôlego. Mas Daniel me olhou de um jeito que me disse tudo que eu precisava saber.

É claro que Jake já tinha feito aquilo antes.

Antes de Neil, eu não conhecia o tipo de abuso que podia ser sussurrado. Mas *aquilo* eu conhecia.

Era uma violência que eu via o tempo todo. Todos os dias. Entrando e saindo do pronto-socorro. E às vezes as ambulâncias não traziam pacientes. Traziam corpos.

Examinei Liz rapidamente. Ela tinha o joelho ralado por causa do asfalto e um pouco de cascalho na palma das mãos. Flexionei seus punhos para ver se doíam. Não doeram. Eu precisava limpar as feridas.

– Daniel, vamos levá-la até sua casa. Podemos buscar o carro dela?

– Ela não tem carro. – Daniel se levantou e passou a mão no cabelo. – Vou ligar para a polícia de Rochester.

Liz saiu do torpor em uma fração de segundo.

– Não! Daniel, não pode fazer isso!

Ele balançou a cabeça olhando para ela.

– Liz, *já chega*. Ele nunca vai parar, temos que fazer alguma coisa.

Ela parecia estar em pânico.

– Eu só preciso ir para casa. Ele não fez nada. Estava bravo, mas não fez nada.

Abaixei a cabeça para olhar nos olhos dela.

– Liz, você está sangrando. Nós estávamos aqui e vimos tudo. Podemos testemunhar a seu favor.

Ela me encarou, os olhos arregalados.

– Eu caí. Eu caí quando fui sair do carro. Só isso. Ele não me bateu. Eu só caí do carro quando ele estava me ajudando a sair.

Eu queria enterrar o rosto nas mãos.

– Você tem onde ficar? – sussurrei.

O peito dela subia e descia como se ela estivesse à beira da histeria.

– Não – respondeu. – Ele ia acabar me encontrando.

Levamos Liz até a Casa Grant. Limpei as feridas e examinei-a com mais atenção. Ela tinha equimoses já claras no braço esquerdo, no formato da mão de alguém. Deviam ter mais ou menos uma semana. Uma cicatriz de corte no pescoço. Uma das suturas com anzol de Doug? Provavelmente ela estava bastante desesperada para deixar que ele costurasse uma área tão sensível sem lidocaína. Dar entrada no pronto-socorro resultaria em perguntas e a obrigaria a fazer um registro.

Eu nem precisava de um exame de raios X para saber o que ele me mostraria. Fraturas recuperadas. Ossos mal cicatrizados porque ela teve medo de ir ao hospital – ou Jake teve medo de que ela fosse. Ele não ia querer evidências.

Dei a Liz um pouco de ibuprofeno, e a deixamos na sala com bolsas de gelo para ela colocar nos joelhos. Então fomos preparar um chá.

Assim que ficamos sozinhos na cozinha, Daniel passou uma das mãos na boca.

– Precisamos chamar a polícia.

– Tem câmeras naquela esquina? – sussurrei. – Jake usa uma câmera no uniforme?

Ele balançou a cabeça.

– Não...

Franzi os lábios.

– Ela não vai fazer isso por vontade própria, Daniel. Se chamar a polícia, sabe o que ela vai relatar? Que *caiu*. Que ele não encostou nela. Vai ser nossa palavra contra a deles.

Vi em sua expressão de derrota que ele sabia que eu tinha razão. Ele balançou a cabeça.

– Jake vai matá-la. Essa merda vem acontecendo há anos. E só piora. Ela não deïxa a gente ajudar, não procura a polícia. Ela defende o Jake, caramba, como se merecesse isso – sussurrou ele. – Por que diabos ela faz isso?

– Ela tem a síndrome da mulher agredida. É um ciclo de abuso, e vai ser muito difícil rompê-lo, principalmente nas atuais circunstâncias. Jake detém todo o poder – falei em voz baixa. – Ele garantiu que fosse assim. Liz não tem carro, não tem para onde ir. Ele deve ficar com todo o dinheiro da casa. Talvez ela ache que a polícia não vai fazer nada por ele ser xerife. E é provável que até tenha razão.

Olhei no fundo dos olhos dele.

– Acredite, não há nada que você possa dizer para convencê-la a ir embora se ela ainda não estiver pronta. Se obrigá-la, ela vai voltar, e quando voltar, vai ser pior. Se ele pegar Liz indo embora... – Balancei a cabeça. – O momento mais perigoso em uma relação abusiva é quando a pessoa agredida vai embora, porque é quando o abusador perde o controle.

Ele ficou olhando para mim.

– O que a gente faz? – perguntou.

– Garanta que ela tenha como escapar. Dinheiro, carro, um lugar onde ficar. Para que, quando ela estiver preparada, possa ir embora de verdade.

Ele assentiu.

– Ok. Tudo bem, eu posso fazer isso.

– Precisamos conseguir um celular para ela. Sem que Jake saiba, para que ela possa procurar um apartamento ou um advogado. Ela pode guardar o aparelho no cofre do trabalho. Ele não pode saber que estamos ajudando. Se achar que alguém está envolvido, vai obrigá-la a cortar relações. Ele pode obrigá-la a sair do emprego para que fique ainda mais isolada, longe dos amigos. Podemos ajudá-la, Daniel. Podemos preparar tudo e oferecer todas as ferramentas. Mas só podemos salvá-la se ela estiver disposta a salvar a si mesma.

Mas vi nos olhos dele que ela não estava.

E ele não sabia se um dia ela estaria.

Levei Liz para casa. Nenhum de nós dois queria fazer isso, mas, quando nos recusamos, ela decidiu ir andando, e estava com dor. Tive a sensação de que ela precisava conversar e talvez se abrisse mais comigo do que com Daniel, então pedi que ele não fosse.

Liz e eu paramos em frente à sua casa minúscula. As luzes estavam apagadas, e a viatura não estava estacionada na entrada. Ela disse que Jake trabalhava até meia-noite, então não esperávamos que ele chegasse.

– Podemos ficar aqui um pouquinho? – perguntou ela. – Ainda não estou pronta para entrar. Preciso de mais alguns minutos.

Ela estava mais calma agora. Tinha limpado o rosto e parado de chorar, mas ainda estava visivelmente abalada.

– Preciso fumar.

Saímos e nos sentamos no meio-fio.

Eu sabia que Jake não ia chegar, e que era provável que mantivesse a fachada de bom-moço, mas mesmo assim ficava olhando para a rua, procurando pelas luzes da viatura. Era a primeira vez na vida que eu sentia medo de ver uma.

Liz tirou um maço amassado de Marlboro do bolso da jaqueta. Ela devia ter caído em cima dele. Quando abriu o maço, caiu tabaco solto. Ela escolheu até encontrar o cigarro menos danificado, colocou nos lábios e o acendeu com as mãos trêmulas.

– Eu não costumo fumar – contou. – Carl deixou os cigarros no bar. Agora não consigo parar.

Adquirir hábitos pouco saudáveis para lidar com o abuso não é incomum. Eu mesma fiz isso. Fazia sempre que acordava antes de Neil para me maquiar. Eu não conseguia nem imaginar o que mais teria feito para fugir da realidade se não tivesse fugido.

Liz olhou para o nada.

– Ele me arrastou para fora do bar até o estacionamento – relatou.

– O que aconteceu?

Ela soltou a fumaça, apoiando o cotovelo na mão.

– Foi uma besteira. É sempre uma besteira. – Fungou. – Foi por causa do Brian.

– Por causa do Brian?

– Ele... ele tem uma implicância com o Brian. É uma coisa idiota, e ele não consegue superar.

– Que implicância?

Ela deu uma tragada longa e soltou a fumaça, trêmula.

– A gente se beijou uma vez, quando tinha, sei lá, uns 15 anos? Eu e Brian. – Ela olhou para mim e roeu o polegar, nervosa. – Estávamos jogando Verdade ou Consequência. Mas, pelo jeito que o Jake reage, até parece que tivemos um caso ardente. – Ela bateu a cinza do cigarro. – Depois que vocês foram embora, eu comentei algo sobre ele ter sido esperto de abrir o drive-in para complementar a renda, e daí foi ladeira abaixo.

Umedeci os lábios.

– Liz, quero lhe dizer uma coisa. Uma coisa que eu queria que alguém tivesse me dito em determinado momento.

Ela me encarou, esperando.

Sustentei seu olhar.

– Eu acredito em você. E aguento qualquer coisa que você precise me contar. Não precisa me proteger da verdade. Estou aqui para ajudar no que for possível. Não é culpa sua. E você *não* merece isso.

Vi que as palavras a atingiram com força. Seu queixo tremeu.

Havia poder naquelas palavras. Me perguntei quanto tempo antes eu teria encontrado forças para sair do relacionamento com Neil se alguém tivesse me dito aquilo quando eu precisava ouvir... e eu tivesse acreditado.

– Quando estiver pronta para ir embora, a gente vai te ajudar – concluí.

Ela ficou em silêncio por um instante.

– Eu não posso – sussurrou. – Não existe saída.

– Eu sei que é o que parece. Acredite, eu sei. Mas você pode, sim. E vai conseguir. Comece a se mexer já.

Abaixei a cabeça e olhei para ela.

– Você usa algum método anticoncepcional?

Ele a engravidaria para prendê-la. Para que ela ficasse ainda mais dependente dele. E ela nunca correria maior risco fisicamente do que estando grávida.

Ela balançou a cabeça.

– Não. Ele não deixa. – Ela fungou. – Pedi ao Hal que me vendesse, mas ele disse que não pode sem receita. Que, se Jake descobrisse, ele perderia a licença. Não posso sair por três horas para consultar um médico em Rochester. Jake sempre vai comigo, e nunca me deixa entrar sozinha. Todo mês eu rezo para que a menstruação desça...

– Eu posso lhe dar uma receita.

Ela soltou o ar pelo nariz, trêmula.

– Obrigada.

– Liz, eu queria sua permissão para registrar um boletim de ocorrência.

Ela se afastou de mim de repente.

– O quê? Não!

– Sim. Você deve ter algo registrado. Não precisa se envolver. Pode dizer que não sabia.

Ela balançou a cabeça, incrédula.

– E o que você acha que vai conseguir com isso?

– Eles vão investigar...

– E? – interrompeu ela, ríspida. – Ele é demitido e passa um dia na cadeia para, logo depois, ser solto de novo? E aí eu me ferro mais ainda? Ele vai botar a culpa em *mim*. Eu já tenho dois empregos, mal conseguimos pagar as contas, e pelo menos tenho sossego quando ele está no trabalho. *Não.*

Seus olhos me imploravam.

– Por favor – disse ela. – Eu sei que ele vai pedir desculpas. Sei que está arrependido. Ele sempre se arrepende. Prometa que não vai fazer isso, Alexis.

Eu a encarei com os olhos tristes.

Se eu registrasse um boletim de ocorrência contra a vontade de Liz, ela nunca mais me procuraria se ele a machucasse outra vez. Não se sentiria segura para procurar ninguém. E ela tinha razão: Jake a culparia pela investigação, ainda que ela não tivesse nada a ver com a denúncia.

Jake era como Neil. Ele não assumia a responsabilidade. A situação pioraria para ela, e de qualquer forma não daria em nada se não cooperasse. Mas a ideia de não acionar a polícia me fazia sentir cúmplice daquele crime. Eu não queria ser mera espectadora, mas também não sabia o que mais poderia fazer.

– Tudo bem – concordei. – Não vou registrar. Mas quero sua permissão para documentar tudo o que eu vi. Me deixe fotografar os ferimentos. E quero que você escreva o que ele fez.

– Não...

Ergui uma das mãos.

– Não vou mostrar a ninguém. Prometo. Só que você *precisa* fazer isso. Pode precisar desses registros um dia. Vou documentar o que aconteceu esta noite e quero que você mantenha um diário de tudo o que ele fizer a partir de agora. *Tudo.* Se ele socar uma parede ou quebrar alguma coisa, tire uma foto, se for possível, e mande para mim. Depois apague. Se ele a ameaçar, registre no diário. Se ele machucar você, registre no diário. E registre tudo de que se lembrar, até onde conseguir se lembrar. Pode deixar na casa do Daniel, vamos manter o diário em segurança. Isso pode ajudá-la no tribunal.

Ela ficou me analisando por um instante, como se estivesse decidindo se poderia confiar em mim.

– Tudo bem – disse, relutante. – Vou fazer isso.

Ficamos sentadas em silêncio por mais alguns minutos enquanto ela fumava. Então ela apagou o cigarro e apoiou o queixo nos joelhos.

– E sua família? – perguntei. – Eles sabem?

Ela deu uma risada irônica.

– Eles nem acreditariam se eu contasse. Todo mundo ama Jake. Sempre que vamos visitá-los, ele leva flores para minha mãe. Ajuda meu pai a consertar o carro antigo. – Ela fez uma pausa para enxugar o rosto. – Nem sempre foi assim, sabe. Eu não cresci testemunhando esse tipo de violência. Sei que dizem que quando testemunhamos abuso é mais provável que o aceitemos, mas meus pais se amavam. Meu pai não batia nem na gente. Todas as minhas irmãs são felizes no casamento. Meu irmão não é capaz de fazer isso. É tão constrangedor. Eu me sinto uma fracassada. – Ela engasgou na última palavra. – Sinto que, se eles soubessem, pensariam que eu é que deveria ter feito alguma coisa de errado, afinal por que o Jake perderia a cabeça assim?

– É, bem, eu sei como é – falei em voz baixa.

Ela olhou para mim.

– Seu namorado batia em você?

– O abuso era emocional. Ainda é.

Ela balançou a cabeça.

– Mas... você é tão *inteligente*...

Eu ri. Como se a inteligência tivesse alguma coisa a ver com tudo isso.

Tirei uma mecha de cabelo solta em meu rosto e fiquei olhando para a rua.

– Uma vez eu vi um documentário sobre um tsunami – comentei. – Quando está vindo, ele puxa a água para longe da praia. Abaixo do nível do mar, deixando o fundo do oceano exposto. Dá para ver toda a areia, as conchas e os corais, então as pessoas se aproximam para observar. Aí a onda vem, e é tarde demais para correr. Ela já pegou você. – Olhei no fundo dos olhos dela. – Homens assim nos atraem, nos fazem acreditar que somos a melhor coisa que aconteceu na vida deles, que somos a mulher mais especial do mundo... que somos raras. Essa é a armadilha. Eles fazem isso para que cheguemos perto o bastante e eles possam nos afogar. E, Liz? Ninguém pode salvá-la se você não estiver pronta para salvar a si mesma.

Daniel

Esperei por Alexis na varanda. Quando os faróis do carro dela surgiram na entrada, desci os degraus correndo para encontrá-la.

Ela parecia exausta quando saltou do carro à luz do refletor.

– Ela está em casa – anunciou, nós dois em pé em frente ao carro. O motor estalava e exalava calor, que irradiava em minhas pernas. – Ficamos sentadas no meio-fio até ela se acalmar o suficiente para entrar. Ela me deixou fotografar os ferimentos, mas ainda não quer que eu registre a ocorrência.

Estendi a mão e toquei seu braço.

– Você está bem?

– Estou. – Ela cruzou os braços. – Daniel, precisamos conversar.

Senti um frio na barriga.

– Tudo bem. Sobre o quê?

– Vamos entrar. Conversamos no seu quarto.

Subi atrás dela a escada em caracol que levava ao meu apartamento, o coração martelando no peito. Sabia que não seria algo bom. Nada de bom vem de um "precisamos conversar".

Quando entramos, ela se sentou na cama, e eu me acomodei ao seu lado.

– O que foi? – perguntei.

Ela demorou um pouco para falar.

– Daniel, quando começamos, era só sexo para mim.

Esperei. Aquilo parecia demandar muito esforço dela.

– E agora não é mais só isso.

Eu teria sorrido ao ouvir isso, mas ela parecia muito séria.

Ela umedeceu os lábios.

– Continua sendo só sexo para você?

Balancei a cabeça.

– Não. Definitivamente não.

Ela sustentou meu olhar, mas não sorriu. Minha boca estava seca. Eu não gostava do rumo que a conversa estava tomando.

– Daniel, eu vim até aqui hoje para dizer que não podemos mais nos encontrar.

Meu coração pesou. *Não...*

– Só que não consigo. Então vou ser muito sincera para que você possa decidir o que vai acontecer.

Assenti.

– Tudo bem.

– Estou me candidatando a um cargo novo. Se eu conseguir, vou trabalhar oitenta horas por semana. Já não estou no melhor dos momentos para manter qualquer tipo de relacionamento. Se eu conseguir esse cargo, vai ser ainda pior. E, mesmo que eu não consiga, não sei se seguir em frente é uma boa ideia para nós.

Balancei a cabeça.

– Por quê?

Ela desviou o olhar.

– Não vejo futuro no nosso relacionamento.

Ela voltou a olhar nos meus olhos.

Meu coração se partiu.

– Me desculpe – disse ela. – Preciso ser sincera. E isso é um problema porque estou começando a gostar de você de verdade. Então meu instinto é terminar porque é o mais justo com você...

– Por que você não me deixa decidir o que é justo para mim? – perguntei.

Ela pressionou os lábios.

– Daniel, se continuarmos nos encontrando, vai ser temporário. Não vai levar a lugar nenhum, e não vai durar.

– Eu não me importo.

Respondi antes mesmo de pensar com clareza. Mas era verdade. Eu não me importava. Se eu tivesse que escolher entre ela sair da minha vida naquela noite para nunca mais vê-la e ter mais tempo com ela, mesmo que não durasse muito, eu escolheria o tempo extra. Eu *precisava* do tempo.

Ela estudou meu rosto, e eu soube que estava tomando uma decisão, embora tivesse dito que me deixaria escolher.

– Olha só, já sou bem crescidinho – argumentei. – Reconheço e compreendo tudo o que você está dizendo. Mesmo assim, eu gostaria de continuar vendo você.

Ela ficou em silêncio durante um bom tempo. E pude sentir a dúvida. Não dava para saber qual seria sua conclusão. Prendi a respiração.

– Tudo bem – disse ela, finalmente.

– Por quê? – perguntei.

– Por que o quê?

– Por que você não vê futuro no nosso relacionamento?

Era uma daquelas perguntas cuja resposta na verdade a gente não quer escutar. Ela estava sendo brutalmente sincera comigo, e eu sabia que não ia ficar de rodeios. Mas eu precisava saber.

– Nossas vidas não se encaixam – respondeu ela, direta. – Simplesmente não se encaixam.

Alexis não precisava elaborar mais. Eu sabia o que ela queria dizer. Morávamos muito longe um do outro. Ela não poderia trabalhar em Wakan, e eu não tinha como me mudar. Eu era novo demais para ela...

Àquela altura eu nem sabia mais ao certo se a idade era mesmo o problema. Acho que já fazia um tempo que essa não era mais uma questão para ela. O problema era o fato de que eu ainda não tinha vivido tempo suficiente para resolver minha vida.

Ela tinha quase uma década de vantagem, e mesmo assim eu nunca alcançaria o que ela tinha alcançado profissional ou financeiramente. Se eu fosse mais velho, talvez isso diminuísse um pouco o abismo entre nós.

Se eu pudesse estalar os dedos e avançar uma ou duas décadas, eu faria isso. Perderia todo esse tempo se fizesse diferença.

Talvez eu me tornasse um carpinteiro de sucesso em vinte anos. Talvez conseguisse ser o proprietário da Casa Grant e ganhasse a vida vendendo minhas peças de madeira. Talvez tivesse um gerente trabalhando na pousada para cuidar dos hóspedes. Ou talvez eu mesmo estivesse morando na casa, não na garagem empoeirada em que ela tinha que dormir para passar a noite comigo.

Mas naquela situação eu nem poderia levá-la em uma viagem ou comprar um presente bacana. Eu tinha conhecido suas amigas. Não conseguia me imaginar passando um tempo com elas, muito menos com seus maridos. Eu não tinha nada em comum com aquelas pessoas.

O engraçado era que, embora eu não me encaixasse na vida dela, Alexis se encaixava na *minha*.

Quando estava em Wakan, ela era minha namorada. Ela não queria rótulos, mas não importava – era isso que Alexis era.

Só que, quando voltava para seu mundo, *eu* não era seu namorado. Acho que eu nem existia para ela fora de Wakan. E eu não sabia como mudar isso... nem ela.

De repente fiquei desesperado. Como se um prazo tivesse sido estabelecido. Uma data de validade para o que havia entre a gente, e ela tinha razão: não era só sexo. Nem de longe. Eu não sabia ao certo se um dia tinha sido.

Uma pequena parte de mim esperava fazê-la mudar de ideia. Se eu fosse bom o bastante, se eu a fizesse feliz o bastante, talvez ela reconsiderasse. Talvez até pudéssemos dar um jeito se ela conseguisse mesmo o cargo. Poderíamos fazer dar certo.

Mas meu lado realista sabia que nada disso ia acontecer. Não havia como salvar o relacionamento.

Tudo o que eu poderia fazer era dar a ela o que eu era capaz de dar. E isso não era o bastante. Ela tinha toda uma outra vida em outro mundo, e só ia até Wakan para visitar. Essa era a realidade da situação. Meu tempo com ela era limitado. E acho que eu sempre soube disso.

Eu precisava estar com os olhos bem abertos. Tinha que aceitar o sofrimento pelo qual eu certamente passaria quando tudo chegasse ao fim. Porque *ia* chegar ao fim. Ela tinha deixado isso bem claro.

– Estou dentro – falei. – Quando acabar, acabou.

Mas ali mesmo eu soube que não seria assim. Eu imaginava que o relacionamento nunca chegaria ao fim de verdade.

Pelo menos não para mim.

Alexis

Passei quatro meses com Daniel. Quatro meses maravilhosos, incríveis.

Estávamos em agosto, doze semanas depois da nossa conversa. Os turistas tinham voltado, e vi Wakan ganhar vida com eles.

A sorveteria e a doceria estavam abertas, a pizzaria e o restaurante mexicano voltaram a funcionar e tinham lista de espera de uma hora toda noite, e o estacionamento de trailers estava cheio. A Casa Grant passava a semana toda lotada, e eu ajudava Daniel enquanto estava lá. Ele não deixava que eu me levantasse para passar o café. Queria que eu descansasse. Mas durante o resto do dia eu fazia tudo junto com ele: arrumava camas, recebia hóspedes, ajudava a preparar o café da manhã.

Eu odiava admitir, mas, agora que estava ajudando Daniel, entedia o que Neil dizia sobre eu não saber administrar uma casa. Era *muita coisa*. Consertos, manutenção, paisagismo, limpeza. Mesmo que essas tarefas fossem delegadas, davam muito trabalho.

Minha criação foi muito protegida e privilegiada. Tínhamos uma governanta que cuidava de tudo, e Neil passou a assumir essa função quando fomos morar juntos. Até mesmo no pronto-socorro os enfermeiros faziam o trabalho sujo para mim. Mas eu estava aprendendo. E isso estava mudando o modo como eu via o mundo ao meu redor e como queria ser vista.

Eu não gostava do fato de que os outros tinham que cuidar de mim. Queria saber cuidar de mim mesma. Queria fazer minha parte e ser autossuficiente para que, quando dependesse de alguém, fosse por escolha, e não por necessidade. E era Daniel que estava me ensinando tudo isso.

Daniel me incentivava em vez de me incapacitar; me elevava em vez de me subestimar.

Daniel me oferecia tudo o que sabia. Não guardava nada só para si, como Neil sempre fez. Daniel oferecia seus conhecimentos com satisfação e sem cobrar nada em troca, embora isso reduzisse qualquer vantagem que ele pudesse ter sobre mim – e assim ele enfraquecia o que restava do controle de Neil, ainda que apenas me mostrasse que eu era capaz de fazer o que quer que fosse preciso.

Era terça-feira, e eu estava em casa. Eu geralmente trabalhava durante o dia, mas tinha substituído Bri na noite anterior e voltado para casa à meia--noite. Não quis chegar a Wakan às duas da manhã, então decidi dormir e ir pela manhã.

Eu *amava* estar na Casa Grant.

Era uma casa calorosa e cheia de vida. Parecia de alguma forma quase viva. Tudo o que aquelas paredes encerravam tinha uma história. Era cor e profundidade e lareiras crepitando e cantinhos tranquilos. Um piso rangente que parecia um suspiro suave sob meus pés. Samambaias antigas e sancas trabalhadas à mão, centenas de vitrais delicados com borboletas na janela do patamar da escadaria, fotos em preto e branco de estranhos que já pareciam familiares.

Minha pressão arterial baixava em Wakan. Era grande alívio. E Daniel era uma rede tranquila, balançando com leveza. Tudo nele era centrado e calmo.

E eu tinha me apaixonado por ele e pela cidade.

Eu desejava nunca ter conhecido Daniel.

Abrir mão dele seria a coisa mais difícil da minha vida.

Eu me sentia como se estivesse nadando em direção ao mar aberto, me afastando cada vez mais da praia, e não tivesse guardado energia suficiente para voltar à terra firme.

Evitar Neil tinha se transformado quase em um esporte olímpico para mim. Quase dava para fingir que ele não morava na minha casa. O único lembrete disso era meu pai aparecendo sem avisar de vez em quando – não para *me* ver, claro. Para beber alguma coisa com meu ex. Jogar golfe com meu ex. Passear de barco com meu ex. Eu era convidada – desde que aceitasse passar um tempo com Neil.

Eu não aceitava.

Inventava desculpas e Neil não insistia, então meu pai não se importava que eu não fosse. Tirando isso, meu pai andava bastante agradável naqueles últimos meses. Como ele sabia que eu estava disputando o cargo de chefia e acreditava que eu e Neil estávamos fazendo terapia de casal juntos, eu tinha voltado a ser sua princesinha. Parecia que tinham tirado uma tonelada dos ombros da minha mãe, provavelmente porque meu pai voltara a ser a melhor versão de si mesmo.

Era incrível como ele conseguia ser amável e agradável quando fazíamos o que ele queria.

O que *eu* queria era estar em Wakan.

Naqueles últimos meses, quando não estava trabalhando, eu só ficava em Mineápolis uma vez por semana para treinar com minha mãe o discurso para o evento de aniversário do hospital. O discurso escrito por ela. Nenhuma palavra era minha – o que era bom, uma vez que eu não tinha ideia do que dizer.

Eu tinha parado a terapia para dedicar aquela hora a Daniel. Não havia tempo a perder. Usei quase todos os dias de férias que eu ainda tinha para passar com ele. Cheguei a ficar lá por dez dias em julho. Não fui para casa nenhuma vez. Falei para meus pais que estava em um retiro de ioga.

Se Wakan fosse mais perto, eu iria até lá só para pernoitar. Iria até lá no intervalo do almoço. Mas uma coisa que descobri naqueles meses foi que, no instante em que os turistas voltavam, o trânsito se intensificava. Obras na estrada, pequenos acidentes, qualquer coisinha congestionava as vias. Um dia levei *quatro horas* para chegar à cidade.

Era como se o universo quisesse reiterar como aquilo tudo era insustentável.

Ainda assim, eu ia sempre que podia. E a cidade parecia não se importar, porque a garagem de Daniel tinha se transformado em uma clínica improvisada naquelas últimas semanas.

Infecções de ouvido, de bexiga, reações alérgicas, tornozelos lesionados, queimaduras. Quando tinha tudo de que precisava para tratá-los, era o que eu fazia. Até então, só havia encaminhado um paciente para Rochester. E estava ensinando Doug. Ele ia atendê-los de qualquer forma. Se eu lhe desse algumas instruções, o resultado seria melhor. Ele era um ótimo aluno.

E, contrariando tudo o que eu sabia sobre Doug, seu comportamento era excepcional. Cheguei a sugerir que estudasse enfermagem.

Enfim, era bom ter alguém para assumir o trabalho quando eu não estivesse mais por lá. Porque logo eu *não* estaria. A votação do conselho para o cargo de chefia seria no dia seguinte e, depois disso, meu treinamento começaria. E a audiência que determinaria quem ficaria com a casa estava marcada para algumas semanas depois.

E eu teria que terminar tudo com Daniel.

Estava me esforçando para não pensar nisso... mas não conseguia. A votação seria o início do fim. A primeira peça de dominó a cair.

Tudo estava prestes a mudar.

Eram oito da manhã. Eu estava embaixo da pia, consertando o triturador de lixo, quando Neil entrou.

– Ah. Você está aqui – comentou ele, parecendo surpreso.

Ele devia *mesmo* ficar surpreso. Fazia semanas que não nos encontrávamos em casa.

Não respondi.

– O que está fazendo? – perguntou ele.

Ajustei a lanterna de cabeça.

– Enfiando a chave sextavada no soquete do disjuntor do triturador de lixo. Preciso fazer o volante girar para liberar as pás do impulsor que estão emperradas. – Girei a chave. – *Prontinho*.

Saí de baixo da pia e levantei, ligando o triturador. Funcionou. Inclinei a cabeça para ele.

Neil olhou para mim, piscando freneticamente.

– Como você sabe fazer isso?

A pergunta me fez pensar em todas as vezes que eu perguntara a mesma coisa para ele, recebendo como resposta algum comentário sarcástico sobre não ter tempo ou lápis colorido para me explicar.

Tirei a lanterna de cabeça.

– Você ficaria chocado com o que sou capaz de fazer, Neil.

O alarme do forno disparou, e calcei luvas para tirar o que estava assando. Uma surpresa para Daniel. Coloquei a quiche em cima do fogão para esfriar.

– Espinafre e brócolis. Minha favorita.

Ele ficou boquiaberto.

Daniel tinha me ensinado a consertar o triturador de lixo no mês anterior. Ele também tinha me ensinado a trocar o pneu e a bateria do carro e a rebocar uma parede. Ele me ensinou a usar um ferro de passar para tirar manchas esbranquiçadas de uma mesa de madeira e a limpar cera do tapete. Agora eu sabia assar um frango e fazer geleia de morango e compostagem para o jardim. Sabia que vinagre branco tirava o mau cheiro das roupas e sabia acender uma fogueira e qual era a aparência das plantas venenosas. Sabia trocar uma maçaneta e instalar uma tranca – o que fiz no meu quarto para evitar que Neil bisbilhotasse quando eu não estivesse em casa.

Neil estava vendo o controle que exercia sobre mim se dissipar como o vapor do banho. Eu tinha esperança de que isso fizesse seu cérebro explodir.

Neil pigarreou.

– Foi bom mesmo encontrar você. Queria conversar sobre uma coisinha.

– Não. Eu vou conversar com você quando começarmos as sessões de terapia. É mais do que suficiente.

Fui saindo da cozinha.

Ele falou mesmo assim:

– Você contratou a Maria de volta?

Parei à soleira da porta e soltei um grunhido. Ele tinha mandado a empregada embora na semana anterior.

– Contratei – respondi, me virando para ele com os braços cruzados.

– Por quê? Ela quebrou metade das canecas de café.

– Ela tropeçou carregando uma bandeja de canecas que estavam no seu quarto. Foi um acidente, e ela se machucou. Teve uma contusão do tamanho de um limão no queixo. Você piorou as coisas ao mandá-la embora.

– Minha caneca preferida era uma delas – disse ele, parecendo magoado.

Fechei bem os olhos e recuperei a paciência antes de voltar a abri-los.

– Neil, a misericórdia não custa nada… e Deus sabe quanta misericórdia eu tive com *você* durante todos esses anos.

Dei as costas para ele e me pus a andar para o meu quarto.

– Se não quiser a Maria, contrate outra pessoa para o seu andar da casa. Eu vou ficar com ela.

– Ali…

– O quê?!

– Estou fazendo terapia, como você pediu.

Havia esperança em sua voz.

Eu sabia que estava. Ele me mandava o recibo toda semana por e-mail. Estava na décima segunda semana do ultimato de dezesseis que eu tinha dado. E tinha ido a um retiro intensivo de quatro dias no mês anterior, o que era estranho. Perdeu o aniversário de Philip por causa disso. Também não tinha me dedurado para os meus pais. Neil estava mantendo todas as suas promessas, o que não era só surpreendente, mas também irritante, porque significava que eu teria que manter a minha.

– Só tenho mais quatro sessões – avisou ele. – E aí vamos poder ir juntos.

– Ok. Tudo bem. Que seja.

Subi a escada até meu quarto e tranquei a porta.

Eu tinha feito um pacto com o Diabo, e estava quase na hora de pagar. Estava quase na hora de pagar por tudo.

No mês seguinte eu provavelmente já seria chefe da emergência. Ou seria a única dona daquela casa ou teria que me mudar, tudo estaria acabado com Daniel e eu estaria fazendo terapia com Neil. A única parte boa era que talvez eu ficasse com a casa. Tirando isso, eu tinha mais a temer do que qualquer outra coisa.

Tomei um banho, peguei a quiche e fui para Wakan. Cheguei a tempo de ajudar Daniel com seus afazeres.

O check-out da Casa Grant era às onze da manhã. Se limpássemos os quartos rapidamente, terminaríamos tudo antes do meio-dia. Os novos hóspedes só chegariam às três, então teríamos três horas inteiras livres. Iríamos almoçar ou andar de bicicleta ou caminhar. Fomos ao antiquário dar uma olhada nos objetos, uma de nossas atividades favoritas. Às vezes só nos aninhávamos na varanda envidraçada e ficávamos lendo.

Naquele dia iríamos descer o rio em boias com Doug, Brian e Liz.

Preparamos um cooler com bebidas, uma caixinha de som com Bluetooth, amarramos as boias uma na outra e saímos flutuando.

Brian, Liz e Doug tinham se soltado e estavam atrás de nós, alguns metros acima do rio. Daniel e eu estávamos sozinhos, de mãos dadas.

– É tão lindo aqui – falei, inclinando a cabeça para trás e olhando os galhos que se arqueavam sobre o rio.

– Você precisa ver como fica no outono. Toda a beleza caindo ao redor.

– Nunca fiz nada assim – confessei, baixinho. – É tão relaxante.

– Nunca foi a um drive-in, nunca desceu um rio de boia – disse ele, rindo. – O que diabos você *fazia* quando era criança?

Dei de ombros.

– A gente passava o verão na Nova Inglaterra.

Ele riu.

– Por que isso não me surpreende?

Eu sorri.

– Ei, não tire sarro de mim.

– Vocês tinham babá?

Joguei água nele.

– Na verdade, fui *au pair*, e parece mais chique do que realmente é.

– Aham.

– Ei, eu não uso sua infância contra você – provoquei.

– Talvez devesse experimentar. Você gosta de usar as coisas contra mim.

Ele se aproximou, deslizou os dedos na minha nuca e me beijou, e o mundo inteiro desapareceu ao nosso redor. Era sempre assim, uma submersão completa e absoluta em Daniel. Toda vez eu me pegava profundamente envolvida.

Doug soltou um assovio agudo atrás de nós.

– Ei! Sem sacanagem!

Nós rimos e nos recostamos em nossas boias.

Olhei para Daniel. Ele estava tão lindo. De calção de banho azul e óculos de sol, os braços tatuados contrastando com a boia preta. O corpo definido e tonificado, o cabelo molhado penteado para trás.

As mulheres davam muito em cima dele. *Muito.*

Eu via as garotas olhando para ele o tempo todo. Mesmo quando estava fazendo o check-in dos hóspedes, ele recebia sorrisos que eu sabia que eram mais que sorrisos simpáticos.

Eu me perguntava quanto tempo ele demoraria para seguir em frente. Algumas semanas? Um mês?

De repente, foi como se ele estivesse lendo minha mente.

– A votação do hospital é amanhã, não é? – perguntou.

Assenti.

– É. Às seis.

– O que acontece depois disso?

Tirei o pé da água e deixei que gotinhas escorressem pelos meus dedos.

– Se eu conseguir o cargo, começo alguns dias depois.

Ele ficou em silêncio por um instante.

– Você disse que seriam oitenta horas por semana, certo?

– Talvez mais.

Mesmo com os óculos de sol, vi o brilho nos olhos dele desaparecer. Ou talvez tivesse desaparecido dos meus.

Estávamos nos aproximando do fim.

Havia duas maneiras de fazer isso: terminar tudo de uma vez e simplesmente parar de nos falarmos ou deixar que a morte fosse lenta e dolorosa.

O relacionamento sobreviveria com auxílio de aparelhos, tentaríamos mantê-lo, mas isso apenas adiaria o inevitável. Suas mensagens ficariam sem resposta, porque eu estaria ocupada demais para pegar no celular. Eu faria planos de vê-lo uma ou duas vezes por mês e acabaria cancelando quando fosse chamada com urgência pelo hospital. Tentaríamos conversar, mas eu estaria cansada demais. Seria convidada para passar feriados e comemorações com meus pais, que nunca o aceitariam, então ele não poderia me acompanhar.

Talvez ele conhecesse outra mulher. E ele me contaria. E *então* tudo finalmente acabaria.

Com o tempo, tudo de bom que tínhamos acabaria manchado e desbotado. E eu teria desperdiçado seu tempo ainda mais. Por isso eu estava planejando um término rápido e direto. É o tipo que cicatriza mais depressa, certo?

Observei o rio. Libélulas voavam ao nosso redor. Eu sentia o cheiro da grama recém-cortada e de alguma espécie de flor. Cigarras cantavam. As folhas dos bordos tinham uma tonalidade verde-escura, e os dias eram longos, quentes e claros. Eu me perguntei como seria aquele lugar no outono e no inverno.

Também me perguntei como Daniel seria nessas estações. Eu não estaria ali para descobrir.

Eu ouvia o décimo primeiro e último álbum de Lola sem parar, o que ela gravou antes de ficar sóbria e começar a produzir. Ela devia ter passado por algo parecido quando compôs as canções, porque todas falavam sobre um amor perdido. Sobre estar arrasada e de coração partido. E havia uma faixa bônus: um cover de "Love Song", do The Cure. Uma interpretação lenta, triste e sussurrada que dava a impressão de que seu coração estava aos prantos.

Dava para sentir Lola através da sua música, como se suas emoções fluíssem em sua voz. Ela era tão pura e vulnerável, e eu sabia, mesmo sem conhecê-la, como era uma mulher extraordinária. Sabia por que Derek tinha se apaixonado por ela.

– Por que você não se casou com ele? – perguntou Daniel, de repente, interrompendo meus pensamentos.

– Quê?

Olhei para ele, que me olhava lá da sua boia.

– Seu ex. O cirurgião.

Soltei um longo suspiro.

– Bom, no início ele não queria se casar. Já tinha se casado uma vez, e não queria repetir a experiência. Mas depois começou a falar em casamento, e eu é que não quis.

– Por quê?

Dei de ombros.

– Àquela altura o relacionamento já não era bom. Acho que ele só queria se casar comigo para me prender. Percebeu que eu estava infeliz.

Eu não tinha contado muito sobre Neil. Daniel nem sabia que Neil estava morando no meu porão. Não fazia sentido falar disso. De qualquer forma, aquele relacionamento era temporário. Daniel não era meu namorado, e Neil nem chegava a ser um colega de quarto – para mim, ele estava mais para um invasor que morava em outro apartamento no mesmo prédio.

– Você quer se casar? – perguntou ele.

Assenti.

– Quero.

– Filhos?

– Eu gostaria de ter filhos. E você? Quer casar e ter filhos?

– Quero.

Ele estava olhando para mim de óculos escuros, então eu não conseguia ver exatamente sua expressão.

Percebi que estávamos falando sobre coisas que faríamos com outras pessoas algum dia. Se conseguisse encontrar um homem adequado que meu pai não odiasse, eu teria que acelerar o processo. Casar rápido, ter filhos rápido. Meu relógio biológico estava correndo. Talvez até tivesse dificuldade para engravidar se começasse naquele momento. Aos 37 anos eu já era considerada uma mulher de "idade maternal avançada". Só de pensar nessas palavras eu me sentia uma velha.

Daniel não teria dificuldade para encontrar alguém com quem se casar e ter filhos. Ele tinha a vida inteira pela frente. Poderia encontrar uma mulher de 25 com quem pudesse fazer tudo com calma, esperar alguns anos para então começar uma família.

Ficamos sentados ali, um olhando para o outro, em silêncio, de mãos dadas.

Daniel.

Que pai maravilhoso ele seria. E um bom marido. E ele era *tão* talentoso.

Fazia três meses que eu observava seu trabalho com aquelas peças inacabadas, e estava completamente impressionada. Suas mãos eram mágicas. Ele via uma peça de madeira e a transformava em algo que parecia estar destinada a ser desde sempre. Observei a criação de cabeceiras únicas e maravilhosas, um lindo tampo de mesa inspirado em um raio, o qual ele mesmo escavou, queimando as bordas e depois enchendo o centro com resina para deixá-lo plano e claro. Ele ganhou um tronco retorcido e nodoso de Doug, que eu achava que não passava de lenha para fogueira, e usou como base para uma mesinha de centro onde incrustou vários tipos de madeira, criando um mosaico. Estava começando a ser notado no Instagram também, agora que eu tinha ensinado a usar *hashtags*. A última postagem tinha duas mil curtidas.

Era agridoce a sensação de que eu não veria Daniel alcançar seu auge. Ele estava começando a se tornar o homem que viria a ser, e eu queria estar ao lado dele nesse momento. Queria ajudá-lo e apoiá-lo.

Mas não poderia fazer isso.

Tudo isso fazia meu coração doer.

Tive um desejo estranho de subir na boia dele e deixar que ele me abraçasse. Mas ficaria pesado demais. A boia afundaria. Acabaríamos embaixo d'água.

Liz deu um gritinho atrás de nós e Doug soltou uma gargalhada. Olhamos a tempo de ver Brian jogar água neles, e Daniel e eu sorrimos para os três.

– Há quanto tempo eles moram aqui? – perguntei, apontando para os amigos de Daniel com a cabeça.

Ele deslizou os dedos da mão livre na água, formando pequenas ondas.

– Minha vida inteira. Liz cresceu na Dakota do Sul, mas vinha para cá todo verão com nosso primo Josh e todas as suas irmãs. Os caras nasceram aqui. Crescemos juntos. Literalmente. Eles estavam comigo até no dia em que meus avós morreram.

– Como eles morreram?

Ele olhou para o rio.

– Meu avô teve um ataque cardíaco, e minha avó morreu mais tarde no mesmo dia.

– No mesmo dia?

– Sim. Ninguém ficou surpreso. Eu sempre soube que seria assim. Eles eram inseparáveis. – Ele me encarou. – Nenhum dos dois conseguiria viver sem o outro.

Desviei o olhar, observando as margens, que passavam lentamente.

– Sabe, é possível morrer de amor – comentei, quase distraída. – Vejo isso o tempo todo. Cardiomiopatia induzida por estresse. É real.

Ele fez uma longa pausa.

– Eu sei.

Fizemos uma curva no rio, e o sol se escondeu atrás de uma nuvem. Ficou escuro de repente. Um vento forte farfalhou a copa das árvores, e eu estremeci.

– Não vai chover hoje, certo?

Daniel olhou para o céu e balançou a cabeça.

– Não.

– Parece que vai...

Uma enorme nuvem carregada parecia ter surgido do nada. Então vimos alguém em pé no penhasco.

Jake.

Ele estava em frente ao capô da viatura, a 5 ou 6 metros de distância e a 6 metros de altura, os braços cruzados. Só... observando. Fiquei arrepiada.

Olhei para Liz, que estava totalmente paralisada. Eu soube o motivo na hora: ela estava amarrada à boia de *Brian*.

Daniel também pareceu perceber. Ele olhou para mim, a expressão séria.

Liz abriu um sorriso reluzente e acenou para o marido. Era o mesmo sorriso do dia em que a conheci, quando Jake entrou no Bar dos Veteranos para devolver sua blusa – só que agora eu enxergava aquele sorriso como ele realmente era.

Era Jake aparecendo no trabalho dela só para lembrá-la de que podia fazer isso, a qualquer hora. Era Jake mostrando que sempre estava de olho, exatamente como estava fazendo naquele momento. E Liz vestia a máscara que usava em público.

Tão parecida com a que eu usava com Neil...

– Oi, amor! – gritou Liz, acenando para ele, mas eu percebi a animação forçada.

Jake ficou ali parado, olhando para ela.

Até onde eu sabia, Jake não tinha voltado a bater nela desde a última vez.

Eu perguntava quase sempre que a encontrava. Ela dizia que as coisas estavam bem. Mas eu não acreditava que ela me contaria caso não estivessem. A não ser que estivesse machucada a ponto de precisar de mim.

Eles deviam estar na curva boa do ciclo de abuso nos últimos meses. A lua de mel após um episódio ruim, quando ele se comportava bem e a enchia de presentes e carinho. Quaisquer que fossem as ações de Jake equivalentes à quiche de Neil. Mas, pelo rosto dele naquele momento, isso logo chegaria ao fim...

Passamos boiando diante dele, lentos e vulneráveis.

Alvos fáceis.

Uma voz soou no rádio no ombro de Jake. Ele inclinou a cabeça e falou alguma coisa. Então se virou, entrou na viatura e foi embora.

As nuvens se abriram, e o sol voltou a derramar sua luz no rio. Só percebi que as libélulas tinham desaparecido quando elas reapareceram de repente.

Olhei para Liz, e ela estava branca como uma folha de papel.

– Vou conversar com ela – avisei.

Daniel assentiu e soltou minha mão e, como se todos soubessem o que estava acontecendo, as cinco boias se afastaram e se reorganizaram, de modo que eu fiquei sozinha com Liz e os rapazes, rio abaixo.

Remei com as mãos na direção dela.

– Liz?

Ela parecia abalada.

– Liz? Você está bem?

Ela não respondeu.

– Quer que eu leve você para algum lugar...

Ela balançou a cabeça.

– Não. Vai ficar tudo bem – disse ela, de pronto.

– Liz...

– Está tudo bem. Ele vai se acalmar. Eu trabalho até meia-noite. Quando eu sair do bar, ele já vai ter se acalmado.

Olhei para ela.

– Posso levar você para outro lugar. Qualquer um de nós pode.

Uma libélula pousou no joelho dela, e Liz ficou olhando para o inseto, cansada.

– Se eu tiver sorte, talvez ele se canse de mim – murmurou ela, em voz baixa. – Talvez encontre outra pessoa e vá embora, e eu consiga deixar tudo isso para trás. – Ela fez uma longa pausa. – Se eu fugir, nunca vou poder voltar para cá. Ele vai me matar. Vou passar o resto da vida me escondendo, e nunca mais vou ver Wakan.

Ela lançou um olhar furtivo, quase imperceptível, para Brian ao mencionar a cidade.

Meu coração se partiu por ela.

Não importava o que ela fizesse, Jake venceria. Em diversos aspectos, Neil também continuava vencendo.

Às vezes parece que os vilões sempre vencem.

Daniel

Paramos a caminhonete em frente à Casa Grant, ainda molhados do passeio no rio. Hunter estava solto.

– Você o deixou para fora? – perguntou Alexis, trançando o cabelo ruivo molhado por sobre o ombro.

Olhei para ela por mais tempo que o necessário, pensando em como era linda. Não conseguia deixar de pensar isso sempre que olhava para ela. Eu me sentia como se tivesse feito algo muito certo em alguma vida passada para ter o privilégio de estar com ela.

Mesmo que fosse temporário.

– Não – respondi, olhando para meu cachorro fujão pelo para-brisa. – Ótimo. Agora ele sabe abrir portas.

Ela riu e desceu da caminhonete, e Hunter correu até ela como sempre fazia. Conseguimos que ele parasse de pular, o que era bom, mas ele ainda preferia Alexis a mim, sem sombra de dúvida.

Desliguei o motor e saltei do carro. Foi quando o cheiro me atingiu.

– Ahn... Daniel? – disse Alexis, enrugando o nariz. – Acho que ele encontrou um gambá.

Ele *definitivamente* tinha encontrado um gambá.

Dava quase para ver as ondas de fedor saindo de sua cabeça. Ele se sentou, sorrindo de um para o outro, parecendo orgulhoso.

– Meu Deus, Hunter.

Cobri o nariz com a parte interna do cotovelo.

– Precisamos de água oxigenada, bicarbonato de sódio e detergente – disse ela, balançando a cabeça para o cachorro.

– Como você sabe? – perguntei, engasgando.

– Pacientes que tiveram encontros com gambás dão entrada no pronto-socorro.

– Você lava pacientes que tiveram encontros com gambás?

Ela balançou a cabeça.

– Não, os enfermeiros fazem isso. – Ela afastou o rosto. – Pode causar inchaço ocular. Ele parece bem. Eu posso lavá-lo. Já encostou nas minhas mãos mesmo.

Tive que dar um sorrisinho. Alguns meses antes, aquela mulher não sabia nem varrer. Ela não lavava banheiros nem limpava a cozinha. Agora ia dar banho no meu cachorro com cheiro de gambá? Por algum motivo, me senti estranhamente orgulhoso dela.

– Eu ajudo – falei.

Ela pegou Hunter pela coleira.

– Tem certeza? Não tem por que nós dois ficarmos nojentos.

– Sem problemas.

Eu não queria perder o tempo que tinha com ela. Mesmo que fosse para fazer aquilo.

A areia da ampulheta estava se esvaindo.

A eleição para o cargo novo dela seria no dia seguinte. Se Alexis conseguisse, o que parecia que ia acontecer, estaria tudo acabado.

Ela me deu três meses a mais. Eu estava grato por isso. Mas, ao mesmo tempo, sabia que talvez tivesse sido melhor deixá-la ir embora naquele dia, depois do espaguete no Bar dos Veteranos, e nunca mais vê-la. Porque, embora eu ainda fosse sofrer, àquela altura o término ainda não tinha o poder de me matar.

Agora tinha.

Eu estava apaixonado por ela.

Não conseguia nem respirar só de pensar no fim iminente. Acordava no meio da noite e tateava a cama para ter certeza de que ela ainda estava ali. Eu queria tanto que ela ficasse, não sabia o que fazer. Estava desesperado. Queria ter um gênio da lâmpada ou uma fada madrinha, alguém que me concedesse um desejo. Só *um*.

Mas, naquelas circunstâncias, não havia nada que eu pudesse fazer.

Muitas coisas tinham mudado naqueles três meses. Amber não ligou para pedir dinheiro ou avisar que o acordo estava desfeito. Eu liguei na semana anterior para saber como ela andava, e minha mãe pareceu bem. Imaginei que tivesse saído da espiral de autodestruição em que se encontrava na última vez em que nos falamos e que estava indo bem... por enquanto.

Eu tinha feito uma limpa em grande parte dos itens da garagem e vendido na feira. Oito mil dólares, nada mau. Estava me concentrando principalmente nas peças independentes. Alexis gostava delas.

Ela tinha montado um perfil no Instagram e uma loja virtual para mim, e eu estava usando. Enviei uma cabeceira para um designer de interiores do Maine, o que me rendeu 2 mil dólares. Tudo indicava que eu iria conseguir juntar o dinheiro a tempo. Já era meio caminho andado. Eu tinha meia dúzia de projetos inacabados, e as reservas da Casa Grant estavam esgotadas até outubro – mas o que acontecesse com Alexis acabaria determinando tudo.

Eu estava decidido. Abriria mão da minha vida em Wakan para estar onde ela estivesse se me aceitasse. Eu abriria mão da minha casa e da cidade e de todos os seus habitantes. Se ela ia passar oitenta horas por semana no hospital, eu poderia estar lá quando ela fosse trabalhar e quando voltasse para casa. Eu poderia preparar seu café da manhã, levar seu almoço, levar seu jantar. Eu poderia dar o apoio necessário. Ela não precisaria fazer nada, eu ficaria responsável por tudo dessa vez – eu iria até ela. O relacionamento não precisava acabar.

Ficamos tão próximos durante aqueles três meses. Estávamos à vontade um com o outro. Ela andava nua pelo meu quarto, observando os pequenos entalhes em madeira que eu mantinha no parapeito da janela ou folheando um dos meus livros.

Essas pequenas coisas eram tudo. Pelo menos para mim.

Mas ela continuava falando como se o fim continuasse sendo o fim. Sempre tentava me lembrar de que ele estava chegando, como se quisesse limitar minhas expectativas. Não deixava nada na minha casa. Nem mesmo uma escova de dentes. Não aceitou a gaveta que ofereci nem a chave que tentei dar a ela. Sempre que ela ia embora, levava tudo. E eu sempre sentia que aquela poderia ser a última vez, porque não restava nada que pudesse fazê-la voltar.

Houve momentos nossos em que eu tive certeza de que a fazia feliz, e disse a mim mesmo que talvez tivesse uma chance. Então acontecia alguma coisa que me lembrava quão extraordinária ela era e que ela tinha uma vida muito diferente que precisava ir viver, e eu perdia a esperança.

Eu a ouvia conversando ao celular com outra médica, dizendo coisas que eu nem conseguia entender. Ela era tão inteligente. Aprendia as coisas como se não fosse nada de mais. Eu mostrava uma receita e ela reproduzia de cor, lembrando-se de todas as medidas e de todos os ingredientes. Certa vez, o trabalhador de uma fazenda próxima veio vê-la por causa de uma cutícula infeccionada, e Alexis começou a falar em espanhol. Simplesmente começou a falar outra língua que eu nem sabia que ela falava. Quando perguntei, ela disse que também era fluente em língua de sinais. Eu não consegui acreditar. Fiquei só olhando para ela.

Às vezes parecia que ela pertencia a outro mundo.

Literalmente. A sensação era de que, qualquer que tivesse sido o lugar de onde ela viera, era tão fora do comum que eu não conseguia nem imaginar.

Eu nunca tinha ido além de Rochester... Bom, uma vez fui visitar meu primo Josh quando ele ainda morava na Dakota do Sul, mas só. E a cidade dele não era muito maior que a minha. Eu nunca nem tinha andado de avião. Não fazia ideia de como era morar em uma cidade grande.

Alexis às vezes me trazia algumas coisas, comidas de lugares próximos de onde morava.

Quando eu era criança, meu avô trazia um McLanche Feliz sempre que ia até a loja de ferramentas ou ao dentista em Rochester. A maioria das pessoas faria pouco caso disso, mas o McDonald's era um presente para nós, algo especial. Caramba, ainda é.

Mas as coisas que Alexis me trazia eram diferentes. Parecia que, de onde ela vinha, nada era comum. Ela trazia macarons com as cores do arco-íris de uma padaria francesa em Mineápolis, envoltos por uma fita vermelha e enfeitados com folhas de ouro. Chocolates com damascos de um produtor artesanal. Aqueles donuts requintados com bacon, cupcakes coloridos e macios da Nadia Cakes. A maioria das coisas era bonita demais até para comer. Eu nem queria tocar. Eram como os sabonetinhos em formato de rosa que minha avó deixava em uma tigelinha no banheiro que ninguém podia usar para lavar as mãos.

Coisas assim – a Mercedes, as roupas de grife, cantores de ópera no pronto-socorro – me lembravam de que ela pertencia a outro lugar, a um universo a um milhão de quilômetros do meu.

Ela me contou em qual hospital trabalhava. Eu pesquisei. Era o segundo maior hospital de Minnesota, atrás apenas da Clínica Mayo. Era o terceiro melhor hospital-escola do país, um centro de trauma de ponta. Encontrei um documentário sobre sua família, um programa de duas horas do History Channel. O pai dela era um cirurgião cardiovascular de renome mundial. Ele criou o Método Montgomery, um jeito elegante de fazer uma cirurgia cardíaca. A mãe, além de uma grande filantropa, era cirurgiã-ortopedista, e o irmão era um famoso cirurgião plástico.

Alexis fazia parte de um legado médico de elite que eu nem compreendia. Mas sempre que aparecia ela se encaixava em minha vida como se ali fosse seu lugar. A cada vez ficava mais difícil deixá-la ir embora, voltar para onde tinha vindo. E, quando ia, eu sentia uma profunda falta de esperança, afinal como eu e Wakan poderíamos competir com o mundo lá fora?

Ela disse que não via um futuro no nosso relacionamento. Que nossas vidas não se encaixavam. Eu sabia que havia coisas que eu jamais poderia dar a ela. Na melhor das hipóteses, eu tinha tanto a oferecer quanto meu cachorro: companhia e diversão. Não sabia conversar sobre os assuntos que ela provavelmente conversava com o ex, não ganhava tanto dinheiro quanto ela e não podia comprar presentes caros ou levá-la para viajar.

Mas podia amá-la mais do que qualquer outro pelo resto da vida. *Disso* eu sabia. E se houvesse uma fração de chance de isso ser suficiente, eu aceitaria.

Eu não tinha tempo para ir com calma ou deixar que as coisas acontecessem naturalmente. Precisava mostrar tudo naquele instante. Ia falar com ela sobre o que estava sentindo, pedir a ela que me deixasse tentar fazer dar certo.

Levamos Hunter para trás da garagem e passamos meia hora lavando aquele cachorro bobo. Nós o trancamos no canil até que secasse e fomos tomar um banho.

Ela tirou a roupa no banheiro, e fiquei observando enquanto tirava a minha ao seu lado.

– Espero que ele tenha aprendido a lição – disse ela, entrando embaixo do chuveiro.

– Tenho certeza de que não.

Ela riu.

Na semana anterior ele tinha aparecido com espinhos de porco-espinho no nariz. Alexis teve que sedá-lo e tirar os espinhos com um alicate. Isso não seria digno de nota se ele não tivesse feito exatamente a mesma coisa uma semana antes – ou seja, evidentemente não aprendera nada sobre ficar fuçando porcos-espinhos.

Eu não podia culpá-lo por ir atrás de coisas que poderiam machucá-lo. Eu também não conseguia parar.

Já tínhamos nos lavado com a mangueira, com os mesmos produtos que usamos para limpar Hunter, então tomamos só uma ducha rápida para lavar o cabelo.

Ela ficou embaixo da água enxaguando o xampu, e eu a abracei por trás e beijei a lateral de seu pescoço.

Meu corpo reagiu a ela. Tudo em mim reagia a ela, o tempo todo.

Quando ela telefonava, meu humor melhorava. Quando eu a via chegando, meu coração disparava. Quando ela estava aqui, eu dormia melhor. Quando não estava, eu ficava triste. Parecia que ela era o sol. O motivo de tudo. Parecia que eu vinha esperando que ela chegasse e me trouxesse à vida.

Encostei a ereção nela, e ela se recostou em meu peito.

– Não quer esperar até sairmos?

Balancei a cabeça.

– Não.

Ela riu e se virou para me beijar.

– Vamos nos enxaguar e ir para a cama – sussurrou. – Temos mais uma hora até o check-in.

Nós nos secamos e mal chegamos até o colchão. Deslizei sobre seu corpo, nós dois ainda úmidos.

Cobri nossos corpos com o cobertor e envolvi seu corpo no meu, aquecendo-a. Ela roçou em meu pomo de adão com o nariz e colocou os braços em volta do meu pescoço, e senti que meu universo inteiro estava ali naquela cama, que tudo o que importava estava bem ali naquela garagem empoeirada naquela cidadezinha no meio do nada.

Nada seria capaz de me convencer de que aquela mulher não tinha sido feita para que eu a amasse. Acho que minha alma reconheceu a dela no instante em que a vi. Nossos corpos souberam disso desde a primeira noite.

O poder que ela exercia sobre mim era assustador. Mas também esclarecedor.

Existe uma paz em saber qual é a única coisa sem a qual não podemos viver. Isso torna tudo mais simples. Havia ela, e havia todo o resto. E só ela importava de verdade. Era fácil perceber isso.

Tudo o que eu queria era que ela também descobrisse.

Pairei sobre ela, beijando-a suavemente. Tirei o cabelo molhado de sua testa, e ela me encarou com aqueles lindos olhos castanhos, e eu não consegui evitar. Saiu como um suspiro, como uma coisa que estava ali desde sempre, mas para a qual só agora eu estava dando um nome, soltando-a no universo e reconhecendo sua existência.

– Eu te amo – sussurrei.

Então *tudo* mudou.

Alexis

As palavras me drenaram como um tampão tirado do ralo de uma pia.

Eu me afastei dele e me encostei na cabeceira.

– Por que você disse isso?

Ele se sentou na cama.

– O quê?

– Que me ama. Por que disse isso?

– Porque é o que eu sinto?

– Você *não pode* sentir isso.

Ele pareceu achar engraçado.

– Bom, mas eu sinto. E não é nada de mais. Se você ainda não sente o mesmo, tudo bem.

Mas não estava tudo bem.

– O que você está fazendo? – perguntei. – Não vamos fazer isso.

– Isso o quê?

– Isso!

Apontei para mim e depois para ele.

– Alexis...

Balancei a cabeça.

– Não. Já conversamos sobre isso. Você sabia que não ia ser um relacionamento sério. Sabia que não ia durar. Eu vou conseguir o cargo amanhã. Depois disso, tudo vai terminar, então por que falar isso? Qual é o sentido?

Ele ficou me olhando, piscando freneticamente.

– O sentido é que eu estou apaixonado por você.

Meu maxilar se retesou.

– Não.

Levantei da cama e comecei a me vestir.

– Você vai embora? – perguntou ele, sem acreditar.

– Vou.

– Só porque eu disse que te amo...

– Não. Porque você *acha* que me ama. E não deveria achar. – Vesti minha legging. – Eu tinha que ter terminado isso há meses. Tinha que ter seguido meu instinto.

Vesti uma camiseta, que passei pelo cabelo emaranhado e úmido.

Daniel tinha saído da cama e estava vestindo a calça jeans aos pulinhos.

– Alexis...

Peguei minha mala e saí do quarto.

– Alexis!

Ignorei.

Saí na luz do sol em direção ao carro, Daniel me seguindo de perto.

– Ei!

– Daniel, esta discussão acabou.

– A gente nem começou. Como pode ter acabado? – indagou ele para as minhas costas.

Desliguei o alarme do carro.

– Pare!

Ele segurou meu punho.

Virei para ele e puxei meu braço.

– Não! Você sabia que isso era temporário. *Sabia* que não teria um final feliz.

Ele passou a mão pelo cabelo.

– Olha só, eu também não planejei nada disso, mas está acontecendo, e não posso fingir que não está.

– *Não está!* Nossas vidas não se *encaixam* – exclamei. – Não dá certo.

Ele balançou a cabeça.

– Como você sabe? Você nem *tentou* fazer dar certo. Não me deixa conhecer seus amigos ou sua família. Não posso saber onde você mora. Me dê uma chance. Me deixe tentar. Posso ir até você. Posso fazer tudo.

Balancei a cabeça.

– E como você vai fazer tudo, Daniel? Se tem que estar *aqui* para administrar a casa?

– Não vou comprar. Vou me mudar para Mineápolis e ficar perto de você.

Meu coração apertou. A declaração arrancou todo o ar dos meus pulmões.

– Alugo um apartamento se não quiser morar comigo – argumentou ele. – Consigo um emprego lá.

Soltei uma lufada de ar.

– Daniel, você não pode ir embora de Wakan. Eles precisam de você. Você ama este lugar...

– Eu amo mais você. Se acha que eu quero isso aqui sem você, não sabe *nada* sobre mim. – Seu olhar verde-dourado se fixou no meu. – Não posso perder você. Não vou perder. Esse cargo não precisa acabar com tudo o que a gente tem. Não vou deixar isso acontecer.

Fiquei ali parada, angustiada.

– A questão não é o cargo, Daniel. O cargo é só uma questão de logística. É a minha *vida*. Minha vida não é compatível com a sua.

Ele jogou as mãos para o alto.

– Qual é o problema? Me ajude a entender. Somos ótimos juntos. O que é essa coisa terrível da qual você acha que eu não dou conta ou que não podemos superar? Eu sou seu namorado, caramba, converse comigo.

– Você *não* é meu namorado.

Vi as palavras o atingirem como um golpe.

– Se eu não sou seu namorado, o que é que eu sou, Alexis?

Não respondi.

– O que eu sou? Nada? Só sexo? Sério? É isso que você quer fingir que eu sou?

Lágrimas arderam em meus olhos.

– Isso não tem como dar certo, Daniel. Não do jeito que você quer...

– Por quê?

– Nossas vidas são diferentes demais. Não nos encaixamos. Você não sabe de onde eu vim, as pessoas que tenho à minha volta, as coisas que elas esperam de mim... como elas *são*. Não sei como deixar você entrar em meu mundo – expliquei, sem esperança. – Parece mais humano não permitir isso.

Ele tocou meus braços.

– Olhe nos meus olhos e diga que não me ama. Quero ouvir você dizer que não me ama. Diga e eu deixo você ir embora.

Meu queixo tremeu.

– Não posso dizer isso. Porque eu te amo, sim. E *esse* é o problema.

Lágrimas rolaram pelo meu rosto.

Seus olhos estavam fixos nos meus.

– Se você quer muito uma coisa, Alexis, nada mais importa.

Balancei a cabeça.

– Isso não é verdade – sussurrei. – Tudo importa. O tempo todo.

Seus olhos tristes permaneceram fixos nos meus, e a sensação era a de que eu ia virar pó.

– Acabou, Daniel.

Essas palavras fizeram-no soltar um suspiro trêmulo.

Virei em direção ao carro, e ele abaixou as mãos.

Então um raio surgiu do nada.

Daniel me agarrou em uma fração de segundo e me puxou para si, dando as costas para o raio, que atingiu o carvalho na entrada. Um galho enorme caiu atravessado.

Fiquei ali parada, o rosto encostado no peito de Daniel, cujos batimentos dispararam.

– Você viu isso? – perguntou ele, baixinho.

Eu nem consegui responder. Era como se um desfibrilador tivesse acabado de me trazer de volta à vida. Fiquei alerta de repente.

– Não teve nem trovão – disse ele. – Não tem nem *nuvens* no céu.

Olhei atrás dele.

O galho soltava fumaça na entrada. Olhei para o céu. Só vi azul.

– Mas o que foi isso? – sussurrei.

Então o empurrei.

– Vá pegar sua motosserra e tire o galho daí. Eu vou embora assim mesmo.

Ele balançou a cabeça.

– Não. De jeito nenhum.

– Como assim, não? Eu preciso sair.

Ele arregalou os olhos.

– Eu não vou mexer com isso. Isso foi Deus.

– Não foi... – Soltei o ar pelo nariz, me acalmando. – Daniel, acho que Deus tem coisa mais importante para fazer hoje do que me deixar presa na sua casa. Não acredito em intervenções divinas, não acredito em magia; isso foi um fenômeno da natureza totalmente explicável. Você precisa tirar aquele galho da entrada para eu ir embora.

Então ouvimos o estrondo de um trovão, os céus se abriram e a chuva caiu sobre nós. Um *aguaceiro*.

Chuva. Sem nuvens.

Fiquei ali parada, me molhando toda, e Daniel cruzou os braços na chuva, parecendo achar aquilo engraçado.

– O universo não quer que você vá embora! – gritou. – Na verdade, vou até dizer que o universo quer que você volte para dentro de casa.

– *Aaaaaah!*

Fui até a garagem pisando duro na lama.

No mesmo instante em que passei pela porta, ouvi o dilúvio lá fora parar. Daniel entrou atrás de mim e me abraçou por trás. Aquilo me desarmou completamente, como um robô sem bateria. Perdi toda a energia para lutar contra ele.

Ele ficou ali parado, me abraçando, seu corpo curvado ao redor do meu como se tivesse sido feito para se encaixar em mim, e a sensação era a de que eu estava encaixada em minha outra metade. Mas ele *não podia* ser minha outra metade, porque, se fosse, não seríamos feitos da mesma matéria? Por que seríamos tão diferentes se éramos perfeitos um para o outro?

– Eu te amo – sussurrou ele. – Estamos *juntos*. Não acabou. E mesmo que você vá embora, não vai acabar, porque você vai levar esse amor com você e ele vai trazê-la de volta.

Ele me virou, e eu o encarei, completamente rendida. Mas tudo bem estar rendida, porque ele jamais me magoaria como Neil. Ele nunca faria nada além do que fazia para todas as pessoas de sua vida. Ele se dedicaria a mim, me valorizaria e cuidaria de mim.

E ele tinha razão. Eu não tinha como fugir.

O amor nos segue. Vai aonde formos. Não conhece barreiras sociais, distância ou bom senso. Não acaba nem quando a pessoa amada morre. O amor faz o que quer.

Mesmo quando tudo o que queremos é não amar.

Alexis

Ele era meu namorado.

Estávamos apaixonados.

E isso não mudava nada. Na verdade, não.

Eu ainda não poderia apresentá-lo a meus pais ou meus amigos. O cargo ainda iria me afastar dele. Ele ainda tinha que morar em Wakan, e eu tinha que morar em Mineápolis. Eu me recusava a deixá-lo se mudar. Conversamos sobre isso durante horas até ele finalmente desistir.

Eu não permitiria que ele sacrificasse a vida para tentar salvar algo que, de qualquer forma, não ia dar certo. De que adiantava ele morar em Mineápolis se eu não estaria em casa seis dias por semana?

Ele precisava ficar em Wakan. O legado de Daniel era tão importante quanto o meu. Talvez mais.

Parecia que Wakan deixaria de existir se não tivesse um Grant por lá. Parecia que imediatamente a cidade ia se dispersar, que Daniel de alguma forma a mantinha unida, só pela presença dele.

Eu nem conseguia traduzir em palavras o que significava ele estar disposto a deixar tudo isso para trás por minha causa. Mas também nunca permitiria que fizesse isso. Não por algo tão condenado quanto nosso relacionamento.

O que fizemos foi optar pela versão da sobrevivência por aparelhos em vez de um rompimento direto.

Ele queria ver se conseguia salvar nosso relacionamento, e eu o amava demais para tomar a decisão certa e dizer não. Então não disse.

Não consegui.

Daniel acordou cedo e tirou o galho para que eu pudesse ir trabalhar. Dirigi de volta para Twin Cities a tempo do meu turno, mas mental e emocionalmente exausta.

Era o dia da votação. Eles anunciariam os resultados às seis horas.

Trabalhei durante a manhã, depois subi para votar e fui direto para o balcão do pronto-socorro esperar o anúncio. Bri estava preenchendo o prontuário dos pacientes. Ela saía às seis, como eu, mas ficaria por lá para saber o resultado. Eram 18h05 quando minha mãe e meu pai apareceram com Neil, Gabby e Jessica. Eles entraram pelas portas automáticas e ainda estavam no meio do corredor, mas o resultado estava escrito no rosto do meu pai.

Eu tinha conseguido.

– Parabéns! – disse Bri, se aproximando para me abraçar. – Votei em você duas vezes.

Eu ri, e ela me soltou.

– Me ligue quando quiser comemorar. Vou deixá-la com o esquadrão dos brutos – comentou ela, sinalizando na direção da minha família com a cabeça. Então ela se levantou e saiu.

Meu pai se aproximou do balcão.

– Você conseguiu! Temos mais uma chefe na família. Bom trabalho.

Por algum motivo, eu fiquei estranhamente desanimada. Como se aquilo estivesse acontecendo com outra pessoa.

Forcei um sorriso e contornei o balcão da enfermagem para que Gabby, Jessica e minha mãe pudessem me abraçar. Neil fez um aceno de aprovação com a cabeça.

– Parabéns.

– A que horas você sai, princesa? – perguntou meu pai. – Podemos ir jantar.

– Estou saindo agora, na verda...

Gabby arquejou ao meu lado.

– Ah. Meu. *Deus*...

Franzi a testa e me virei para ver o que tinha chamado sua atenção, e meu coração *afundou*.

Daniel estava vindo em minha direção carregando um buquê de flores.

Fiquei completamente sem voz. Minha boca abriu e se fechou, mas nenhuma palavra saiu.

– Não é o cara do esquilo? – perguntou Gabby atrás de mim.

Jessica não demorou muito para compreender a situação.

– Ah, Ali...

Meus ouvidos começaram a zumbir. Não. *Não não não não não não não*, aquilo não estava acontecendo.

Daniel se aproximou, radiante.

– Oi.

Eu processei a presença dele em frações de segundo do mais puro terror. Ele tinha aparado a barba, o que, de alguma forma, o fazia parecer ainda mais jovem. Vestia uma camiseta desbotada, com as tatuagens expostas. Todas elas. Estava de calça jeans e com o bracelete de couro, e suas botas estavam sujas de lama. Normalmente, nada disso me incomodava – eu *gostava* de sua aparência. Aquela era uma das minhas camisetas preferidas, e devia ter sido por isso que ele a escolheu. Mas eu não gostava dela naquele contexto. Naquele contexto, era meu pior pesadelo.

Ele olhou para meus pais, para Neil. Então fez um aceno de cabeça para Gabby e Jessica.

– Olá. É um prazer revê-las.

Pareceu um pouco surpreso por vê-las ali, o que fez sentido, pois eu não tinha mencionado que elas trabalhavam comigo.

– O que está fazendo aqui? – perguntei baixinho.

Ele sorriu.

– Pensei em fazer uma surpresa. Levar você para jantar.

Meu pai o analisou da cabeça aos pés.

– Alexis, quem é esse?

Engoli em seco.

– Eu...

Daniel estendeu a mão.

– Daniel Grant.

Meu pai não retribuiu o aperto de mão. Ficou olhando para a mão dele como se estivesse suja.

Então, em um movimento estranho do universo alternativo, Neil interveio:

– Neil. Prazer em conhecê-lo.

Ele apertou a mão de Daniel, e uma sensação de puro pânico me rasgou ao meio.

– Desculpe, vocês dois são o quê? – indagou minha mãe, parecendo confusa.

– Ahn… – umedeci os lábios. – Ele é meu…

Daniel me encarou, seus olhos me dizendo que ele estava começando a perceber o ambiente, e por uma fração de segundo pensei seriamente em mentir. Dizer *qualquer coisa* diferente da verdade. Meu personal trainer. Meu amigo. Um velho conhecido que calhou de aparecer com flores para me levar para jantar. Então passei a procurar a resposta que o protegeria daquela situação. Eu sabia que não seria "namorado", mas seus olhos começaram a buscar os meus, e me dei conta de que ele não compreenderia. Ele não me perdoaria outra vez, como tinha feito quando menti para Jessica e Gabby. Então eu disse. Eu tinha que dizer.

– Ele é meu namorado.

Ninguém soltou uma palavra. Então meu pai começou a rir. Era a risada maníaca de um vilão da Disney, e senti as paredes se fechando à minha volta.

– Seu namorado? – perguntou meu pai, olhando de mim para ele, parecendo achar engraçado. Ele acenou para meu ex com a cabeça. – Ela contou que está morando com Neil?

Vi Daniel piscar, chocado.

– Cecil, não é bem assim… – comentou Neil, em um tom surpreendentemente calmo.

Meu pai riu.

– Vocês estão fazendo terapia de casal há três meses, então eu diria que é assim, sim. Você não?

Neil pressionou os lábios, mas ficou calado.

Meu pai balançou a cabeça, parecendo totalmente agitado.

– Primeiro seu irmão se casa com Lola Simone, e agora *isso*?

Ele estava praticamente aos berros.

Daniel olhou para mim e deu um sorriso fraco.

– Me ligue quando sair.

Ele me entregou as flores, beijou meu rosto e saiu.

Eu estava prestes a ter um ataque de pânico. Senti a respiração ficar difícil.

Todos estavam olhando para mim.

– Ali, não pode estar falando sério... – disse Jessica.

Gabby estava praticamente rodopiando, sorrindo de orelha a orelha, como se mal pudesse esperar para contar para Philip. Minha mãe tinha levado a mão à boca, provavelmente percebendo quanto teríamos que suportar quando meu pai colocasse a cabeça no lugar. Mas naquele instante ele nem parecia bravo. Parecia estar achando *divertido*.

Percebi que só a ideia de Daniel ser meu namorado era tão ridícula para o meu pai que ele nem considerava uma ameaça. Era uma piada, como se a coisa toda fosse absurda demais para levar a sério.

– Então, ele já lhe pediu dinheiro? – perguntou ele, ainda rindo.

– O quê? – retruquei baixinho.

– *Dinheiro* – repetiu ele. – Ele pediu?

– Não!

– Deixe-me adivinhar. Você ofereceu, certo? Pareceu que a ideia foi sua? Meu pai parecia mesmo estar se divertindo.

Eu estava sem fôlego e não consegui responder. Ele interpretou meu silêncio como um sim. E era *mesmo* um sim, mas não como ele imaginava.

Minha mãe parecia chocada.

– Alexis...

Jessica estava balançando a cabeça. Gabby escrevia um milhão de palavras por segundo no celular, e Neil parecia quase sentir pena de mim. Eu não aguentei.

Larguei as flores no balcão e corri atrás de Daniel.

Quando o alcancei, ele já estava no meio do estacionamento.

– Daniel!

Ele continuou andando.

Corri os últimos metros e agarrei seu braço.

– Daniel, *por favor*!

Ele se virou para mim, os olhos vermelhos.

– Você *mora* com ele? Vocês estão fazendo terapia? Esse tempo todo, porra?

– Não é bem assim – respondi, arquejando. – Ele se recusa a ir embora. Dorme no porão. Não estamos fazendo terapia, mentimos sobre isso...

Ele balançou a cabeça.

– Você não me contou. Deixou que eu fosse pego de surpresa...

Eu estava à beira de um ataque de nervos.

– Eu não pedi para você vir! Por que não ligou antes?

– Você tinha a votação hoje. Eu queria apoiar você, estar do seu lado, como um namorado *deve* fazer. O que achou que eu quis dizer quando falei que queria tentar? Estou tentando, você *concordou* com isso...

– Você não deveria ter aparecido assim...

– Por quê? – Ele jogou as mãos para o alto. – Você aparece assim o tempo todo. Todos sabem que estou com você, todos os meus amigos, a minha família. Você diz que me ama, mas aquelas pessoas nem sabem que eu *existo*.

– Daniel...

– Gabby e Jessica ainda não sabem sobre nós? Mesmo depois de quatro meses?

– Eu te contei, elas sabem que estou saindo com alguém...

– Não sabem que está saindo *comigo*.

Ele balançou a cabeça, e sua expressão partiu meu coração.

– Eu sou uma vergonha tão grande assim para você?

Como não respondi, ele se virou e se pôs a andar em direção à caminhonete. Não fui atrás dele. Não consegui.

Eu estava me afogando e não conseguia respirar.

Daniel

Entrei na caminhonete e fiquei sentado ali, abalado demais para dirigir.
Ela estava morando com outra pessoa. Aquele tempo todo. Aquele George Clooney que apertou minha mão, ele era o cirurgião? O ex?
Aquele era o ex?
Agora eu entendia muito bem o que ela queria dizer com "nossas vidas não se encaixam". Porque, se era com aquele tipo de cara que a família e os amigos dela estavam acostumados, eu não tinha mesmo nenhuma chance.
E por que ele apertou minha mão?
Eu não achava que ela estivesse me traindo. Mas por que ela não tinha me contado que o cara estava morando na casa dela? E que seu irmão era casado com Lola Simone? Ela nunca pensou em comentar que sua cunhada era uma das maiores estrelas do planeta? O que *mais* ela escondeu de mim? Para onde é que as amigas pensavam que ela ia todo fim de semana? Para onde aquele tal de Neil achava que ela ia? Se ela precisava mentir para eles, tudo bem, mas não precisava mentir para *mim*.
Eu sabia que essa história não acabava ali, mas meu cérebro não conseguia processar. Meus pensamentos ficavam rodopiando em torno do encontro estranho, terrível, do olhar vazio de Gabby e Jessica para o cara que começou a rir. E o pior de tudo era que eu achava que aquele era o pai dela. Reconheci do documentário do History Channel.
Eu não fui até lá para conhecer a família e os amigos dela. Não faria isso sem sua permissão. Só queria provar que estava falando sério. Que

eu me esforçaria, tentaria fazer dar certo. Nem me ocorreu que todos teriam a mesma ideia e estariam lá para parabenizá-la. Eu não sabia que ela trabalhava com Gabby e Jessica ou com o ex, porque ela nunca me contou. Pelo jeito ela não me contava *nada*.

Eu me senti traído, e isso nem era algo racional porque... o que eu estava esperando? Ela disse que não via futuro no nosso relacionamento. Foi muito clara a esse respeito. Até a noite anterior, ela planejava terminar tudo, então não sei por que aquilo me deixou surpreso. Mas descobrir a verdade com meus próprios olhos era outra história.

Como podíamos estar apaixonados e ser tão importantes um para o outro se ninguém em seu mundo sabia quem eu era?

Tudo aquilo concretizou o que eu já imaginava. Eu *não* existia para ela fora de Wakan. Ela vivia toda uma outra vida, que não tinha nada a ver comigo, e não havia intenção alguma de me incluir nela.

Eu estava tremendo demais para dirigir, então fiquei sentado ali, tentando me acalmar.

Foi quando ouvi uma batidinha no vidro. Uma mulher de cabelo castanho e uniforme preto estava parada ali, olhando para mim.

– Você é o Daniel? – perguntou ela pela janela.

Olhei para ela, piscando rápido. Então abri o vidro.

– Você me conhece?

– Conheço, meu nome é Bri. Sou a melhor amiga da Alexis. Achei mesmo que fosse você. Ela não me contou que você vinha hoje.

– Eu... – Pigarreei e recomecei. – Eu queria fazer uma surpresa para ela.

Ela arregalou os olhos.

– Ah. E como foi que as coisas saíram?

Balancei a cabeça.

– Nada bem.

– Não. Não tinha como ir bem. Você se importa de eu me sentar?

Ela apontou para o banco do passageiro.

– Não, tudo bem.

Ela deu a volta na caminhonete e entrou. Bateu a porta e se virou para me encarar.

– Me conte o que aconteceu.

Passei a mão na barba.

– Eu vim trazer flores. Ela tinha aquela questão da chefia hoje. Descobri que ela está morando com um cara...

– Neil? – zombou ela. – Aquele cara é um babaca. Primeiro de tudo, ela mora com ele da mesma forma que a gente mora com baratas. Ela odeia, sente nojo e não conta para ninguém porque é constrangedor. Os dois compraram a casa juntos. Ele se recusa a ir embora. Quer a casa, então invadiu contra a vontade dela. Eles têm uma audiência em algumas semanas e um deles vai ter que se mudar. Próxima questão.

Engoli em seco. Tudo bem. Isso era bom. Era alguma coisa.

– Gabby e Jessica estavam lá...

– As irmãs malvadas. Odeio aquelas vadias. Faz meses que Ali não convive com elas. Ela não gostou do jeito que elas trataram você naquele fim de semana. Elas não são importantes aqui. Próxima.

– Havia um cara e uma mulher mais velhos. Grisalhos. Sérios. Ele se recusou a apertar a minha mão.

Ela puxou o ar por entre os dentes.

– Eram os pais dela. Uau, você passou por um portal direto para o sétimo círculo do inferno.

Eu ri, embora não fosse engraçado.

– Olha, não sei o que todo mundo falou ou fez quando você apareceu, mas vou lhe dizer o seguinte: nada disso é culpa dela. Sabe o irmão dela, o Derek? Foi embora do país para evitar apresentar a esposa para essas pessoas. O problema não é você, são eles. Se eu conheço bem a Ali, ela deve estar apavorada.

Senti minha pressão baixando.

– Ok. – Inclinei a cabeça para o lado. – O irmão dela é mesmo casado com a Lola Simone?

– É. Ela nunca falou sobre o Derek?

– Falou. Falou muito sobre ele e que ele era casado. Só não contou quem era a esposa, só a chamava de Nikki.

– Ela só contou para *mim* quando saiu nas revistas de fofoca, e faz dez anos que eu conheço aqueles dois. Ela é confiável e cumpre suas promessas, por isso respeitou a privacidade deles, até mesmo com você. Ela é uma pessoa muito boa.

Soltei o ar que eu estava segurando. Bom, acho que eu não tinha o direito de ficar bravo com ela por fazer a coisa certa.

Bri olhou em meus olhos.

– Olha, eu sei tudo sobre vocês. Ela me conta. Vi tudo, menos as fotos íntimas. E eu sou a única que importa aqui. Pode acreditar.

Soltei o ar, trêmulo.

– Ok. – Assenti. – Tudo bem.

Então meu celular tocou. Peguei o aparelho. Era Alexis.

– É ela? – perguntou Bri.

– É. Ela me mandou um endereço.

– Château de Chambord?

Assenti.

– É.

– É o endereço da casa dela. – Ela colocou a mão na porta. – Bom, é melhor você ir até lá. Não se preocupe, Neil trabalha até as nove. Eu sempre dou uma olhada na agenda dele. Gosto de espirrar um pouco de vinagre no armário dele enquanto ele está trabalhando. Fazê-lo voltar para casa cheirando a salada.

Eu ri.

– Obrigado.

Ela balançou a cabeça.

– Não me agradeça. Boa sorte, Daniel. Acho que você vai precisar.

Fiz o trajeto de dez minutos até o endereço que Alexis me enviou. Conforme eu avançava pelas ruas, as casas iam ficando cada vez maiores e mais afastadas.

Quando parei em frente à casa, fiquei chocado.

Era uma mansão. E não como a Casa Grant. Era o tipo de lugar que a gente vê na TV em programas sobre celebridades. Metade da rua principal de Wakan cabia naquele gramado.

Ela morava ali?

Quer dizer, eu sabia que ela tinha dinheiro. Ela me ofereceu 50 mil dólares como se não fosse nada. Mas não imaginava que fosse *tanto* dinheiro assim. Eu não conseguiria pagar nem a conta de água daquele lugar.

Saí da caminhonete, me perguntando se deveria mesmo deixá-la estacionada na entrada para carros. Parecia um bloco de terra jogado em uma toalha de mesa de linho branco.

Alexis abriu a porta antes mesmo que eu batesse. Ainda estava de uniforme, e dava para ver que tinha chorado. Sem dizer uma palavra, ela se afastou para o lado e me deu passagem. Olhei ao redor em silêncio.

A casa era cavernosa. E *fria*.

Tudo era cinza, como se houvesse um filtro sobre ela. O piso era de mármore branco e o teto era abobadado, o que só fazia a sala parecer mais oca. Como uma caverna de gelo.

Ela fungou.

– É aqui onde eu moro – disse, como se estivesse pedindo desculpa.

Ela me conduziu pela casa em silêncio. Nossos passos ecoaram quando atravessamos uma enorme sala mobiliada com sofás brancos, um piano preto reluzente, tapetes persas suaves, pinturas que pareciam caras. Havia uma sala de jantar com uma mesa de vinte lugares e um enorme lustre de cristal. Então uma cozinha gigantesca, que até alguns meses antes ela nem sabia usar.

Lembrei quando ela ligou dizendo que a energia tinha acabado e que o fogão era a gás. Ri ao olhar para ele agora. Era um fogão caríssimo e *enorme*, com nove bocas, forno duplo, uma torneira articulada em cima pra encher as panelas. Eu ali pensando que estava falando com ela sobre um forno normal, e era *aquilo*. Era quase cômico.

Havia mais banheiros do que eu era capaz de contar. Corredores maiores que meu apartamento, com mesas de mármore e arranjos de flores frescas do tamanho do meu cachorro sentado. Uma biblioteca com prateleiras de uns 6 metros de altura e uma escada deslizante. Em determinado momento, passamos por uma empregada. Ela me olhou como se minha presença a deixasse confusa, como se eu talvez fosse um funcionário novo ou qualquer coisa assim.

Passamos por um escritório com vista para um lago nos fundos. Havia prêmios e diplomas pendurados. Dela e de Neil. Eram tantos que cobriam metade de uma parede. Ph.Ds: Yale para ele, Stanford e Berkeley para ela. Passando por portas francesas, havia uma piscina com uma cascata, e eu me lembrei de todas as vezes que Alexis se sentou lá fora para conversar comigo. Eu na garagem empoeirada onde a obrigava a dormir comigo, e ela naquele lugar, que parecia um palácio.

Eu estava me sentindo quase enganado. Era ridículo, mas era verdade. Como se ela não tivesse sido totalmente sincera. Só que ela *tinha* sido sincera. Minha imaginação é que me deixou na mão.

A gente começa a preencher as lacunas. Pegamos uma informação que nos dão e completamos a imagem em nossa mente. Percebi que todas as minhas imagens estavam muito erradas. Ela estava cem níveis acima do que eu me permiti imaginar. Eu não conseguia nem compreender aquele tipo de riqueza.

Quando a vi no hospital um pouco antes, já tinha sido um pequeno choque de realidade. Sabia que ela era médica. Já tinha visto Alexis tratando pacientes. Mas era diferente vê-la ali, de uniforme, no meio de um pronto-socorro, com um crachá pendurado no bolso. Eu não estava totalmente preparado para aquilo, mesmo com tudo o que havia acontecido... e *definitivamente* não estava preparado para aquela casa.

Agora eu entendia por que ela não sabia limpar ou cozinhar – entendia *de verdade*. Porque alguém que tinha aquele estilo de vida podia contratar pessoas que cuidassem dela. Pessoas como *eu*.

Agora eu entendia ainda melhor o que eu devia representar para as amigas e a família dela, por que eles reagiram daquele jeito. Principalmente agora que eu conhecera o ex. Eu era o exato oposto daquele cara. Como eu poderia me encaixar? Eu me sentia constrangido só de pisar naquela casa. Não conseguia me imaginar ali com ela, cozinhando naquela cozinha, ou mesmo sentado naquela sala. Eu me sentia como minha caminhonete estacionada na entrada: deslocado e fora de lugar.

Ela me levou por uma escadaria sinuosa que fazia a da Casa Grant parecer pequena. Mais três quartos de hóspedes, mais banheiros e finalmente um quarto com uma tranca na porta. Ela a destrancou e esperou que eu entrasse.

Era a suíte.

Olhei ao redor, sem dizer uma palavra. Era clara e aconchegante, como se não fizesse parte do restante da casa. Havia uma cama king-size no centro. Poltronas macias e uma colcha rosa-claro. Um quadro com uma foto de uma garota em um campo de papoulas. Um frigobar em um canto, com um micro-ondas e uma cafeteira em cima. Era o único cômodo que parecia pertencer à mulher que ela era em Wakan.

O único cômodo onde eu finalmente consegui visualizar *nós dois*.

Havia algumas quinquilharias na mesinha de cabeceira. Pequenos tesouros. Coisas que eu fiz para ela, um guaxinim que esculpi em madeira, só uma gracinha que fiz em uma hora. Um pote de geleia de morango que preparamos algumas semanas antes, um dos meus moletons jogado em uma cadeira.

A pedra em formato de coração.

Lembranças.

Era por isso que ela queria que eu visse sua casa. Aquilo valia uma explicação de um milhão de palavras.

Pela primeira vez eu a enxerguei de verdade. Finalmente a enxerguei por inteiro. Era como montar um quebra-cabeça em que estavam faltando algumas peças. Como se ela fosse duas pessoas diferentes.

E agora eu entendia que era *mesmo*.

A Alexis que ficava comigo em Wakan era uma Alexis de férias. Não era ela na vida real.

Aquilo era sua vida real.

E, antes mesmo que ela dissesse alguma coisa, soube que Alexis não ia me convidar a fazer parte dela.

Ela fungou, e pareceu prestes a chorar de novo.

– Meu pai quer que eu volte com Neil – esclareceu. – Ele adora Neil e não aceita nosso término. Neil está me obrigando a morar com ele porque quer ficar com a casa... e quer retomar nosso relacionamento – acrescentou. – Não posso largar meu emprego para ficar com você porque estaria rompendo um legado familiar de 125 anos. E se você vier para cá, vai perder sua casa e meus pais nunca mais vão falar comigo.

Ela pressionou os lábios como se estivesse tentando não soluçar.

– Essa é a nossa situação. Sinto muito, Daniel...

Senti a garganta apertar, e me obriguei a fazer a pergunta para a qual eu já sabia a resposta.

– Você está terminando comigo? – A voz saiu rouca.

Ela parecia angustiada.

– Sabíamos que não ia durar. Tivemos mais tempo do que pensei que teríamos, e sou grata por isso.

Sua voz falhou na última palavra.

Parecia que meu coração estava sendo esmagado. E eu não sabia o que dizer porque não dependia de mim. Eu largaria minha vida para estar ali se ela quisesse. Aprenderia a me acostumar com tudo... *aquilo.* Eu daria um jeito, porque, se a alternativa era ficar sem ela, eu jamais escolheria isso. Mas a decisão não era *minha.* Não cabia a mim decidir que ela fosse deserdada ou qualquer outra coisa que seus pais pensassem em fazer.

E que absurdo cobrar tudo aquilo de alguém! Quem eram aquelas pessoas?

Mas eu já sabia.

Pela primeira vez eu *realmente* vi o que ela tentava me fazer entender sempre que dizia que nosso relacionamento não daria certo.

Não era só a diferença financeira ou de idade, nem mesmo a diferença de classes sociais que havia entre nós. Era tudo. Sua família inteira conspirava contra nós. Seus amigos. A logística. O destino. Mil atributos que eu jamais teria, coisas que vinham com o nascimento, com os antepassados, para que pudessem me ajudar agora. Uma família com boas conexões, uma boa educação, um lugar mais importante que Wakan.

O que tínhamos era o amor que sentíamos um pelo outro. Isso era tudo.

Nada mais se encaixava ou fazia sentido.

Só que para mim não precisava fazer sentido, porque para mim o amor bastava, era tudo de que eu precisava.

Mas não bastava para *ela.*

As pessoas não permanecem em Wakan. Elas vão até lá e desfrutam de momentos mágicos, então voltam para a vida real. Eu tinha me apaixonado por uma turista. Era isso que Alexis era.

E as férias tinham chegado ao fim.

Meus olhos estavam se enchendo de lágrimas.

– Alexis, por favor. Vamos embora comigo. Ou me deixe ficar. Não me faça largar você.

Seu queixo tremeu, e ela desviou o olhar.

– Por favor, não faça isso – sussurrei.

Engoli o nó em minha garganta.

– Um dia você vai se dar conta do erro que está cometendo. Por favor, Alexis. Me escolha.

Ela não faria isso. Não fez. Me obrigou a ir embora cinco minutos depois.

Alexis

Todos os dias, desde o término com Daniel um mês antes, enfrentei tudo como um robô.

Eu acordava, tomava banho, ia para o trabalho. Nos raros dias de folga, dormia. O dia todo. E meus sonhos eram piores que a realidade.

Eu sonhava principalmente com Daniel. Com Wakan e a Casa Grant. Eu corria pelos cômodos, procurando por ele. E, quando acordava, tateava a cama para encontrá-lo, só para me lembrar de que ele não estava lá e nunca mais estaria.

Eu estava sempre cansada. E meu cérebro falhava.

Não conseguia lembrar como era o vitral no patamar da escadaria. Era muito estranho. Desapareceu da minha memória, como se Wakan tivesse decidido guardá-lo quando fui embora. Era um jardim? Um veado em um prado? Um mosaico? Isso me incomodava tanto que abri o TripAdvisor para ver se alguém havia compartilhado fotos, mas não encontrei nenhuma. Uma das coisas mais lindas da casa, e ninguém tinha tirado uma foto sequer? A única que encontrei foi da escadaria em preto e branco em um site sobre casas históricas de Minnesota. Tirada no ano em que a casa foi construída. Mas a janela estava totalmente preta, como se a foto tivesse sido mal tirada.

Minha mente buscou a memória sem sucesso, e finalmente desisti. Era algo que só pertencia a Wakan. E que ficava inalcançável depois que partíamos.

Mesmo em sonho.

Encarei a bronca do meu pai por causa de Daniel com tanta apatia que ele perdeu o interesse e desistiu de dar sermão. Eu parecia uma paciente catatônica. Um zumbi.

Não respondia às mensagens de Gabby e Jessica. Não aceitava os convites de Bri para jantar. Apenas me enterrei no trabalho, me mantendo em movimento para que nada daquilo pudesse me atingir e me encurralar.

Minha mãe me visitou alguns dias após a cena no hospital. Ficou magoada por eu não ter contado sobre Daniel. Então implorou que eu pedisse desculpa ao meu pai pela mentira de que eu estava tentando fazer dar certo com Neil.

Eu não conseguia entender por que ele exigia meu pedido de desculpas. Ele era a única pessoa que tinha conseguido tudo o que queria.

Eu me perguntei, enquanto olhava para ela, se meu pai um dia a fascinara como acontecera comigo e com Neil. Se ele a fizera se sentir a mulher mais especial do mundo, se fingira ser uma pessoa diferente, usando o legado Montgomery, que ela valorizava tanto – e se, quando mostrou sua verdadeira face, era tarde demais. E, mesmo sem perguntar de fato, eu soube que tinha sido assim.

O evento de aniversário do hospital aconteceria dali a dois dias. Seria minha chance de fazer networking com o conselho e com investidores importantes para o hospital. Seria meu primeiro evento como uma Montgomery em caráter oficial, assumindo o papel que vi minha mãe desempenhar a vida inteira.

Eu deveria estar ansiosa. Não pela festa ou pelas conversas, mas pelo início do meu poder de fazer a diferença. Mas não conseguia nem reunir energia suficiente para me importar com tudo aquilo. Parecia totalmente sem sentido. Tudo parecia.

Então era *assim* a depressão.

Eu achava que estava deprimida quando ainda namorava Neil. Mas aquela era uma escuridão que eu nunca tinha atravessado. Meu corpo parecia atrofiado, como se o simples ato de me levantar da cama fosse uma luta.

Nada me fazia sorrir. Nenhuma das coisas que eu amava me atraía. Percebi que eu tinha me afogado. Não havia mais salvação. E agora eu estava só flutuando, sem importância, morta por dentro.

Eu me perguntava quando aquela sensação ia melhorar, quando fazer a coisa certa iria começar a parecer a coisa certa. Eu não tinha terminado tudo só por mim, mas também por Daniel. Para que ele não abandonasse sua vida. Para que não se submetesse às provações pelas quais meus amigos e minha família o fariam passar, por mais que eu tentasse protegê-lo.

Se aquilo era o melhor para nós dois, por que era tão, tão difícil?

Saí do trabalho ainda mais tarde do que de costume. Acontecera um acidente gravíssimo, um engavetamento com vários carros. Uma criança de 7 anos havia morrido, e eu tive que contar à família.

Era um daqueles dias em que eu desejava poder ir até Wakan ficar com Daniel. Deitar na cama com ele, sussurrando no escuro, enquanto ele tirava o cabelo da minha testa e me beijava. Sentir o coração batendo em seu peito quando ele dissesse que tudo ia ficar bem. Ele ia fazer questão de que eu comesse, mesmo que eu não quisesse. Me faria vestir uma de suas camisetas enquanto preparava o jantar, e Hunter pousaria a cabeça em meu colo.

Eu nunca mais iria me sentir tão protegida e cuidada assim. Não encontraria outro amor como aquele de novo. Nem tentaria. Eu sabia a sorte que era ter encontrado uma vez.

Ficaria solteira pelo resto da vida. Nada de filhos, nada de casamento. Eu não queria fazer isso com mais ninguém. Dali em diante, minha vida se resumiria à minha carreira. Finalmente seria quem meu pai queria que eu fosse: nada além de uma Montgomery – e das melhores. Sem distrações.

E o legado morreria comigo.

Derek não voltaria, e eu não teria um herdeiro. Com sua falta de visão, meus pais deram início à destruição da única coisa com que se importavam.

Acho que ainda acreditavam que eu voltaria com Neil. Que me casaria com ele, que teria filhos que cresceriam sob a mesma dinâmica abusiva, com um pai narcisista e controlador e uma mãe exausta demais para protegê-los.

Isso nunca aconteceria.

Era *esse* o preço do preconceito.

A *misericórdia* não teria lhes custado nada.

Entrei no quarto escuro e larguei a bolsa no chão. Olhei ao redor, cansada.

Eu não tinha guardado nenhum dos presentes de Daniel. A pedra em formato de coração continuava onde eu tinha deixado. O último moletom que roubei dele ainda jogado na poltrona. Fiquei ali, olhando para ele.

O moletom ainda tinha o cheiro dele. Eu poderia vesti-lo e me deitar na cama e imaginar que ele estava me abraçando.

Então me perguntei se ele estaria abraçando outra pessoa. Se já estaria saindo com alguém. Tentando superar, como deveria. Imaginei Doug o arrastando para o bar, criando um perfil para ele em aplicativos de relacionamento.

Talvez outra garota estivesse usando seus moletons.

Pensar naquilo me tirou o chão.

Na maior parte dos dias, eu era forte. Conseguia conviver com as escolhas que eu tinha feito. As escolhas que fui obrigada a fazer. Conseguia lutar contra a vontade de ligar para ele e ouvir sua voz. Conseguia me manter longe.

Mas não naquele dia.

Daniel

Eu me sentia outra pessoa.

Como se tivesse envelhecido um século desde a última vez que a vi. Eu me sentia mais como Pops do que como eu mesmo. Estava amargo e cansado de tudo. E a cada dia piorava em vez de melhorar.

Perder Alexis me mudaria para sempre. Como os anéis de crescimento de uma árvore, eu poderia ser aberto depois de cinquenta anos e daria para ver o que aconteceu, o estrago. Eu estava destruído. Nunca mais seria o mesmo.

Eu não ria mais. Não queria ver ninguém. Doug e Brian estavam sempre por perto, mas eu tinha me tornado uma pessoa insuportável. E me sentia mal por isso, então parei de abrir a porta quando eles me procuravam.

A única coisa boa que aconteceu desde que Alexis terminou o relacionamento foi ter conseguido juntar o dinheiro para comprar a casa. Fazia dois dias que a venda tinha sido finalizada.

Anunciei as últimas peças pelo dobro do que Alexis tinha cobrado das amigas. O triplo, o quádruplo. Porque eu não me importava mais. Não me importava se as pessoas comprariam ou não. Não me importava mais nem em salvar a casa. E o engraçado era que, quanto mais alto eu estabelecia o preço, mais as pessoas pareciam querer as peças. Elas simplesmente pagavam. Então juntei o dinheiro e me tornei um carpinteiro de sucesso da noite para o dia, o proprietário de uma casa. E a vitória foi tão vazia que eu já nem ligava para o fato de que tinha finalmente conseguido. Eu não desejava nada daquilo sem Alexis ao meu lado.

Ela era a mulher da minha vida. Eu tive quatro meses para mostrar isso a ela, mas fracassei. Agora teria que viver com esse fracasso pelo resto dos meus dias.

Eu não precisava manter a Casa Grant como uma pousada, agora que estava ganhando tanto com a carpintaria. E isso era bom, porque eu não suportava colocar os pés lá dentro. Não sem ela. Não conseguia olhar para a paisagem coberta de neve do vitral no patamar da escadaria ou para as rosas do corrimão ou para o mosaico na lareira porque foi onde eu me apaixonei por ela, e era tão doloroso que eu não conseguia nem olhar para tudo aquilo. Então fechei a casa.

Eu estava passando pela casa de Doug com Hunter depois de ter levado algumas coisas para o lixão e decidi parar. Sabia que, se não aparecesse pelo menos de vez em quando, eles nunca me deixariam em paz. Não avisei que passaria lá. Apenas fiquei sentado na varanda até que ele notasse a caminhonete.

Ouvi a porta de tela bater, e um segundo depois Doug me entregou uma lata de refrigerante.

– Obrigado – resmunguei, pegando a lata.

O dia estava muito úmido.

Doug se sentou na cadeira de balanço ao meu lado e abriu sua lata, que fez aquele ruído característico.

– Não estou gostando dessas nuvens.

Não respondi.

Chovia todos os dias desde que Alexis me deixou. O tempo estava tão ruim que a cidade quase não tinha turistas. Não dava para usar a trilha de bicicleta ou o rio, não dava para caminhar pelos arredores. Todos os visitantes de fim de semana tinham cancelado a estadia. Mesmo quando a chuva parava, não parava de verdade. O sol nunca saía, nada secava. Então começava tudo de novo, como se a água que caía do céu fosse infinita.

Hunter se acomodou aos meus pés, com a cabeça apoiada nas patas. Meu cachorro vivia comportado desde a partida de Alexis. Como se soubesse que eu não daria conta de suas travessuras... ou como se estivesse triste demais para aprontar alguma. Em casa ele ficava olhando para a entrada de carros, esperando. Sempre que eu tentava levá-lo para dentro, ele lutava contra a coleira. Então passei a deixá-lo lá fora.

– Comeu alguma coisa hoje? – perguntou Doug.

Eu estava perdendo peso. Sem apetite. Ele devia ter notado logo, já que não me via mais todos os dias como antes.

Depois de um momento balancei a cabeça devagar.

– Você precisa comer, cara. Se ficar com fome vai ser pior.

– Nada pode fazer eu me sentir pior – falei, a voz rouca.

Eu estava mortalmente ferido. Um sanduíche não ia me salvar.

Ele não respondeu. Surgiu com uma barrinha de cereal não sei de onde e me entregou. Peguei devagar e fiquei encarando a minha mão.

– Dói tanto – desabafei. – Não consigo respirar sem ela. Só quero que isso acabe.

Doug olhou para o quintal.

– Talvez não devesse acabar. Talvez isso tenha acontecido para te deixar mais forte.

– Não está me deixando mais forte. Está me matando.

Ele fitou o pasto. Ficamos em silêncio por um tempo.

– Eu vou embora – anunciei.

Ele se virou para mim.

– O quê?

– Faz um tempo que estou pensando nisso. Não consigo ficar aqui sem ela. Não consigo respirar.

Um trovão ressoou.

– Mas... você não pode ir embora, cara. O que diabos vai fazer em outro lugar?

Dei de ombros. A mesma coisa que fazia ali. Sentiria saudade dela. Era isso que eu faria. Mas pelo menos sentiria saudade dela em um lugar sem as lembranças que ela evocava.

Era espantoso que uma temporada com alguém pudesse se sobrepor a toda uma vida. Aquela não era mais a cidade onde eu tinha nascido. Não era meu lar. Era só o lugar onde eu estive com *ela*. E por que eu ia querer me lembrar disso toda hora?

Uma rajada forte atravessou a propriedade, e um balde rolou pelo quintal. Vimos o balde rodopiar como aqueles fenos no deserto e desaparecer atrás do celeiro.

– Eu não era o que ela precisava – murmurei, achando que ele não tivesse ouvido.

– Era, sim – respondeu Doug. – Mas ela teve que lidar com outras merdas, e essas merdas não têm nada a ver com você.

Balancei a cabeça.

– Têm, sim. Ela sentia vergonha de mim. Eu não era o suficiente. Não valia o sacrifício.

– Quer saber? – retrucou Doug. – Ela amava você. Não importa o que você ache. Eu via isso. Todo mundo via.

Fiquei em silêncio. Ela me amava mesmo. Eu sabia disso. Eu *acreditava* nisso. Mas de que vale o amor se não supera todo o resto?

A chuva começou a cair. Caía tão forte que pequenos riachos começaram a se formar na grama. Libélulas disparavam pelo aguaceiro.

Doug observou o quintal com os olhos semicerrados.

– Qual é a desse tempo? Não acontece nada assim desde que seus avós morreram. Que ridículo.

Não respondi. Porque a resposta não importava.

Nada mais importava.

– Vou nessa – avisei, e fiquei de pé.

Hunter se levantou como se seus ossos doessem e se arrastou atrás de mim.

– Bom, quando você vai embora?

– Não sei. Talvez amanhã. Ou depois. Preciso guardar minhas ferramentas.

– Não vá – pediu Doug. – Fique para o jantar. Ou vamos sair, fazer algo divertido. Podemos ir até o Jane's.

O fato de Doug estar preocupado *comigo* devia ser um bom indicativo do meu estado mental.

Balancei a cabeça.

– Eu ligo quando me arranjar em algum lugar. – Fiz uma pausa, e olhei para meu amigo. – Obrigado. Por tudo.

Ele parecia querer dizer mais alguma coisa, mas não disse. Virei e andei com Hunter na chuva até a caminhonete. Entrei, encharcado.

Olhei para as nuvens ao sair da propriedade e segui para casa à beira do rio, a camiseta grudada no corpo.

Eu não sabia para onde iria quando fosse embora. Para o Sul. Era minha única convicção. O Sul. Eu seguiria até ficar sem gasolina ou até vencer a chuva. A ideia de traçar um plano me parecia tão exaustiva que eu nem conseguia pensar nisso.

Talvez eu melhorasse quanto mais me afastasse dela. Talvez aquela sensação se dissipasse como uma névoa e eu conseguisse respirar e pensar o bastante para voltar a funcionar.

Ao chegar em casa, tirei a roupa molhada e deitei na cama. Eram só seis da tarde, e eu estava exaurido, não queria mais ficar acordado.

Caí no sono daqueles que tiveram o coração partido. Um sono agitado, alternando entre presença e ausência. A gente quer sonhar com a pessoa, mas depois se arrepende, porque acordar dói demais. Então passa a esperar apenas a escuridão. A suspensão temporária da existência sem ela.

Estava escuro lá fora quando meu celular tocou. A chuva caía ruidosamente no telhado.

Quase não atendi. Mas fiquei feliz por ter atendido. Porque era *ela*.

– Alô? – falei na escuridão.

Uma longa pausa antes de um "oi" baixinho.

Meu coração não disparou como eu imaginava que aconteceria ao atender a uma ligação inesperada dela, um mês depois da última vez que ouvi sua voz. É que não parecia que aquilo estava acontecendo de verdade. Parecia um sonho. Parecia que eu não estava totalmente acordado. Então, quando percebi que *estava* acordado, meu coração não disparou porque tinha se despedaçado em meu peito e já não batia mais.

Ficamos ali, em silêncio. Como se estar ao telefone sem dizer nada fosse uma forma de comunicação.

E era.

Mil palavras atravessaram o silêncio.

Ela sentia minha falta.

Estava pensando em mim.

Ela me amava.

Nenhuma dessas coisas deixou de ser verdade quando ela terminou tudo. E isso era o mais trágico.

– Como você está? – perguntou ela, quebrando o silêncio.

– Bem – menti.

Uma pausa longa.

– Juntou o suficiente para comprar a casa?

Soltei um suspiro.

– Sim, eu consegui.

– Conseguiu?! – Ela pareceu genuinamente feliz. – Que incrível!

– É, a loja on-line e a página no Instagram ajudaram muito. Então, obrigado.

Eu conseguia imaginá-la assentindo.

– Quer saber como eu consegui? – perguntei.

– Quero.

– Subi os preços. Muito. Tipo, 12 mil dólares por aquela mesa do raio.

– É mesmo?

– É. Me dei conta de que quando a gente para de se importar é que a negociação começa.

– O que *isso* quer dizer?

Dava para ouvir um sorrisinho em sua voz.

– Eu não estava me importando se as peças seriam vendidas ou não. Quando não se importa, você é que manda. Eles podem aceitar ou não, então você pode pedir quanto quiser.

– Ahhh. Bom, eu sempre achei que você cobrava barato demais. Eu pagaria isso por uma de suas mesas.

– É, bom, você é uma Kardashian, então...

Ela ofegou.

– Eu *não* sou uma Kardashian.

Dei um sorrisinho.

– Você já *viu* sua casa?

Ela soltou um resmungo resignado, de brincadeira.

– Você tem até um cirurgião morando no porão.

Ela soltou uma risada. O som me deixou feliz como eu não me sentia havia semanas.

Fiquei impressionado com a facilidade com que nos entrosamos outra vez. Ou melhor, na verdade, não. Porque, mesmo que eu ficasse vinte anos sem vê-la, nosso reencontro seria assim. Foi assim desde que nos conhecemos, e seria assim para sempre. Era parte de nós. Era o que tornava tudo mais fácil.

E também era o que tornava tudo mais difícil.

– Onde você está? – perguntei.

– No quarto. Na cama.

A dor que senti era quase maior do que eu poderia suportar.

Agora eu conseguia imaginar aquele quarto. Onde ela estava deitada, a colcha cobrindo seu corpo. Eu poderia estar lá. Ou ela poderia estar em Wakan. Ou poderíamos estar em qualquer lugar, desde que estivéssemos juntos, e tudo voltaria a ficar bem.

– E você? – indagou ela.

– Na cama.

Ela voltou a ficar em silêncio, e me perguntei se estava pensando o mesmo que eu.

– Está no escuro? – perguntou ela.

– Estou. Mas esqueci de apagar a luz do banheiro, então tem um facho de luz por baixo da porta. O seu está escuro?

– Totalmente escuro.

Há certa intimidade em ligar para alguém na escuridão do quarto no meio da noite. É como um sussurro. É íntimo. Tem todo um significado.

Eu quis saber se as coisas que eu tinha lhe dado ainda estavam na mesinha de cabeceira. Se ela estava usando um dos meus moletons. Mas meu coração se apertaria qualquer que fosse a resposta.

– E aí, como estão todos? – perguntou ela.

Esfreguei a testa.

– Estão bem. Kevin Bacon agora tem uma hashtag no Instagram. Doug meio que desistiu de prendê-lo, então ele passeia perto da doceria implorando para ganhar um docinho e tirando selfies com os turistas.

– Então ele tem a vida que pediu a Deus.

– Ah, tem, sim.

– E Hunter?

Fiz uma pausa, pensando se deveria contar como ele estava de verdade.

– Está bem. Está aqui comigo.

Ele não estava. Estava dormindo na varanda, esperando que ela voltasse.

– Liz abandonou o Jake – contei, mudando de assunto.

– É mesmo?

A voz dela ficou mais animada.

– É. Ela apareceu com o olho roxo há algumas semanas, acompanhada da Doreen. Pegou as coisas que você tinha guardado para ela. Levou tudo até a delegacia de Rochester.

– Ela conseguiu uma medida protetiva?

– Conseguiu – respondi, soltando um suspiro –, mas ele violou. Veio atrás dela. Pops apontou uma arma para ele.

– *Como é que é?*

– No meio da rua principal, na frente de tudo mundo. Disse que ia atirar nas bolas dele se ele voltasse. – Dei uma risadinha. – Jake registrou um boletim de ocorrência por agressão, mas ninguém viu nada.

Ela bufou.

– Claro que não.

– Enfim, Liz conseguiu que ele fosse preso por violar a medida protetiva. Então acho que ela tinha outras provas contra ele. Ele foi demitido. Vai ficar pelo menos dois anos na cadeia. Não vai voltar.

– Ótimo. O que Brian achou disso?

– Ele ficou feliz. Aliás, eles saíram ontem.

Senti que ela estava radiante.

– Tenho informações seguras de que o carro da Liz ainda estava na frente da casa do Brian hoje de manhã – fofoquei.

– Informações seguras?

– Doug.

Ela riu.

– E agora? – perguntou ela. – Não há mais polícia em Wakan?

– Não, precisamos ter pelo menos um policial. Eles mandaram um cara novo chamado Wade. Ele estaciona a viatura perto da trilha e fica jogando no celular. Acho que está morrendo de tédio.

– Bom, talvez ele seja melhor que Jake em conter a onda de crimes adolescentes na cidade – disse ela.

– Talvez.

Voltamos a ficar em silêncio.

– E o novo cargo? – perguntei.

Imaginei Alexis dando de ombros.

– É pesado. Trabalho catorze horas por dia. Meus pés doem o tempo todo.

Eu não queria dizer que, se estivesse lá, massagearia seus pés toda noite.

Deixaria a banheira pronta para ela quando chegasse em casa, o uniforme do dia seguinte lavado e passado, o jantar pronto. Eu cuidaria dela.

Senti um nó na garganta.

Ninguém estava cuidando dela. Saber disso doía quase tanto quanto pensar em outro cara fazendo isso.

Quase.

Ela ficou em silêncio do outro lado da linha. Permanecemos tanto tempo calados que eu teria pensado que a ligação havia caído, não fossem os ruídos na linha de vez em quando. A chuva na minha janela preencheu o silêncio, e eu desejei como nunca que ela estivesse comigo. Que estivesse deitada ao meu lado e eu pudesse sentir o cheiro de seu cabelo e acordar e preparar um café da manhã para ela. Que todas as coisas sobre as quais conversamos fossem coisas que já soubéssemos porque estávamos juntos quando elas aconteceram.

Meu coração se apertou, e levei a mão ao peito.

Eu sentia tanta falta dela que a dor chegava a ser física. Era uma espécie de luto. Abstinência. Inanição.

Não era natural. Porque eu não deveria ficar sem ela. Meus olhos começaram a se encher de lágrimas.

Existe algo mais definitivo que o para sempre. É o nunca. O nunca é infinito.

Eu nunca mais a veria. Nunca mais a tocaria. Nunca mais lhe prepararia um almoço ou ouviria sua respiração enquanto ela dormia. Nunca nos casaríamos, teríamos filhos nem morreríamos juntos no mesmo dia. E eu não faria essas coisas com mais ninguém porque elas seriam apenas a versão barata do que eu deveria ter com ela e eu sempre saberia disso.

– Daniel…

Tive que engolir em seco.

– Sim?

Ouvi Alexis fungar na escuridão.

– Você ainda viria me buscar? – sussurrou.

– O quê? – perguntei, com a voz suave.

– Se acontecer um apocalipse zumbi… você vem me buscar?

Tive que afastar o celular. Lágrimas rolaram pelas minhas bochechas.

– Quer dizer, se o mundo acabar e nada mais importar? – retruquei, a voz rouca.

– É – murmurou ela.

Mais lágrimas quentes escorreram em meu rosto.

– O mundo *está* acabando, Alexis. É o que está parecendo. Venha comigo agora.

Ela começou a soluçar baixinho, e tive que colocar o telefone no mudo para que ela não me ouvisse chorar.

O buraco em meu peito era tão profundo que o vazio tinha tomado conta de mim. Eu não sabia como viveria o resto da vida sem ela. Então tive a certeza de que sair de Wakan não mudaria aquela situação. Nada ia melhorar em outro lugar. Porque o amor nos persegue. E a percepção de que eu não teria como escapar era tão devastadora, tão avassaladora, que eu não conseguia nem respirar.

– Tenho que ir – disse ela.

E foi.

Eu chorei como um bebê com a cara no travesseiro. Quando parei, bloqueei o número de Alexis para que ela nunca mais fizesse aquilo comigo.

Alexis

Chorei a noite toda.

Ligar para ele piorou muito as coisas. Eu não deveria ter feito isso. Só serviu para reabrir a ferida, e agora eu estava sangrando de novo. Era uma hemorragia, e eu não conseguia estancá-la.

Com os olhos vermelhos e inchados, vasculhei o armário atrás da roupa que eu planejava usar no evento do hospital no dia seguinte. Era um lindo vestido de alças prateado com uma saia de tule cheia e fofa. Eu tinha comprado na Neiman Marcus no ano anterior em uma viagem a Nova York com Jessica e Gabby. Comprei um vestido de 4 mil dólares no impulso, por diversão. Não havia nenhum evento planejado, nenhum lugar para ir.

De repente me dei conta de como isso era fútil e ridículo.

Eu já não era mais a mesma mulher.

Joguei o vestido na cama e coloquei o salto de tiras prateado ao lado, escolhi as joias e fiz uma pequena pilha.

Eu estaria maquiada e meu cabelo estaria preso em um penteado exuberante com uma pequena tiara de diamantes que minha mãe insistiu que eu usasse. Era uma herança de família da minha trisavó. Ela tinha usado na comemoração do aniversário de 50 anos do Royaume Northwestern, então minha mãe achou que fosse adequado.

Eu ia me embonecar toda e sobreviver à festa. Ia sorrir e conhecer pessoas. Só que estaria vazia por dentro, e ninguém ia saber. Ninguém ia saber que eu tinha perdido uma cidade inteira, o homem que eu amava e grande parte de mim mesma.

Alguém bateu na porta do quarto, e eu me arrastei até lá para abrir. Era Neil.

– O que foi? – perguntei, sem paciência.

– Briana está aqui – respondeu ele.

– Ok...

– Ela está preparando uma bebida para você na cozinha. Eu gostaria de conversar com você. Não vai levar mais que um minuto.

Pressionei os lábios e abri a porta com resignação.

– Entre.

Ele entrou e fechou a porta. Enfiou as mãos nos bolsos.

– Amanhã seus pais vão me colocar na mesa principal com eles.

Isso queria dizer que sentaríamos juntos. Que ótimo.

Balancei a cabeça.

– Não. Eu não vou entrar com você como se estivéssemos juntos. Vou ficar ao lado da minha mãe. Você se senta ao lado do meu pai.

– Tudo bem.

Olhei para ele.

– "Tudo bem"? Não vai rebater? Me obrigar a entrar com você?

– Ali, me desculpe.

Balancei a cabeça, irritada.

– O quê?

– Me desculpe por tudo que fiz você passar.

Encarei-o por um tempo antes de cruzar os braços.

– Por exemplo?

Aquilo ia ser bom.

Ele pareceu não saber exatamente o que dizer.

– Ali, minha vida não é... feliz. E estou começando a perceber que a culpa é minha. Venho tentando entender por que faço algumas coisas que faço, e acho que a terapia foi a melhor coisa que você podia ter sugerido.

Eu zombei, mas o olhar dele estava firme.

– Sabe, eu também perdi a Rebecca. Este não foi o único relacionamento em que tive dificuldades.

Rebecca era a ex-mulher dele. Mãe de Cam.

– Ali, você foi... é... a pessoa mais importante da minha vida. E sei que não demonstrei isso muito bem, mas eu... – Ele fez uma pausa. – Quando criança, o relacionamento dos meus pais não era saudável. Meu pai fazia com minha mãe algumas coisas que eu fazia com você. E acho que eu fazia essas coisas porque tinha medo de te perder. – Ele estendeu uma das mãos. – Sei que não faz sentido. Mas, se eu te deixasse insegura, você jamais iria embora. E sei que isso não é certo. Não é uma desculpa. Mas foi por causa *disso*. Nunca fiz aquelas coisas porque não te amava. Eu fiz porque *amava*. E não soube lidar.

Balancei a cabeça.

– Você me *traiu*.

Havia tristeza em seu olhar.

– Eu sei. Eu sei que estraguei tudo, *tudo*. Eu tenho problemas, Ali. Problemas relacionados a abandono, falta de confiança. Acho que eu fiz o que fiz porque vi que você estava prestes a me deixar, e se eu sabotasse o relacionamento ainda teria o controle sobre como você iria embora. Fiz a mesma coisa com a Rebecca. Eu só... Eu tenho problemas. E ainda vou ter muito trabalho pela frente para resolvê-los. Mas, se não fizer isso, eu nunca vou ser feliz e nunca vou conseguir fazer ninguém feliz. – Ele fez uma pausa. – Vou deixar você ficar com a casa.

Meus braços despencaram.

– Pode ficar com ela – repetiu ele. – Pode ficar com tudo o que quiser.

Umedeci os lábios.

– Você vai se mudar?

Ele assentiu.

– Se é isso que você quer, sim.

Estreitei os olhos.

– E o que *você* quer? Porque não consigo imaginar que esse ato de generosidade não tenha um preço.

Ele baixou os olhos.

– Tudo o que eu quero é que você esteja aberta a não me odiar. – Ele voltou a me encarar. – E talvez, em alguns meses, depois que eu entender mais um pouco sobre a minha vida, você encontre algum espaço em seu coração para me acompanhar em algumas sessões de terapia... não porque eu cumpri minha parte do acordo, mas porque é o que você quer. Só para ver. Porque eu sei que você me amou, e sei que posso melhorar. E estou com muito medo de perder você.

Foi quando percebi que eu reconhecia aquela expressão. Eu só nunca tinha visto nele. Ele estava sendo sincero.

Tentei suavizar um pouco.

– Vou pensar.

Ele deu um sorriso genuíno.

– Tudo bem. Obrigado.

Fiquei um tempo em silêncio.

– Obrigada por ter sido simpático com Daniel naquele dia.

Ele afastou o olhar.

– Eu sabia que você estava saindo com alguém. Não sou idiota. – Ele voltou a me encarar. – Mas a misericórdia não custa nada. Não foi isso que você disse? Imaginei que gostaria de ver a misericórdia em mim.

Alguma coisa naquilo tudo fez meus olhos lacrimejarem. Não porque Neil tinha transcendido, e sim porque, de algum jeito torto, Daniel era a causa.

Daniel era uma turbulência na água. Ele tocava a todos. Mesmo as pessoas que nem conhecia.

Neil me lançou um último olhar demorado. Então caminhou para a porta. Quando a abriu, Bri estava ali, a mão pronta para bater.

– Neil – disse, parecendo surpresa. – Não está no quarto errado? Tem umas crianças órfãs lá embaixo. Se correr pode chegar a tempo de contar a elas que o Papai Noel não existe.

Ele ignorou o comentário e o olhar fulminante dela e saiu.

Bri entrou com dois copos com sal na borda e uma jarra com uma bebida que cheirava a tequila pura.

– Margaritas! – cantarolou. – Está superforte. Fui generosa com a Patrón. – Ela fechou a porta com um chute. – E aí, o que o Satanás queria?

– Pedir desculpas.

Ela largou os copos na mesinha de cabeceira.

– Tipo, de verdade?

– Acho que sim. – Sentei na cama. – Ele vai me deixar ficar com a casa.

– Sério?

– Foi o que ele falou. Ah, e meu pai me colocou ao lado dele no jantar amanhã – acrescentei.

– É claro – comentou ela, levando a mão à boca, fingindo estar chocada.

Ela começou a servir a margarita.

– Eu não daria muita importância a esse pedido de desculpas. Só para você saber, em noventa por cento das vezes, homens como ele não mudam de verdade. Eles só aprendem a manipular melhor, para que *você* pense que eles mudaram, assim podem fazer tuuuudo de novo.

Assenti.

– Eu sei. Nem sempre mudam mesmo. – Fiz uma pausa. – Mas eu *acredito* que ele quer mudar.

Ela pensou por um momento e assentiu.

– Tudo bem. Nisso eu posso acreditar.

Bri me entregou a mistura rosada e se jogou na cama ao meu lado, também segurando um copo.

– Um brinde – anunciou – ao meu futuro ex-marido. Que ele seja contemplado com aquela cepa de clamídia resistente a antibióticos.

Eu ri, e batemos os copos. Então bebemos um gole e estremecemos.

– Meu Deus. – Eu tossi.

– Uaaau! – Ela sacudiu a cabeça, engasgando. – Uau. A luz de manutenção do meu fígado acabou de acender.

Eu ri, e fiz uma careta.

– Acho que já bebemos o bastante.

Ela pegou o copo da minha mão e o colocou na mesinha ao lado do dela antes de voltar a se sentar.

Eu deitei na cama, em cima da saia do vestido, e ela deitou comigo. Ficamos ali olhando para o teto, em uma nuvem de tule.

– Estou com saudade dele… – sussurrei.

Ela levou um bom tempo para responder:

– Eu sei.

Ficamos em silêncio por um momento.

– Liguei para ele ontem à noite. Não consegui me segurar. Parece impossível, Bri. Como eu vou superar isso?

Ela se virou e olhou para mim.

– Sabe o que é incrível no Derek e na mulher dele? Andei pensando muito nisso.

– O quê?

– A única coisa que ele saiu ganhando foi *ela*. Seus pais a odeiam. Os amigos dele não entendem. Ele teve que se mudar para o Camboja para ficar com ela. Nada no relacionamento deles é simples. É assim que a gente tem certeza de que ele está com ela porque a ama de verdade. Não há outra explicação. – Ela fitou o ventilador de teto. – Tem algo tão sereno nisso, não estar nem aí para nada que não seja a pessoa que você ama. – Ela hesitou. – *Eu* queria ter isso.

– Eu amo o Daniel mais do que já amei qualquer outra pessoa, mas isso não faz o resto do mundo desaparecer.

– Mas não é para desaparecer. É uma questão de prioridade.

Balancei a cabeça.

– Eu deveria estar feliz agora – sussurrei. – Consegui a casa. O cargo que eu queria. Meus pais largaram do meu pé. Estou cumprindo o legado do Royaume. Neil finalmente vai sair da minha vida. Vou poder ajudar milhares de pessoas, salvar vidas, fazer a diferença. Mesmo assim, estou absolutamente *infeliz*. Estou tão triste, Bri, que não aguento mais. Se todas essas coisas são tão maravilhosas, tão importantes e tão significativas, por que estou me sentindo desse jeito?

– Porque não consegue respirar.

Virei a cabeça para olhá-la.

– Quê?

– Você está morta por dentro. Perdeu o que te trazia à vida.

Eu a encarei em silêncio.

– Foi assim que você se sentiu quando Nick foi embora?

– Nossa, não. Você está muito pior do que eu fiquei.

Eu bufei.

– É sério, eu não daria àquele babaca a satisfação de sofrer por ele. Mas você está acabada.

Dei uma risadinha.

Ela olhou para mim.

– Posso fazer uma pergunta?

– Claro…

– Se você pudesse apagar toda a sua vida e recomeçar do zero, sem ninguém para questionar suas decisões, em qual ordem colocaria as coisas? Royaume primeiro? Depois seus pais? Depois Daniel?

Balancei a cabeça.

– Não…

– Então como seria?

Parei para pensar um pouco.

– Daniel. Depois Wakan. Depois o Royaume e todo o resto.

Ela apontou para mim.

– É por *isso* que você está arrasada, Ali. Você está toda fora de ordem.

Fiquei olhando para ela, piscando rápido.

– Como assim?

Ela se apoiou nos cotovelos.

– Você foi condicionada a vida inteira a viver para os outros. A fazer o que esperam de você, a servir cegamente. Você foi prometida ao Royaume Northwestern antes mesmo de *nascer*. E é uma coisa superimportante, não estou dizendo que não é, mas isso não significa que você tenha que cumprir. Você *pode* decidir se priorizar... você tem escolha. Não é uma escolha fácil, pois há consequências. Mas você *tem* uma escolha. Se sua vida é tão ruim assim sem o Daniel, talvez você deva reconsiderar suas prioridades. Foi o que Derek fez. Quer dizer, para se mudar para o Camboja, ele deve ter passado pelo que você está passando agora, não acha? Duvido que ele não tenha se importado com o Royaume, com você ou com seus pais. Só acho que, no fim das contas, tudo isso era menos relevante do que *ela*. – Bri deu de ombros. – *Ela* era inegociável.

– Inegociável...

– É. Ela era a única coisa sem a qual ele não conseguiria viver. Todo o resto era o resto.

Balancei a cabeça.

– Mas... mas eu não posso abandonar o Royaume...

– Não mesmo? Você pode ajudar os outros onde estiver, Ali. Tudo bem, não vai ser em larga escala como acontece no Royaume, mas ainda pode salvar vidas. Derek está salvando. Ele encontrou um jeito. E acho que 125 é um número bem redondo para acabar logo com isso, se quer minha opinião.

Sentei e fiquei olhando para ela, chocada.

– O quê? Estou falando sério. Se você fosse embora, iria se sentir pior do que está se sentindo agora? – questionou ela. – Se ligasse o "foda-se" e chutasse o balde, ficaria tão infeliz quanto está hoje?

Eu piscava freneticamente diante do que ela sugeria. Porque a resposta era incrivelmente simples.

– Não.

– Você não precisa se sentir assim. Não mesmo. Peça demissão. Vá embora. Escolha Daniel. Escolha *a si mesma*.

Fiquei um bom tempo encarando Bri. Então comecei a ter dificuldade de respirar.

Não me era permitido pensar em ir embora. *Eu* não poderia ser a pessoa a sugerir isso, porque era uma atitude muito egoísta. Era uma fantasia proibida, traiçoeira demais para sequer ser considerada. Mas, no instante em que Bri verbalizou essa possibilidade, meu coração se agarrou a ela.

E se eu fizesse isso?

E se eu fosse embora?

E se, para variar, eu realizasse a *minha* vontade? Em vez de pensar nos meus pais, no legado da família ou na infinidade de desconhecidos que um dia se beneficiariam se eu ficasse onde estava.

Imediatamente comecei a imaginar aquela possibilidade se tornando real, como um filme acelerado.

Eu me imaginei em meu carro, dirigindo para Wakan, para os braços de Daniel, soluçando em seu pescoço, implorando por seu perdão.

O alívio que me atingiu só de *pensar* nisso era palpável.

A ideia de que eu era capaz de acabar com toda a tristeza e o sofrimento tirou um peso enorme dos meus ombros. Minha vontade era pular da cama e sair correndo do quarto. Senti a ideia crescendo e ganhando vida naqueles poucos minutos desde que fora enunciada, senti que a ideia de largar tudo não cabia mais na caixinha de impossibilidades onde eu a mantinha.

E se eu...

Mas eu *não podia*. Podia?

Como eu conseguiria viver com a culpa? Com a vergonha?

Sem meus pais, ainda por cima...

Apesar de todas as suas falhas, eles eram os únicos que eu tinha. E, se eu fizesse isso, eles nunca mais falariam comigo. Seria pior do que quando Derek foi embora. Eu estaria colocando um ponto-final no legado Montgomery. Isso jamais seria perdoado. *Jamais*. Eu os perderia para sempre.

Mas, ao mesmo tempo, como eu poderia viver após perder Daniel para sempre?

Como eu poderia acordar e viver todos os dias, durante os cinquenta anos seguintes, sabendo que eu não precisava viver assim? Que ser infeliz para o resto da vida era uma escolha, uma decisão que *eu* tinha tomado? Que eu tinha escolhido isso para mim *e* para ele?

E essa era a parte crucial de todo o problema.

Como Daniel devia estar se sentindo com aquele término que lhe fora imposto contra sua vontade? Tendo sua voz abafada? Isso não era pior do que todo o resto? Magoar o homem que eu amava cujo único crime fora retribuir esse amor incondicionalmente?

Meus pais nunca me amaram incondicionalmente. Nunca. Então por que *eu* deveria lhes dedicar esse tipo de amor? Eles não mereciam isso. Por que eu teria que vender minha alma se eles poderiam aprender a ser mais tolerantes, ter a mente aberta ou simplesmente *aceitar calados* as escolhas dos filhos?

Mas eu sabia por que achava que estava em dívida com eles…

Eu ouvia minha terapeuta dentro da minha cabeça, analisando a situação comigo como provavelmente estaria fazendo durante semanas se eu ainda estivesse indo às sessões.

Meu pai também abusava emocionalmente de mim.

Ele não era diferente de Neil.

E minha mãe era sua facilitadora.

Eu tinha passado a vida inteira buscando o afeto e a aprovação do meu pai, aceitando suas palavras nocivas, deixando que ele passasse impune. E sempre achei que minha mãe também fosse uma vítima, que estávamos enfrentando aquilo tudo juntas – e de certa forma talvez estivéssemos. Mas talvez pela primeira vez na vida eu visse as coisas de um jeito diferente.

Porque ela nunca nos protegeu.

Minha mãe *normalizava* o abuso. Ela o permitia. Fazia com que eu participasse daquilo, reforçava o comportamento dando ao meu pai o que ele queria quando agia assim. A mulher mais influente da minha vida me modelou desde o dia em que eu nasci e me disse para aceitar. Ela me ensinou isso, me preparou para meu relacionamento com Neil. Me fez acreditar que o amor era assim.

Bri tinha razão. Me ensinaram a acalmar os nervos de babacas.

Tinha sido ensinada pela *minha mãe*.

Meu coração acelerou.

Era muita coisa para analisar naquele momento, todas as camadas de disfunção e as consequências de sua existência. Eu não conseguia pensar em quem eu seria se não tivesse nascido naquela família ou se tivessem me amado incondicionalmente ou se tivesse uma mãe forte que impusesse os limites que a minha nunca impôs. Eu não podia voltar. Eu não queria voltar.

Eu só queria *ir embora*.

Eu não queria mimar meus pais tóxicos. Não queria morrer como mártir na pira do Royaume, por mais honroso que isso pudesse ser. Eu não queria o cargo de oitenta horas por semana porque, embora devesse, ele não me satisfazia. Eu não queria aquela casa nem aquela vida.

Eu só queria Daniel.

Ficar sem Daniel era pior que qualquer coisa que eu já tinha vivido. E eu não tinha como saber antes de viver aquilo. Nem nos meus sonhos mais loucos eu poderia imaginar que a vida seria impossível sem ele, até que aconteceu.

Mas Daniel imaginou.

Ele soube, *semanas* antes, *meses* antes, como seria. Era por isso que estava disposto a ir embora de Wakan por minha causa. Ele sabia. E eu *não*.

Eu tive que me afogar primeiro.

E estava finalmente, *finalmente*, pronta para salvar a mim mesma.

Uma chave em meu cérebro virou.

Uma enorme engrenagem emperrada girou devagar, e um bloco de concreto que fazia parte da minha constituição mudou de lugar. Daniel subiu ao topo, e todo o restante se reposicionou com um tinido metálico que ecoou por toda a minha existência. Pela primeira vez na vida, meus pais e o Royaume ficaram em segundo lugar e, quando isso aconteceu, uma enxurrada de novos pensamentos surgiu. Ideias que eu nunca tinha considerado começaram a borbulhar, a se espalhar em minha mente. O bloqueio mental se desintegrou, e caminhos alternativos começaram a se formar.

E eu soube o que fazer. Soube com tanta clareza que comecei a rir.

Levantei e peguei meu celular.

Bri se virou e olhou para mim.

– O que está fazendo?

– Vou convocar uma reunião de emergência do conselho do hospital – respondi, abrindo meu e-mail.

Ela balançou a cabeça.

– Mas… é *sexta-feira*. Eles não vão falar com você hoje…

– Eles vão se ainda quiserem uma Montgomery na equipe amanhã.

Escrevi o e-mail com pressa e enviei.

Era como Daniel tinha dito na noite anterior. Quando você não se importa, você é que manda. Eles podem aceitar ou não. Quando não importa mais para você, peça o preço que quiser.

Não que eu não me importasse com o Royaume. É que o hospital não era mais importante do que Daniel.

Então dei início às negociações…

Alexis

Eu vinha ligando sem parar para Daniel desde a noite anterior. O celular dele caía direto na caixa postal, e minhas mensagens não eram lidas.

Eu estava exausta. Mal tinha dormido. Minha reunião com o conselho do hospital durou até quase a meia-noite, e depois passei duas horas em um telefone via satélite com meu irmão e a esposa dele. Eu precisava reescrever meu discurso, conseguir um convite para Daniel e reservar um smoking para ele em uma loja de Mineápolis. Então deixei uma mensagem de voz implorando a ele que viesse. Como ele não retornou nem respondeu às mensagens, liguei para o Bar dos Veteranos procurando por ele. Hannah contou que fazia semanas que ele não ia até lá. Então liguei para Doug.

Doug me disse que Daniel estava indo embora de Wakan. Que ele não conseguia mais ficar lá. Que provavelmente já tinha ido.

Por *minha* causa.

Eu parti seu coração.

Eu achava que abrir mão dele era a coisa mais humana a fazer. Só que a coisa mais humana seria tê-lo deixado ficar.

Daniel estava disposto a abrir mão de todo o seu mundo por mim. Ele sempre soube o que era mais importante. Estava disposto a trocar Wakan, a Casa Grant, seu legado... tudo para ficar comigo naquele lugar hostil e superficial, porque para ele era inaceitável ficar sem mim.

E eu não retribuí tudo isso no momento crucial.

Deixei que ele acreditasse que tinha vergonha dele, que não valia nenhum sacrifício, qualquer que fosse. Que ele não era para mim tudo o que eu era para ele. Desde o início, fiquei com um pé atrás, nunca me entreguei de cabeça, eu o neguei, o escondi. E depois o abandonei.

Eu o *traí*.

Então, se ele nunca mais quisesse falar comigo, como eu poderia culpá-lo?

Eu precisava aceitar. Culpá-lo não ia me ajudar a fazer o que eu tinha que fazer. E eu ia fazer, quer ele aparecesse ou não.

Eram seis da tarde, e eu já estava no evento. Não podia cumprimentar as pessoas e segurar o celular ao mesmo tempo. Meu vestido não tinha bolso, então meu telefone estava na mesa dentro da bolsa, o que me impedia de checá-lo o tempo todo. Dei o número de Daniel a Bri e pedi que ela continuasse tentando falar com ele. Eu não sabia se tinha dado certo porque fazia 45 minutos que ela tinha desaparecido.

O evento estava bem encaminhado. Mais de quinhentas pessoas haviam comparecido, uma lista de convidados montada com muito cuidado. Um tapete vermelho guiava os convidados ao salão com o tema *Sonho de uma noite de verão*.

O teto tinha sido transformado em um céu noturno reluzente de estrelas. Flores cobriam as paredes e velas tremeluziam nas mesas cobertas por toalhas de linho sob arranjos florais com libélulas cravejadas. Havia até árvores no salão. Garçons com luvas brancas carregavam bandejas com aperitivos e champanhe. Havia esculturas de gelo em todos os bares. Uma banda. Repórteres que cobriam estilo de vida e outros veículos de comunicação. Diziam que era a festa do século. Eu já tinha posado para dezenas de fotos e dado meia dúzia de entrevistas sob o olhar atento de minha mãe, que parecia satisfeita.

Meus pais pareciam o rei e a rainha em um salão cheio de súditos. Todos estavam radiantes. Jessica e Gabby estavam com seus vestidos e maridos distintos no bar, com Neil e meu pai.

Seria a primeira vez em mais de quarenta anos que meu pai ou minha mãe não discursariam em um evento do Royaume. Meu discurso seria como uma cerimônia de passagem da tocha, algo que Derek certamente estaria fazendo se não tivesse ido embora.

Eu ainda conseguia imaginar como seria se o baile tivesse acontecido um ano antes. Uma realidade alternativa. Meu irmão, charmoso e carismático, fazendo todos rirem durante um discurso ao mesmo tempo encantador e inspirador. Eu estaria presente, mas seria ignorada. Apenas um troféu com quem Neil desfilaria, uma vez que ele era mais importante do que eu. Seria apresentada sem entusiasmo por um pai lendário – e só quando estivesse perto o bastante para que isso fosse absolutamente necessário.

Tanta coisa tinha mudado.

E iria mudar ainda mais.

Ao chegar, os convidados tinham que descer uma escadaria enorme de mármore até o salão onde ficavam as mesas. Isso tornava cada entrada grandiosa, e parte da diversão era vê-los entrando. Minha mãe e eu estávamos na base da escadaria, cumprimentando as pessoas que chegavam.

Minha mãe sabia o nome de todos. Sussurrava no meu ouvido antes que eles chegassem ao pé da escada. Príncipes e dignitários estrangeiros, magnatas do setor imobiliário, políticos, atores. Até mesmo um vlogger famoso, um grande doador para as pesquisas do Royaume sobre ELA.

Havia bilhões de dólares naquele salão. Bolsos sem fundo. E, pela primeira vez, eu sabia *exatamente* o que queria fazer com o dinheiro. Sabia quem eu queria ser para o legado Montgomery, sabia como o Royaume viria a se lembrar de mim, o que os livros de história contariam e como eu passaria o resto da minha vida.

Naquelas 24 horas, eu tinha alcançado um nível de clareza que jamais pensei ser possível.

Durante a vida inteira, eu me senti um pouco fragmentada e dispersa. Provavelmente porque os outros sempre estavam decidindo o que eu deveria ser. Eu era um mosaico projetado por outras pessoas, e nenhum dos fragmentos estava no lugar certo. E agora finalmente tinha me reorganizado e me reconhecido pela primeira vez.

Já tinha acertado tudo com o conselho. Organizei tudo com meu irmão e sua esposa. Tudo estava no lugar. Eu só esperava que Daniel aparecesse.

Quando o fluxo constante de convidados diminuiu, minha mãe se aproximou.

– Estou tão impressionada, Alexis. Sei que você nem sempre se sente confortável com esses eventos, mas está se saindo muito bem.

Eu mantive os olhos no topo da escada, esperando que o próximo convidado a aparecer fosse Daniel.

– Acho que você vai se surpreender com minha motivação – falei.

Gabby e Jessica deixaram os maridos no bar com Neil e se aproximaram. Minha mãe percebeu e pediu licença para falar com um antigo colega. Era a primeira vez que conversávamos desde o dia em que Daniel foi ao pronto-socorro.

Assim que estavam perto o suficiente para que eu ouvisse, Jessica soltou um suspiro alto.

– Quanto tempo vão nos fazer esperar pelo jantar? A 500 dólares por pessoa eu achava que pelo menos seríamos alimentadas em um horário decente.

Gabby parou na minha frente, remexendo o gelo do mojito com um canudo.

– Seu vestido é lindo.

– Obrigada – resmunguei, olhando para o topo da escadaria.

Ela colocou o canudo na boca.

– Philip me contou que Neil pediu ajuda para procurar apartamento.

Como não respondi, ela continuou:

– Isso é bom, não é?

– É – respondi, categórica.

– Então, ahn… acabou? – perguntou ela, com o canudo ainda na boca. – Vocês terminaram mesmo?

– Nós *já tínhamos* terminado – lembrei.

– Eu sei. É que foi meio romântico ele ter tentado tanto voltar. No fim eu estava quase torcendo por ele.

Revirei os olhos internamente. Qual parte daquela invasão foi romântica? Ele me manter como refém na minha própria casa? Ou finalmente conseguir a ajuda psicológica de que precisava para se tornar um ser humano minimamente decente e com quem talvez valesse a pena manter um relacionamento?

Nem me dei ao trabalho de responder.

Ela só queria fofocar. E teria muito material para isso até o fim da noite… mas não sobre Neil.

Gabby transferiu o peso do corpo de uma perna para a outra como se meu silêncio a deixasse impaciente.

– Tem falado com aquele cara? – perguntou, de repente.

Olhei para ela e inclinei a cabeça.

– Está falando do cara do esquilo?

Ela me encarou, piscando rápido.

– Eu...

– Você o conhece. Passou três dias na casa dele. Sabe o nome dele – falei. – Talvez devesse olhar sua avaliação de uma estrela sobre a Casa Grant para relembrar.

Ela ficou boquiaberta.

Até Jessica ficou de queixo caído.

Uma corneta soou. Um toque cinematográfico para avisar a todos que era hora de se sentar. Jessica pigarreou.

– Finalmente. Vamos.

Ela se dirigiu à mesa e Gabby correu atrás dela.

Meu pai se aproximou em seu smoking, com um copo de uísque na mão, e minha mãe finalizou a conversa e se juntou a nós no pé da escada.

– Neil foi pegar uma taça de vinho para você – comentou meu pai, apontando para a fila do bar com a cabeça.

As pessoas estavam começando a se sentar, mas meus pais não se mexeram.

Minha mãe provavelmente queria estar lá para cumprimentar qualquer retardatário, e meu pai ou estava esperando Neil ou queria manter sua posição imponente no salão. Qualquer que fosse o motivo, aquilo era um problema.

Eu queria pegar minha bolsa e checar meu celular. Mas estava com medo de que Daniel aparecesse e acabasse bem no meio dos meus pais sem que eu estivesse ali para defendê-lo. Então também fiquei onde estava, mordendo o lábio e observando o topo da escadaria, nervosa.

A cada segundo que passava sem que Daniel chegasse, eu ficava mais ansiosa. O evento tinha começado às cinco e meia da tarde. Ele estava mais de uma hora atrasado.

Comecei a temer que não viesse.

Eu sabia que ele sentia minha falta. Sabia que ainda me amava. Senti isso quando conversamos ao telefone.

Mas isso não queria dizer que ele ia me perdoar.

Uma montagem de fotos dos 125 anos da história do hospital começou a ser exibida enquanto os garçons serviam a salada aos convidados. Eu subiria no palco em seguida.

Meu pai bebeu um gole do uísque.

– Imagino que seu discurso esteja pronto – comentou ele, em voz baixa. – Este é um evento histórico. Espero que tenha se preparado.

Soltei o ar devagar pelo nariz para me acalmar.

Era engraçado como aqueles golpes casuais e corriqueiros agora eram óbvios. Eu estava tão acostumada que nem percebia mais quando aconteciam. Eram a base de tudo o que eu aceitava vindo de Neil.

Em vez de me dedicar palavras de incentivo para me deixar segura diante de quinhentas pessoas, meu pai preferiu me lembrar de que ele não confiava em mim. Fez questão de que eu soubesse que ele imaginava que eu não entendia a importância daquele evento e não tinha me dado ao trabalho de me preparar. Mas isso me irritou principalmente porque era um desrespeito à minha mãe.

Foi minha mãe quem passou os últimos meses me preparando para aquele discurso, e ele nitidamente não confiava que ela, que havia se tornado uma palestrante profissional nos últimos quarenta anos, tivesse feito seu trabalho antes de me liberar para o evento mais importante do Royaume. Era um insulto. E minha mãe ignorou aquilo, como sempre, porque ela nunca escolhia lutar. Por si mesma *ou* por mim. Mas tudo bem. Porque pela primeira vez na vida eu estava preparada para lutar por mim mesma.

Eu *estava* preparada para o discurso. Embora não fosse usar o que tínhamos ensaiado. Meus pais não faziam ideia do que ia acontecer. Eu pedi ao conselho que mantivesse a confidencialidade da reunião, e eles concordaram.

A noite seria cheia de surpresas.

Fotos em preto e branco da construção do hospital surgiram nos telões. Então imagens coloridas de 1950, 1960. Minha família aparecia em quase todos os slides. Quando passavam as fotos de meados da década de 2000, Neil começou a vir do bar com minha taça de vinho. Meu pai se aproximou.

– Neil me contou que vocês tiveram uma conversa animadora.

– Gostei de saber que a terapia está ajudando ele – falei, com desdém, olhando mais uma vez para o topo da escadaria.

– Fico feliz que tenha recobrado o juízo – continuou ele. – E pensar que você poderia estar aqui com aquele garoto.

Ele riu levando o copo à boca.

Eu *enlouqueci*.

Virei a cabeça tão rápido que a tiara quase saiu do lugar.

– *Nunca mais* fale assim do Daniel na minha presença. Dele *ou* da Nikki.

Minha mãe ficou chocada, e meu pai baixou o copo e me lançou um olhar de advertência.

– Cuidado com o tom, mocinha – sussurrou ele.

Endireitei a postura.

– *Não*.

Minha mãe ficou nervosa.

– Querida, acho que já vão chamar você – disse baixinho, colocando a mão em meu braço. – Talvez seja melhor ficar perto do palco. Vou me certificar de que sua taça de vinho vá para a mesa...

– Eu não vou me sentar com vocês – interrompi bruscamente.

Minha mãe me encarou, piscando rápido.

– Não vai? E por que não?

– Eu comprei outras cadeiras.

– Não vai se sentar com Neil? – perguntou meu pai, parecendo confuso.

– Não, não vou. Convidei Daniel, e se eu tiver alguma sorte, talvez ele apareça, para que eu possa *implorar* pelo seu perdão, pela maneira como permiti que vocês o tratassem.

Pela maneira como *eu* o tratei.

A montagem de fotos chegou ao fim, e o CEO subiu ao palco. Em dois minutos seria a minha vez.

Balançando a cabeça, olhei para meus pais, boquiabertos.

– Mãe, espero que encontre sua voz. Sei que ela está aí. Para seu próprio bem, espero que a procure. – Virei para meu pai. – Pai, você será um velho muito solitário. Seu mundo está prestes a ficar tão pequeno quanto sua mente. Você não vai ter seus filhos. Não vai ter o privilégio de conhecer as pessoas que eles amam. Não vai abraçar seus netos, não vai vê-los crescer. – Balancei a cabeça. – Mas pelo menos vai ter o *Neil*.

Virei e comecei a andar em direção ao palco. Então parei e olhei para eles mais uma vez.

– Além disso, saiba que estou renunciando ao cargo de chefia a partir de amanhã.

O queixo da minha mãe caiu, e meu pai ficou vermelho.

– Me faça um favor e diga ao Neil que a casa é dele. Vou sair de lá até o fim desta semana. Eu mesma me deserdo para que você não tenha esse trabalho. Agora com licença. Tenho um discurso a fazer.

Levantei a saia do vestido, caminhei por entre as mesas e subi no palco no instante em que me apresentaram.

Andei até o microfone sob aplausos, dois telões enormes flutuando atrás de mim. Agradeci ao CEO e ajustei o microfone olhando para a plateia.

Embora o discurso não fosse aquele que treinei durante meses com minha mãe, eu não precisava de teleprompter nem de anotações. Estava preparada. Me sentia totalmente calma. Como se tivesse nascido para fazer aquilo – e tinha *mesmo*.

Meu pai nunca esperou muito de mim. E, por um bom tempo, nem eu. Durante minha vida inteira, meu pai me fez sentir o elo mais fraco da família, a princesa mais inútil. Um desperdício de seu DNA.

Mas naquele dia eu era uma *Montgomery*.

Aquela herança pulsava em minhas veias, saía por meus poros. A sensação era a de que eu era a forma definitiva de tudo que minha linhagem aspirava ser. Eu era uma Montgomery melhor até mesmo que Derek – porque finalmente tinha encontrado a vocação que me ancorava a meu patrimônio familiar. Aquilo me incendiava. Fornecia o impulso incansável e o foco aguçado de quem queria acreditar em algo.

E eu não via a hora de começar.

Busquei Bri e Daniel na multidão uma última vez – e vi minha amiga nos fundos do salão. Ela acenou e fez um sinal de positivo.

Era um desejo de boa sorte? Ou de "encontrei o Daniel"? Ele não estava ali com ela...

Procurei-o mais uma vez, mas não o vi. E não podia mais esperar. Então comecei.

– Obrigada por se juntarem a nós para comemorar este marco histórico do Royaume Northwestern. – Minha voz saiu firme e confiante. – Neste dia, em 1897, nossas portas se abriram pela primeira vez, e meu tataravô, Dr. Charles Edward Montgomery, começou seus atendimentos. Hoje, 125 anos depois, dou continuidade a um legado do qual minha família tem muito orgulho: andar pelos corredores daquele que se tornou um dos melhores hospitais do mundo. Com suas doações generosas, fomos pioneiros de grandes descobertas médicas, nos consagramos como um dos principais hospitais de pesquisa e treinamento do mundo e salvamos inúmeras vidas. O Royaume é o lar de alguns dos melhores médicos que a profissão já viu. Somos o destino de talentos inigualáveis e líderes em avanços da medicina. É com base na força desse alicerce que hoje temos o prazer de anunciar a nova direção do Legado Montgomery e do relacionamento da minha família com o Royaume.

Foi *neste momento* que minha mãe percebeu que eu saí do roteiro.

Vi seu rosto registrar aquela última frase, e ela se aproximou do meu pai e sussurrou algo no ouvido dele.

– Como vocês devem saber – continuei –, sou a chefe da emergência do Royaume. E se tem uma coisa que aprendi cumprindo esse papel foi que, na maioria dos casos, emergências não seriam emergências se os pacientes tivessem acesso a cuidados médicos de rotina. Tratamentos de custo inacessível custam vidas. Já vi cortes não tratados virarem sepse. Uma sinusite virar pneumonia porque o paciente não pôde pagar por uma consulta que lhe receitasse antibióticos. Já vi diabéticos perderem membros porque estavam racionando insulina, já vi um câncer terminal que poderia ter sido descoberto e tratado precocemente se houvesse acesso a exames anuais adequados. – Fiz uma pausa de impacto e olhei para a plateia com a sobrancelha erguida. – Já vi pacientes que se costuraram com gim e anzol porque não podiam pagar por uma visita ao pronto-socorro.

Dei um tempo para que a plateia risse.

– As alas que podemos acrescentar a um prédio são limitadas. Então chegou a hora de o poder de cura do Royaume se expandir de outra maneira. A partir da próxima semana, iniciaremos a construção de nossas primeiras clínicas-satélite. Essas clínicas vão oferecer cuidados gratuitos a comunidades de baixa renda, a começar pela cidade de Wakan, no condado de Grant, e pelo Camboja, onde meu irmão, Dr. Derek Montgomery, e sua esposa, Nikki, já estão trabalhando. Eu mesma vou supervisionar a clínica de Wakan. Durante a próxima década, nosso objetivo é expandir o programa para comunidades carentes do mundo todo. – Fiz uma pausa. – A partir de hoje, o Royaume não estará só aqui. Estará onde for mais necessário. Foi um privilégio crescer como uma Montgomery na família Royaume. E estou animada e honrada por dar continuidade à nossa tradição de excelência compartilhando a dádiva que é o Royaume para além dos muros que meus antepassados construíram. Doem com generosidade hoje. Deem lances altos. Estamos construindo um novo começo. Obrigada.

Aplausos *estrondosos*.

Vi Gabby e Jessica aplaudindo e assentindo. Neil estava aplaudindo. Bri estava aplaudindo de pé, com um sorriso tão grande que parecia que ela ia explodir. E o engraçado era que meus pais também. Minha mãe estava reluzente, parecia mais orgulhosa do que nunca. Até meu pai estava sorrindo e aplaudindo.

O mais irônico era que aquela devia ser a primeira vez que ele ficava realmente impressionado comigo. Era revolucionário e inovador. Um avanço para a instituição, algo que o hospital nunca tinha feito e que trazia Derek de volta e provavelmente garantia a sobrevivência da franquia por gerações. E nem foi difícil planejar tudo, uma vez que defini minhas prioridades, porque serviria a tudo o que me era mais caro.

Daniel, Wakan, Royaume – e depois todo o resto. Nessa ordem.

Entrei naquela reunião pronta para pedir demissão se eles não aceitassem. Mas o conselho amou a ideia. Teriam um grande anúncio para o evento de aniversário, uma iniciativa nova e empolgante, e conseguiriam manter dois Montgomerys jovens e ávidos na equipe. Aliás, três. Porque também teriam Nikki.

Nikki estaria presente em tudo que meu irmão fizesse e, apesar da opinião equivocada do meu pai a respeito da nora, Lola Simone era uma aliada poderosa. Sua fama concedia alcance global e centenas de conexões importantes – e ela era muito respeitada por seu trabalho humanitário. Nikki Montgomery atrairia mais doadores ao Royaume do que minha mãe jamais conseguira. Seu impacto seria imensurável e garantiria o sucesso do programa. O conselho reconheceu isso e foi unânime – e isso se deu, em parte, por causa *dela*.

Talvez um dia meu pai reconhecesse que foram Nikki e Daniel que levaram a tudo isso. Talvez um dia meu pai pedisse desculpas e aceitasse a vida que Derek e eu escolhemos viver e tentasse ser parte dela. Talvez aprendesse a ter um pouco de misericórdia. Eu esperava que sim. E esperava que,

ainda que ele não aprendesse, minha mãe finalmente batesse o pé e esco-
lhesse fazê-lo assim mesmo.

Eu sabia por experiência própria que, às vezes, quando o alerta é alto o
bastante, a gente acorda, sim.

De qualquer maneira, eu estava feliz com a minha decisão. Derek e eu
estávamos.

Mas eu ainda não tinha visto Daniel. Ele já deveria estar ali. Se tivesse
vindo, já deveria estar ali.

Meu coração se apertou.

Ele sabia que eu estava tentando falar com ele. Ainda que Bri e eu não
tivéssemos conseguido entrar em contato e nenhuma das minhas mensagens de voz ou de texto tivessem chegado, Doug já teria ligado para ele.
Ele sabia.

Era a resposta dele. Era um não.

Eu o magoara demais, muitas vezes. E não podia culpá-lo por não aceitar mais aquela situação.

Mas isso não mudava nada. Porque eu me mudaria para Wakan assim
mesmo.

Eu era um pouco mais Grant do que Montgomery, percebi. Eu queria
mudar o mundo. Mas queria começar *ali*. E faria isso.

Ainda que o prefeito nunca mais falasse comigo.

Deixei o palco sob aplausos. Fui abordada por alguns doadores assim
que fui para o salão. Todos queriam seu nome em um prédio, e tínhamos
duas novas clínicas disponíveis. Fiquei feliz com o entusiasmo, mas só queria dar uma olhada no celular e falar com Bri. Estava cumprimentando pessoas e tentando me afastar quando vi alguém surgir no topo da escadaria de
mármore. Prendi a respiração quando ele apareceu.

Daniel...

Meu coração parou quando o vi.

Ele estava de smoking preto, com uma das mãos no corrimão. Todas
as mulheres olharam para ele... mas ele só estava olhando para *mim*. E eu
nunca o vira tão lindo ou tão feliz.

– Com licença – sussurrei.

Atravessei a multidão, segurei a saia do vestido e saí correndo. Ele sorriu
quando me viu e começou a descer a escadaria correndo também.

Fiquei tão aliviada ao vê-lo que não saberia dizer se estava rindo ou chorando, ou um pouco dos dois.

Nós nos encontramos no meio da pista de dança. Seu mundo e o meu, colidindo diante de todos.

– Você veio – murmurei, envolvendo-o em meus braços.

– É claro que eu vim – sussurrou ele.

– Daniel, me desculpe – falei, ofegante. – Por favor, *por favor*, me perdoe.

Ele se afastou um pouco e segurou meu rosto.

Olhei para ele com lágrimas nos olhos.

– Eu te amo tanto. Cometi um erro enorme…

– *Shhhhhhh…*

– Não. Naquele dia em que você foi até a minha casa, eu deveria ter feito uma mala ali mesmo e ido embora com você. Eu deveria ter ido meses antes. Eu achava que tinha estragado tudo. Achava que nunca mais fosse ver você.

– Eu gostaria de dizer que sou forte o bastante para ficar bravo com você – disse ele, a voz um pouco rouca. – Mas não sou. Eu vim assim que recebi sua mensagem. Aí minha caminhonete pifou em frente à loja do smoking e Bri teve que ir me buscar. Eu não sabia chamar um Uber.

Eu ri, lágrimas escorriam pelas minhas bochechas.

– Você ouviu meu discurso? – perguntei, secando o rosto.

– Ouvi. Eu estava no topo da escadaria. Não queria que você me visse, não queria que ficasse nervosa.

– Eu ia pedir demissão, Daniel. Se eles não tivessem concordado com essa ideia, eu ia embora para ficar com você. Eu ia para Wakan com ou sem o Royaume.

Ele sorriu para mim com delicadeza.

– Meu Deus, você está linda – sussurrou ele.

Sorri em meio às lágrimas e ficamos ali, apenas curtindo a existência um do outro.

Era incrível como eu me sentia inteira. Como ele completava a última peça do meu mosaico. Eu nunca ficaria completa sem ele. Mesmo que nunca o conhecesse ou soubesse quem ele era.

A banda começou a tocar "True", do Spandau Ballet. Daniel ergueu uma sobrancelha.

– Quer dançar comigo?

Eu sorri.

– Quero. – Assenti. – É claro que quero dançar com você.

Coloquei um braço ao redor do seu pescoço. Ele pousou a mão sobre a minha em seu peito e começou a me rodopiar naquele salão mágico cheio de flores e estrelas reluzentes.

Parecia um conto de fadas. E ele parecia um príncipe em uma floresta encantada.

Mas Daniel sempre foi um príncipe. Aquela era só a primeira vez que todas as outras pessoas também enxergavam isso.

Éramos os únicos na pista de dança. A saia enorme do meu vestido se expandiu quando ele me fez rodopiar, e um holofote se acendeu e nos acompanhou.

Todos estavam assistindo. Eu queria que assistissem.

Queria que todos me vissem com o homem que eu amava. Porque eu tinha *orgulho* de amá-lo aos olhos do meu mundo. Teria orgulho se ele viesse de calça jeans e camiseta desbotada, com lama nas botas, com as tatuagens expostas e tudo mais. Ele podia ter entrado com Kevin Bacon e eu teria sorrido e mergulhado em seus braços de qualquer jeito.

– Então, o que esse novo cargo significa? – perguntou ele, virando-se para mim. – Você vai ter que ir até as outras clínicas quando inaugurarem? Somos nômades agora? – brincou ele.

Eu dei uma risadinha.

– Não. Meu trabalho é garantir que as clínicas sejam financiadas. Basicamente, eu tenho que ir a *muitas* festas. Talvez seja melhor comprar esse smoking – falei, puxando a lapela.

Ele enfiou o dedo pela gola.

– É muito desconfortável. Eu nunca tinha usado um.

– Experimente uma cinta modeladora para ver como é bom.

Ele riu.

– Acho que vou ter que colocar você na casa-grande. Vai precisar do espaço no armário para todos esses vestidos de festa.

Eu sorri.

– Podemos ficar com o Quarto Damasco? – perguntei.

– Claro – respondeu ele. E então, com um olhar grave, continuou: – Mas não posso morar lá com você se não formos casados.

Ofeguei de brincadeira.

– O quê? Por que não?

– É o quarto dos meus avós. Não posso fazer tudo o que quero com você lá a não ser que seja minha esposa. Parece errado.

Fingi pensar por um instante.

– Hummm. Além disso, é assombrado. Não sei se devo ficar lá sozinha. É melhor a gente se casar logo. Tive que prometer ao conselho do hospital que não tiraria meu sobrenome, mas acho que Dra. Alexis Montgomery Grant soa bem, não acha?

Ele estreitou os olhos.

– Você não se importa de se casar com um carpinteiro de uma cidadezinha no meio do nada?

– Não consigo pensar em um jeito melhor de passar os próximos cinquenta anos. E a gente meio que vai ser obrigado. Doug apostou 100 pratas que nós não seríamos felizes para sempre.

Ele riu, e seu rosto inteiro se iluminou.

Dra. Alexis Montgomery Grant.

Me ocorreu que um dia Daniel e eu seríamos lembrados em artigos de jornal amarelados e emoldurados nas paredes do Bar dos Veteranos assim como os Grants que vieram antes de nós, e essa ideia me fez sentir tão orgulhosa e completa que eu nem seria capaz de descrever. Era melhor que quadros imponentes pendurados em corredores de hospitais ou matérias na *Forbes* ou documentários no History Channel – embora estes também fossem prováveis.

Teríamos o melhor dos dois mundos. Eu poderia dançar com ele a noite toda em um baile extravagante e depois deixar que ele me levasse para casa para cuidar da nossa cidade, do nosso povo… da nossa *família*. Porque às vezes a família não é aquela em que nascemos. Às vezes a família é aquela que encontramos.

E eu tinha encontrado a minha em Wakan.

Eu tinha encontrado a minha *nele*.

Voltei a ficar com os olhos marejados.

– Por que está chorando? – perguntou ele, com carinho.

– Porque estou muito feliz. – Olhei para ele através dos cílios úmidos. – Nunca mais vamos sair daqui. Vamos morar neste momento para sempre.

Ele olhou ao redor, assentindo.

– Bom, não que eu quisesse construir uma casa de verão aqui, mas as árvores são muito bonitas.

Eu gargalhei, e ele me puxou mais para perto, pela cintura, para encostar a testa na minha.

Dei um sorriso largo.

– Me dê um beijo, Daniel Grant.

Ele pareceu escandalizado.

– Aqui? Na frente de todo mundo?

– Aqui. Na frente de *todo mundo*.

Ele parou de me rodopiar, e ficamos embaixo de um lustre de cristal enorme no meio do salão, o baile inteiro assistindo, todos os olhares voltados para nós. Seus lábios pairaram a milímetros dos meus.

– Como. Você. *Quiser*.

Epílogo

Daniel

Sete meses depois

Doug acenou com a cabeça para minha esposa do outro lado do Bar dos Veteranos.
– Cem pratas se você conseguir convencê-la a me dar folga segunda.
Eu ri, organizando as bolas de sinuca.
– Isso é entre você e sua chefe.
– Por favor, cara. Eu tenho um encontro.
Parei para encará-lo por cima do ombro.
– Ela viu suas fotos e confirmou o encontro mesmo assim?
Brian riu.
Liz olhou para nós de trás do bar e sorriu, e Brian retribuiu.
Doug trabalhava meio período na clínica. Tinha tirado o certificado de socorrista e dirigia a ambulância da Clínica Royaume-Wakan. Ele basicamente garantia que a ambulância estivesse abastecida de suprimentos e gasolina e levava pessoas ao hospital em Rochester caso fosse necessário. Segunda eles fariam o balanço.
Brian acenou com a cabeça para ele.
– Leve-a para o trabalho. Mostre a ambulância. Você vai parecer descolado.
– Alexis não deixou. E esse babaca não quer conseguir minha folga. Cara, eu fui cupido de vocês dois, seus idiotas, e é assim que me agradecem?
Olhei para o relógio.
– Se por "cupido" quer dizer que nos fez parecer boas opções em comparação a você, então, sim, você foi nosso cupido.

Brian soltou uma risada engasgada.

Doug bebeu um gole da Fanta.

– Não quero nem *pensar* nas fotos íntimas de merda que estariam circulando por aí não fosse pela minha ajuda. Você deve seu casamento à minha *expertise*. Quer saber? Vão se foder. E não me peça mais para cuidar do seu cachorro idiota. Não conte comigo.

Eu ri.

Alexis finalizou a conversa com Doreen perto do jukebox e estava vindo na minha direção. Sorri ao vê-la se aproximar.

Ainda não tínhamos contado a ninguém. Ela queria esperar até as doze semanas. Era muito cedo para perceber a barriguinha, e ela estava usando meu moletom com bolso canguru, então não daria para ver de qualquer jeito. Mas saber o que eu sabia me fazia sorrir de orelha a orelha, e isso também fazia com que *ela* sorrisse de orelha a orelha.

Já tínhamos decidido que nossos filhos seriam Montgomery Grant. Assim poderiam escolher o legado que quisessem.

Fazia quase um ano que eu tinha visto minha esposa pela primeira vez. Uma mulher bonita em um carro chique, caído em uma valeta, falando comigo por uma abertura de 2 centímetros na janela.

Minha vida agora era muito diferente. Eu jamais teria imaginado que aquele encontro do acaso levaria a tudo aquilo. Que eu seria tão feliz por causa daquele maldito guaxinim.

O casamento aconteceu três meses após a festa de aniversário do hospital. Alexis queria se casar antes que a construção da clínica terminasse e ela ficasse ocupada demais para sairmos em lua de mel. A cidade inteira fechou para o casamento.

Lapidei nossas alianças com a madeira do corrimão da casa. Fiz entalhes combinando e impermeabilizei. Pensei que talvez Alexis pudesse querer um diamante, e eu até poderia ter comprado um, pois os negócios estavam indo bem, mas ela amou a ideia das alianças feitas por mim.

A cerimônia foi no celeiro de Doug. Jane preparou a comida e Alexis encomendou um bolo da Nadia Cakes que parecia um guaxinim para celebrar o jeito como nos conhecemos.

Derek e sua esposa famosa vieram do Camboja, então tivemos que fazer as pessoas assinarem 350 termos de confidencialidade.

Gostei muito deles. Ficaram duas semanas conosco.

O pai de Alexis não foi ao casamento.

Sabíamos que ele não iria. Mas a mãe marcou presença, e tanto eu quanto Alexis valorizamos seu esforço. Não era fácil para ela contrariar o marido. Por outro lado, ela não estava disposta a perder os filhos por causa dele. Alexis disse que a mãe também estava fazendo terapia, o que a deixava muito feliz.

A Dra. Jennifer Montgomery era uma mulher agradável. E acho que ela também gostou da nora, Nikki. As duas tinham muito em comum, já que eram filantropas.

A mãe de Alexis ficou uma semana conosco. E, quando foi embora, nos presenteou com uma lua de mel de um mês. Foi um presente atencioso em vários aspectos, mas principalmente porque era para *mim*. Alexis disse à mãe que eu nunca tinha viajado. Então ela nos mandou para Itália, França, Grécia, Inglaterra e Irlanda. Tudo de primeira classe e em hotéis cinco estrelas. A viagem de uma vida. Curtimos demais.

Alexis sempre deixava que eu ficasse no assento da janela no avião, pois eu nunca tinha voado. Comemos em alguns dos melhores restaurantes do mundo. Aprendi qual garfo usar e dominei o Uber e aqueles cartões magnéticos que abrem a porta dos quartos de hotel. Vimos ruínas antigas e castelos e passamos dias em praias de areia branquinha. Voltei ainda mais apaixonado por minha esposa, o que era difícil de imaginar.

Mas estávamos felizes por estar em casa – e Doug também, porque ele cuidou de Hunter enquanto viajávamos, e nosso cachorro bobo ficava levando roedores para dentro de casa.

Alexis se aproximou e envolvi sua cintura.

– Pronta para ir embora? – perguntei.

– Pronta. Estou um pouco enjoada – respondeu ela, baixinho.

– Ok. – Olhei para os caras. – Ei, já estamos indo.

– Até mais – disse Brian, ainda rindo para a namorada.

Doug fez um aceno de cabeça para minha esposa.

– E aí, quando Briana vem de novo? Ela ainda está solteira?

Ele ergueu as sobrancelhas.

Alexis riu.

– Doug, se ela soubesse onde você mora, colocaria fogo na sua casa.

– O quê? – Ele olhou de mim para ela. – Ela estava totalmente a fim de mim!

Todos caíram na gargalhada.

Doug ficou perseguindo Briana com o violão no nosso casamento. Ela encontrou um borrifador de água e usou o resto da noite para afastá-lo quando ele chegava perto demais. Pelo menos Nikki o ensinou a afinar o violão enquanto estava aqui...

– A gente se vê amanhã – falei, ainda rindo.

Tirei minha jaqueta de trás do balcão do bar e coloquei-a sobre os ombros da minha esposa.

Saímos para o ar fresco da noite de abril.

Tínhamos caminhado até lá, para fazer um pouco de exercício, então também voltaríamos andando. Peguei sua mão, e ela entrelaçou seu braço no meu e apoiou a cabeça em meu ombro.

– Como está se sentindo? – perguntei.

– Só estou cansada.

– Acho que você deveria parar de ir para a farra.

Ela riu.

– Rá. Hoje foi o dia da vacinação. Devo ter aplicado umas duzentas vacinas. E não eram daquelas divertidas.

Beijei o topo da sua cabeça.

– Vou preparar um banho para você quando chegarmos em casa.

Então eu acenderia a lareira no quarto enquanto ela ficava na banheira. Quando saísse, deitaríamos na cama com um livro. De manhã, eu levantaria mais cedo que ela e prepararia o café da manhã antes que ela tivesse que ir para a clínica e ficaria na garagem trabalhando na última encomenda.

Na hora do almoço, eu a encontraria no Jane's ou levaria uma marmita se ela estivesse ocupada demais para sair. E no jantar cozinharíamos juntos, talvez assistíssemos a um filme.

A Casa Grant parecia muito feliz agora que estávamos morando nela. Parecia sussurrar ao nosso redor. Wakan também estava feliz. E *saudável*. Pela primeira vez na história da cidade, tínhamos uma médica de verdade. Não precisávamos ir até Rochester. Ela fazia visitas domiciliares a Pops. Alexis podia monitorar os remédios para depressão de Doug, então ele voltou a tomá-los e estava melhor do que nunca. Lily tinha acabado de passar pela consulta de 1 ano. E a clínica ainda ajudava os turistas. Eles também não gostavam de ter que dirigir 45 minutos para conseguir atendimento.

A clínica era tão movimentada que era difícil imaginar que conseguimos viver sem uma. E tudo em troca de irmos a alguns eventos de arrecadação de fundos de vez em quando. Um almoço em um campo de golfe, o baile anual, um jantar particular com grandes doadores. Eu sempre ia com ela. Era divertido. Conheci Melinda Gates em um deles.

Eu sempre ficava impressionado com minha esposa. Com a mulher polida e sofisticada que era, explicando de forma articulada e detalhada as estatísticas das comunidades carentes e a importância das doações. Então voltávamos para casa, e ela calçava as botas enlameadas e ia até a fazenda de Doug para ajudá-lo com o parto de uma cabra ou algo do tipo. Eu amava o fato de ela ser uma Montgomery *e* uma Grant ao mesmo tempo.

Kevin Bacon trotava pela rua na nossa frente com o colete refletivo que Doreen fez para ele.

– Lá vai ele – disse Alexis.

Kevin agora era o mascote oficial da cidade e passeava livremente por Wakan. Turistas financiavam suas aventuras transferindo dinheiro por meio do QR code impresso na lateral do colete em troca de fotos com nosso porco famoso. Era a atividade paralela mais lucrativa de Doug até então. Ele provavelmente *conseguiria* me pagar as 100 pratas se eu convencesse Alexis a lhe dar a folga na segunda.

Atravessamos a ponte e começamos a descer a trilha enluarada sob as macieiras.

– Humm – murmurou ela, apertando meu braço.

– O que foi?

– Eu poderia jurar que elas não estavam florescendo quando viemos.

Olhei para cima. Ela tinha razão. As árvores estavam cheias de flores. Eu também não lembrava, embora parecesse algo que eu teria percebido.

– Você se lembra daquela noite? – perguntou ela. – Quando estávamos caminhando e as pétalas caíram?

Assenti.

– Lembro. A noite em que vimos Liz e Jake. A noite em que você me disse que não poderíamos mais continuar nos vendo.

Ainda que aquela noite já estivesse distante, meu peito ainda ficava um pouco apertado ao lembrar.

– A noite em que me dei conta de que estava apaixonada por você – revelou ela.

– Bom, isso explica por que tentou me dar 50 mil dólares. Eu aceitaria agora, aliás.

Ela riu.

– Foi a noite em que você me deu o coração de pedra – disse ela, um pouco distraída. – A noite do espaguete, quando eu me senti tão amada e valorizada. Acho que já sabia que aqui era meu lugar.

Algumas pétalas começaram a cair enquanto caminhávamos. Como uma neve suave feita de primavera.

– Fazia um mês que estávamos juntos, e eu teria lhe dado qualquer coisa – falei, lembrando como me sentia. – E agora tenho você para sempre e mal consigo acreditar que é real.

Ela balançou a cabeça.

– *Eu* não acredito que o universo mandou um guaxinim e uma neblina para jogar meu carro em uma valeta e eu acabar rebocada pelo prefeito.

Olhei para ela achando graça.

– Está me dizendo que você, uma mulher da ciência, acredita que Deus não tinha nada melhor para fazer do que prendê-la em Wakan?

Ela deu de ombros.

– Talvez Ele não tivesse. E a cidade consegue aquilo de que precisa, não é?

– A cidade consegue *mesmo* aquilo de que precisa...

Ela parou de caminhar e se virou para me abraçar.

– Não gosto que sua única lembrança daquela noite seja o fato de eu ter ido embora. Aquela noite foi mágica para mim. A maior parte.

Coloquei as mãos em seu rosto.

– Temos uma vida inteira de noites mágicas pela frente. Não precisamos nos lembrar só daquela.

Ela sorriu, e eu olhei no fundo dos seus olhos e vi tudo. Vi o resto da minha vida. Vi filhos e netos e cadeiras de balanço na varanda de frente para o rio e dois velhinhos morrendo no mesmo dia porque o mundo não seria cruel o bastante para obrigar um deles a existir sem o outro.

As árvores farfalharam ao vento, e pétalas flutuaram ao nosso redor. Elas flutuaram em câmera lenta uma segunda vez. O universo tinha sacudido o globo de neve de novo, só para nós dois.

E ficamos ali em meio à magia, sabendo muito bem o que aquilo significava.

Agradecimentos

Agradeço aos leitores beta Jeanette Theisen Jett, Kim Kao, Terri Puffer Burrell, Amy Edwards Norman, Dawn Cooper, Trish Grigorian, Lynn Fialkow e à leitora sensível Leigh Kramer.

Agradeço a George e Yasmin Eapen. Agradeço à enfermeira da emergência Terri Saenz Martinez, ao médico emergencista Brian Lovig e à sua esposa Mackenzie, que transmitiu minhas perguntas esquisitas ao marido. Agradeço à bombeira socorrista Suzanna Hales Keeran, à Dra. Pam Voelker e à Dra. Christine Muffoletto por responder às perguntas sobre a vida de plantão e o trabalho em um hospital. Agradeço à enfermeira obstétrica Liesl Burnes e à obstetra Dra. Susan Tran por me ajudarem com a cena do parto. Agradeço às defensoras de vítimas da violência doméstica Ashlee Anderson e Virginia Gonzalez, ex-membro do conselho do DVSAS [Serviços de Violência Doméstica e Agressão Sexual, na sigla em inglês], por me ajudarem a escrever sobre o assunto com sensibilidade e compreensão. Agradeço a Sue Lammert, terapeuta especializada em trauma, por me ajudar a entender o impacto psicológico do ciclo de abuso.

Saibam que quaisquer erros deste livro, se houver, são de responsabilidade desta autora, e não dos profissionais que me ofereceram seus conhecimentos.

Um agradecimento especial à minha melhor amiga, Lindsay Van Horn, que conversou francamente comigo a respeito de sua experiência angustiante de violência doméstica. Foi ela que me disse que ninguém poderia salvá-la antes que ela estivesse pronta para salvar a si mesma. Ela se salvou, e hoje tem um casamento feliz com um homem maravilhoso.

Agradeço também a Ashley Spivey, que me permitiu usar suas palavras: "Eu acredito em você, não é culpa sua e você não merece." Ashley é uma corajosa e ativa sobrevivente de violência doméstica. Essa fala é tão poderosa que pedi permissão para reproduzi-la no livro. Obrigada por aceitar, para que essa mensagem possa alcançar mais pessoas que precisam ouvi-la.

As vítimas de abuso tentam deixar o abusador, em média, sete vezes antes de conseguir fazer isso definitivamente. Muitas não saem vivas. Se você ou qualquer pessoa que você conheça precisa de ajuda, entre em contato com uma das organizações a seguir. Há recursos disponíveis e pessoas que compreendem sua situação:

Ligue 180
https://www.gov.br/mdh/pt-br/ligue180

Instituto Maria da Penha
https://www.institutomariadapenha.org.br

Associação Fala Mulher
https://associacaofalamulher.wixsite.com/associacaofalamulher

Artemis
https://www.artemis.org.br

Entrevista com Abby

Por que você quis contar esta história?

Minha melhor amiga teve um casamento bastante abusivo antes de nos conhecermos. Ela mal saiu dele com vida. Desde então ela se tornou uma defensora de sobreviventes da violência doméstica e fala abertamente sobre sua experiência.

Eu não entendia o ciclo de abuso antes de conhecer Lindsay. Não conseguia entender por que a mulher simplesmente não ia embora. Muitas pessoas desconhecem a dinâmica de poder que existe em um relacionamento abusivo e como ajudar quem está passando por isso. Só quando Lindsay conversou comigo sobre o assunto, eu consegui entender como a situação é complicada e como é difícil sair dela. Ali estava aquela mulher inteligente, capaz, forte, que acabou em um casamento horrível do qual ela achava que não tinha o poder de escapar. Isso estilhaçou todas as ideias preconcebidas que eu tinha sobre com quem e por que isso acontece. Abriu meus olhos.

Não consigo pensar em uma maneira melhor de educar um leitor do que colocando-o dentro do cérebro de alguém que está passando por isso. Tive muito cuidado ao escrever para garantir que o conselho que Alexis dá a Liz fosse preciso. Minha esperança é que possa servir de guia para quem está testemunhando ou sobrevivendo a um caso de violência doméstica.

Em que aspectos você se identifica com Alexis? E com Daniel?

Eu me identifico com os dois. Cresci sem dinheiro. Não fiz faculdade. Tive que começar a trabalhar aos 16 anos, o que me colocou no setor de serviços, onde eu conseguiria um emprego sem ter ensino superior. Alexis e eu regulamos a mesma idade, e agora que tenho mais segurança financeira, posso comprar coisas mais bonitas. Então consegui viver na cabeça dos dois com alguma facilidade. Mas se tivesse que escolher, diria que me identifico mais com Daniel.

Daniel é tão bom e honesto! Eu amei ver a casa de Alexis pelos olhos dele. Alexis não tinha noção de seu próprio estilo de vida. Nunca entendemos, quando acompanhamos seu ponto de vista, como sua vida é extravagante e opulenta... porque ela mesma não percebe isso! Está tão acostumada que nem pensa nisso. Então Daniel aparece lá e fica chocado com a maneira como ela vive. Sinto que, por mais luxos que eu possa ter um dia, nunca vou deixar de reconhecê-los. E acho que com Daniel também acontece isso. Ele sempre vai reconhecer os privilégios de sua vida, porque vem de uma criação bastante humilde. E me identifico muito.

Como você escolheu o nome Wakan para a cidade de Daniel?

Eu queria que o nome da cidade de Daniel fosse uma palavra que os indígenas locais usariam, uma vez que vários lugares em Minnesota ainda são chamadas pelo nome original. Então entrei em contato com a Native Languages of the Americas [Línguas Nativas das Américas] e fiz uma doação para que batizassem a cidade. O fundo beneficia a preservação das línguas nativas, o que eu amei. Eu queria que o nome da cidade fosse algo que indicasse suas características mágicas. A região ao sul de Mineápolis é território tradicional dos dakota sioux. A palavra dakota mais conhecida para "mágico" é "wakan", que também significa espiritual, sagrado ou fantástico.

Eu também queria que o mundo de Alexis tivesse um significado oculto. Royaume significa "reino", em francês.

As coisas em Wakan nem sempre são o que parecem – as libélulas, o vitral mutável da Casa Grant, as tempestades estranhas. Qual era sua intenção com esses detalhes e como a cidade acaba se tornando uma personagem por si só?

Foi o que Pops disse: acontecem coisas em Wakan que não têm explicação.

Eu queria que a cidade tivesse um toque de "talvez" mágico. Amei a ideia de que o encontro de Alexis e Daniel fosse mais do que sorte ou destino – uma intervenção divina. O espírito da cidade sentiu a presença dela e, sabendo que ali era seu lugar, encontrou um jeito de impedir que ela seguisse viagem. E qualquer que seja a entidade onipresente guardiã da cidade, ela tem um interesse profundo em Daniel.

Daniel tem muito a ver com o bem-estar de Wakan. Ele vem de uma longa linhagem de zeladores. E acho que a magia teria interesse em sua felicidade e faria o que fosse preciso para ajudá-lo. A magia o protege e está muito ligada a suas emoções – e não deixa de bancar o cupido quando necessário.

Inseri vários detalhes no livro que era preciso prestar bastante atenção para perceber. O vitral do patamar da escadaria é um deles. Nunca é descrito da mesma forma, porque é mutável, e ninguém lembra como ele era, exceto o leitor, que não está sob o feitiço. Ele também tem a capacidade de fazer com que a pessoa esqueça o que viu, e não se permite ser fotografado.

As libélulas significam que uma mudança está a caminho. Vemos a primeira logo no primeiro capítulo, quando Daniel está rebocando o carro de Alexis. Quando os dois se conhecem, as engrenagens já estão girando. Continuamos vendo as libélulas ao longo do livro. Elas desaparecem na cena do rio quando Jake aparece porque a situação de Liz não muda, uma vez que ela não se sente capaz de deixá-lo – mas depois uma delas pousa em seu joelho, na esperança de que talvez a ideia esteja plantada e, afinal, exista esperança de que algo mude.

Há um componente forte de realeza e um toque de Disney neste livro. Fale um pouco sobre isso.

Tanto Daniel quanto Alexis são da realeza. Ele é o último de sua linhagem, um príncipe desfavorecido prestes a perder seu castelo. Ela é uma princesa abastada, embora relutante, com um reino enorme e poderoso, herdeira de um trono de prestígio. Eu *amei* desenhar essa dinâmica ao longo do livro. A saída de Derek é muito similar à abdicação do Rei Eduardo VIII ao trono inglês para se casar com a americana divorciada Wallis Simpson. Isso gerou um escândalo enorme à época, e teve uma cobertura impiedosa dos tabloides. Wallis era considerada social e moralmente inadequada para o rei, como Lola para Derek, e a abdicação de Eduardo deixou o trono para seu irmão mais novo, Jorge VI, para o tormento deste.

Também me diverti muito incorporando todos os elementos da Disney. Alexis perde um sapato logo no início. Ela é uma princesa ruiva, um peixe fora d'água, e tem um pai controlador – *A pequena sereia*? Também tem um clima bem *Aladdin*. A rua onde Alexis mora, Château de Chambord, tem o mesmo nome do castelo que inspirou tanto o desenho de 1991 quanto o *live-action* de 2017 de *A Bela e a Fera*. Fiz isso porque Alexis é uma mulher linda e inteligente presa em um castelo com um monstro. E, claro, *A princesa prometida*. Eu me diverti muito escrevendo este livro.

Hunter é baseado em um dos seus cães?

Hunter é baseado livremente em Tess, a cadela de caça do meu marido. Ela já me trouxe vários animais quase mortos, incluindo um que acabou entrando na sala. Ela sempre parece absolutamente perplexa quando eu grito.

Crepe do Daniel

- ¾ de xícara de leite
- 1 colher (chá) de extrato de baunilha
- ½ colher (chá) de extrato de amêndoa (opcional)
- ¾ de xícara de água
- ½ xícara de açúcar refinado
- 4 colheres (sopa) de manteiga derretida
- ½ colher (chá) de sal
- 3 ovos
- 1½ xícara de farinha de trigo

Coberturas:

- Geleia ou frutas de sua escolha
- ¼ de xícara de açúcar impalpável (açúcar refinado misturado com amido de milho)
- Chantili
- Chocolate, calda de caramelo ou outra calda de sua preferência (opcional)

1º passo

Em uma tigela grande, misture o leite, os extratos, a água, o açúcar, a manteiga, o sal e os ovos. Aos poucos, acrescente a farinha, mexendo sempre até ficar homogêneo.

2º passo

Aqueça uma chapa ou uma frigideira untada em fogo médio-alto. Usando a medida de ¼ de xícara para cada crepe, despeje a massa na frigideira. Incline-a em movimentos circulares para que a massa cubra a superfície uniformemente.

3º passo

Cozinhe o crepe por 1 a 2 minutos, até dourar o fundo. Solte com uma espátula, vire e deixe cozinhar do outro lado.

4º passo

Recheie os crepes com um pouco de sua geleia favorita ou frutas frescas. Dobre a base e, em seguida, as laterais, então dobre a parte de cima, como se estivesse montando um *burrito*. Polvilhe açúcar impalpável e cubra com uma dose generosa de chantili. Você pode acrescentar mais frutas ou um fio de calda de chocolate ou de caramelo ou qualquer outra de sua preferência.

Para saber mais sobre os títulos e autores da Editora Arqueiro,
visite o nosso site e siga as nossas redes sociais.
Além de informações sobre os próximos lançamentos,
você terá acesso a conteúdos exclusivos
e poderá participar de promoções e sorteios.

editoraarqueiro.com.br